# GLORIA

## *por* GLORIA TREVI

# GLORIA

*por* GLORIA TREVI

Planeta

Diseño de portada: Jorge Evia Loya
Fotografías interiores y de portada: archivo personal de Gloria Trevi


Avenida Insurgentes Sur núm. 1898, piso 11
Colonia Florida, 01030 México, D.F.

Primera edición: octubre del 2002
ISBN: 970-690-767-X



Impreso en los talleres de Litográfica Ingramex, S.A. de C.V.
Centeno núm. 162, colonia Granjas Esmeralda, México, D. F.
Impreso y hecho en México - *Printed and made in Mexico*

www.editorialplaneta.com.mx

## Capítulo uno

# Comienza la pesadilla

La mañana del 13 de enero del 2000 desperté con los ojos hinchados y la almohada húmeda. Había estado llorando dormida de nuevo, como durante los dos meses que se cumplían ese día. Dos meses del golpe más duro que había recibido en mi vida, la desgracia que me arrasó y me hundió en un estado anímico de profundo vacío, dolor, angustia, oscuridad, en el que sólo me mantenía a flote mi fe en Dios. ¡Mi niña, mi amada Ana Dalai! ¡Nunca más la tendría en mis brazos! ¡Dios! ¡No existe dolor más grande! Ni la suma de todo lo que he pasado en los dos últimos años se acerca a ese dolor.

Quería ir a misa, ir a orar y llorar por mi amada perdida. Todas las noches rogaba: "Dios, tú que todo lo puedes, permíteme despertar y que todo sea una pesadilla, que mañana mi hijita esté viva, la despierte con un beso y la arrulle con un canto mientras la amamanta mi pecho".

Pero no. Cada despertar era sentir el desgarramiento del corazón; cada despertar era una confirmación de lo que no será; un hueco amargo, abstracto, absurdo; agonía que, más que aminorar, parecía devorarme más cada día.

Desde la muerte de mi pequeña hija, Sergio y yo casi no habíamos salido del departamento en que vivíamos en Río de Janeiro. Yo, sumida en la oscuridad de mi dolor, sólo captaba parte de la realidad; él, con su propia pena, trataba de ser fuerte o de hacerse el fuerte para ayudarme a salir de la terrible depresión, de modo que yo consiguiera ver hacia el futuro. Pero mi mente apenas pensaba en poco más que en el recuerdo de mi hija, y el futuro que yo conseguía visualizar estaba totalmente ligado a mi esperanza en recuperarla gracias a un milagro y llenar otra vez mis brazos.

De improviso, un día Sergio me dijo:

—Gloria, alístate. Vamos a salir.

La propuesta me sorprendió. Sobre todo porque llevábamos varios días sin salir juntos. No pregunté adónde iríamos, supuse que a la iglesia que quedaba a unas tres cuadras y a la que íbamos a tratar de hallar consuelo. O... quizá me llevaran adonde estaba mi Ana.

Eran aproximadamente las diez de la mañana. Me puse unos tenis y me dejé la ropa que traía puesta. Muy temprano habían llegado a visitarnos las hermanas De la Cuesta (Katya, Karla y Karola) y la argentina Liliana Soledad

Regueiro. Mary estaba en el departamento. Era la única que compartía con nosotros el lugar y trataba de darme fuerza y consuelo, cosa que no le resultaba nada fácil, pues a pesar de que siempre fui fuerte y sabía luchar contra la corriente y levantarme tras las caídas, esta vez no podía, era un fardo demasiado pesado. Las otras chicas aparentaban tratarme con afecto y consideración, y yo, en mitad de mi dolor y la carencia de afectos, me sentía agradecida.

Sergio les informó:

—Ahora volvemos. Katya, tráete el carrito de la compra.

Me extrañó que lo pidiera, pues pensaba que iríamos a la iglesia. Pero no abrí la boca, no tenía ganas de decir ni preguntar nada, me daba lo mismo.

Salimos Sergio, Katya y yo. Era lo que podría considerarse una hermosa mañana de sol. La gente se veía tan viva y yo me sentía tan muerta. Caminamos hacia la calle Copacabana y en el corto trayecto Sergio se ponía de acuerdo con Katya para comprar las cosas que se necesitaban. No puse atención a lo que hablaban. Salvo algunos instantes en que percibía mi entorno, vivía sumergida en la neblina que envolvía mi vida desde el terrible día de hacía dos meses.

Cruzamos la calle Copacabana. Tal vez, sólo tal vez, me llevarían por fin al panteón en donde estaba mi Ana Dalai (lo había pedido muchas veces y siempre me decían: "cuando estés mejor, más serena"). Quizá Liliana había dicho ya dónde estaba mi niña, quizás había considerado que estaba ya lo suficientemente tranquila para ir adonde mi hijita dormía. Sumida en el dolor, no me di cuenta de lo que pasaba a mi alrededor hasta que escuché gritar a Katya.

Vi que un tipo la tiraba de un brazo y ella trataba de zafarse y reclamaba molesta. Katya es una mujer alta, morena, de buen cuerpo, tenía 25 o 26 años (siempre se cambiaba la edad). Sergio regresó para defenderla y empezó a echar en cara al tipo su atrevimiento. Y éste, con actitud confundida, se diría que tímida, mostró una insignia de policía. Al mismo tiempo una mujer joven que parecía turista trataba de explicar. Al principio parecían disculparse, pero poco a poco su actitud se tornó prepotente. Dijeron que era asunto de migración, lo cual me pareció extraño porque en Brasil no hay tantos problemas con esos asuntos. Cuando mucho, en caso de tener una visa vencida, se paga una multa (al menos eso dijo Liliana que le habían informado en una agencia de viajes).

¿A qué venía todo esto? Comencé a desconfiar de que fueran de migración. ¿No sería que querían secuestrarnos? Con la mirada busqué a algún policía uniformado pero, como siempre, cuando uno los necesita no aparecen. Intenté gritar: "¡policía, policía!", pero no salió sonido alguno de mi garganta. Todo sucedía muy rápido. Los supuestos policías pretendían que subiéramos a un carro de color blanco, según ellos para llevarnos a recoger los pasaportes y otros documentos a nuestro departamento. Me sentí confundida por la actitud cooperativa de Sergio y Katya. Sólo yo parecía desconfiar de esas personas. Sergio y Katya se subieron al carro; yo no quería subir, seguía buscando a un policía que pareciera policía. Más los presuntos agentes insistían en que subiera al carro, me decían que no complicara las cosas.

¿Que no complicara las cosas? ¿Qué cosas?

¿Subirme al carro? ¡No! ¿Por qué? El departamento está aquí cerca, podemos ir caminando.

—¡Por favor, señorita, suba al carro! —insistían el hombre y la mujer, y mi desconfianza de que fueran autoridad se fortalecía. Sergio y Katya también empezaron a pedirme que subiera al carro.

—Por favor, Gloria, sube.

—¿Cómo sé que no nos están secuestrando para pedir rescate, o algo peor? ¿Cómo sé que realmente son policías? —le dije a Sergio y a Katya en la cara de las dos personas que decían serlo.

Parecieron sorprenderse, no daban crédito. Sergio trató de mediar.

—Ya te mostraron sus insignias, Gloria, súbete por favor.

—No, no creo, no quiero —repetía yo.

Ante la insistencia de Sergio apoyado por Katya y la presión de los dos presuntos policías, accedí. Se trataba de ir al departamento por los documentos y los policías dijeron conocer el camino, pero no tardé en comprender que no íbamos al departamento. En el trayecto, mientras veía un hermoso lago que reflejaba la luz del sol y un cielo azul con nubes blancas, pensé: "¡Nos están raptando, nos están secuestrando! ¡Nos van a matar!"

Casi había olvidado que era una artista famosa, considerada en México el fenómeno artístico de los últimos 30 años. En Brasil era un ser anónimo, normal como cualquiera. A excepción de casuales encuentros con uno que otro turista mexicano que me reconocía, me pedía un autógrafo o se tomaba una foto conmigo, era como cualquier mujer común y lo gozaba. Podía salir, andar por la calle y llevar una vida tranquila, lo cual había sido lo más cercano a la felicidad hasta hacía dos meses. "¡Y ahora esto! —pensé aterrada— ¡De seguro nos van a matar!" Tal vez nos llevaban al monte, en Río de Janeiro sobran sitios selváticos dónde ocultar cuerpos, y siendo anónimos en Brasil y sin documentos, ¿quién se iba a enterar? Mis detractores podían seguir exprimiendo y explotando mi imagen, mi nombre. Ya imaginaba las especulaciones: "¡Sergio Andrade mató a Gloria Trevi y desapareció!" "¡Gloria Trevi está escondida en una isla exótica!" "¡Gloria Trevi fue secuestrada por extraterrestres!" Eran capaces de inventar lo que fuera, de contar las más estúpidas y descabelladas historias con tal de seguir llenándose el bolsillo a costa de un público engañado, ávido de chismes. Explotaban no sólo mi imagen, sino la credulidad de la gente que compraba sus mentiras. ¡Lejos estaba yo entonces de imaginar que las calumnias y la difamación que proliferarían en los medios serían de tal manera atroces, sucias, ruines, despiadadas! ¡No podía imaginarlo ni como pesadilla. Y aun hoy, viviendo lo que vivo a causa de tales calumnias, me cuesta creerlo!

Respiré profundo y, resignada, pensé: "Tal vez Dios escuchó los ruegos de que me devolviera a mi hija y esta sea la forma de reunirme con ella". Todo había acabado. ¡No!, no podía ser. Sentí una gran rebeldía. ¿Y mis sueños? ¿Y mis ilusiones? ¿Y los hijos que quería tener? Llegamos a una delegación de policía y sentí alivio, la esperanza volvió a mí. ¡Todo se aclararía! No pasaría de un terrible susto y todo marcharía bien. Aunque pensar en reunirme con mi niña me proporcionaba cierto consuelo, por otra parte deseaba mucho vivir, tener una familia, tener más hijos, realizar mi sueño de verlos crecer felices. Necesitaba arrancarme la frustración que sentía por la pérdida de mi hija, pues temía morir con esa tristeza profunda en el alma en vez de hacerlo con tranquilidad, la tranquilidad de quien tiene una familia que le ama y a la que ama. Una familia propia.

Pensé que llegando a la delegación todo sería cuestión de breve tiempo. Se aclararían las cosas y quedaríamos libres ese mismo día, pero poco a poco fui dándome cuenta de la espantosa realidad. El jefe de Interpol-Brasil nos esperaba en una de las oficinas. Un señor gordo y bigotón, de actitud arrogante y divertida, se dirigió a Sergio:

—¡Todo un país lo busca, Sergio! —dijo en tono irónico.

—¿Qué país? —respondió Sergio, sonriendo tristemente.

Empecé a pedir explicaciones y las respuestas eran ambiguas.

—Tienen una orden de aprehensión en México.

—¿Cuáles son exactamente los cargos —preguntó Sergio.

—¡Pronto se les informará!

Y allí estábamos sin saber en realidad por qué. El jefe de la Interpol-Brasil era un tipo petulante. Sentí rabia e impotencia viendo su actitud triunfal y comencé a percibirme como una especie de medalla o trofeo. Eso significábamos para él, aun cuando la captura no le exigió el mínimo esfuerzo. Pero se trataba de un trofeo falso, puesto que no éramos criminales (criminales los que andan sueltos en las calles y a quienes no pueden atrapar porque no los encuentran o porque les untan las manos). ¡Qué orgullo! ¡Qué valientes! Aprehender a una pareja que se dirigía a la iglesia y a una mujer que iba al mandado.

Sin imaginar siquiera el revuelo que se había desatado en México, pedí usar el teléfono. Quería hablar con mi familia, pero primero debía hablar con las muchachas para que me dieran el número telefónico de la casa de mis padres: lo habían cambiado y no lo sabía de memoria, estaba en mi agenda. No me permitieron usar el teléfono. Poco después, escoltadas por policías, llegaron Mary y las muchachas que estaban en el departamento, todas consternadas. En ese momento me permitieron llamar a mi casa y Mary, gracias a Dios, precavida como siempre, traía la agenda y pude comunicarme con mi familia minutos antes de que en México se suspendiera la programación regular de las televisoras y el país entero se enterara de mi captura.

No tenía conciencia de lo que pasaba ni de la magnitud del problema. Se informaba de mi detención como si hubieran atrapado a un asesino peligroso, a un traidor a la patria o a una fiera rabiosa. ¡Claro que también hablaban de Sergio y Mary! ¡Pero la atracción del circo, el oso panda, era yo, Gloria Trevi. De eso se encargaron TV Azteca, Patricia Chapoy y sus secuaces.

Empezó a caerme el veinte de que el problema era real, era un problemón.

En algún momento alguien dijo que la acusación era por "rapto o secuestro y corrupción de menores", y se mencionó el nombre de Karina Yapor.

¿Karina Yapor? Me parecía realmente estúpido tal revuelo por algo que no era cierto. ¿No estaba Karina en su casa? ¿Cuál secuestro? ¿Qué corrupción? Karina siempre había hecho lo que le dio la gana, incluso se ufanaba de que sus papás hacían lo que ella deseaba, y en resumidas cuentas yo nunca fui ni compañera ni responsable de ella. De esto hablaré más adelante.

¿Sería una broma de increíble maldad y mal gusto? "¡Claro! —pensé— TV Azteca está orquestando esto!" ¡Y no me estaba equivocada!

Cada vez me parecían más ridículos los de Interpol. Mira que dejarse embaucar y utilizar para venganzas personales y aumentar el *rating* de unas televisoras.

A Mary la aprehendieron en el departamento mientras estudiaba guitarra. ¡Qué operativo tan complejo y peligroso! Deberían sentir vergüenza. Movilizar personal de dos países para algo tan estúpido. Me sentía ofendida y víctima de la injusticia.

Nos informaron que el cónsul de México venía en camino. Era una persona de apariencia cómica, por no decir ridícula. Bigotito tipo Pancho Villa, chaparro, moreno, en fin, prototipo de la caricatura del mexicano en el extranjero, el revolucionario de principios del siglo XX.

Yo, que escasa o ninguna malicia tenía, lo recibí con gusto y esperanza, y pronto percibí lo que desde el principió debió resultarme evidente: el hombre estaba con el enemigo.

El cónsul Arturo González fue cortés, pero no imparcial. ¡Lógico! El gobierno de México (para ser específicos, el de Chihuahua, que anticonstitucionalmente solicitó la extradición) había pedido mi aprehensión y él representaba al gobierno.

—Quiero un abogado —le dije.

—¿Para qué? ¡No lo necesita! —repuso sorprendido de que en mi situación solicitara un abogado. Era como si pidiera un elefante rosa con puntitos verdes.

—Quiero un abogado —insistí.

De seguro tengo cara de estúpida, pues presa en Brasil y con mi situación provocando revuelo internacional, el cónsul Arturo González quería hacerme creer que no necesitaba un abogado.

—Quiero un abogado. ¡Quiero un abogado!

Por fin, con actitud condescendiente, nos puso en contacto con un abogado, pero a esas alturas ya no confiaba yo en nada que ellos (la embajada) recomendaran.

Cuando llegó el abogado Lombardo, un hombre maduro, de buena presencia, no pude confiar en él. Pero tampoco lo rechazamos, no teníamos a nadie más.

Mientras tanto Liliana Regueiro, mediante la señora Selma (la señora Selma le rentó el departamento de Tijuca) entró en contacto con otros abogados, que aún no habían llegado.

Pese a la situación, el dolor que me devoraba por otra razón muy personal —mi Ana— no desaparecía. Envuelta en esa niebla, todo parecía ocurrir sin que yo estuviera completamente ahí.

Cuando supe que tomarían las fotos para el clásico archivo criminal, me puse pintura de labios y traté de peinarme con la mano. No por vanidad, sino por orgullo y, más que todo, por dignidad. Sonreí a la cámara y el *flash* me trajo muchos recuerdos. ¡Cuántos *flashes* en mi vida! Escenarios, entrevistas, admiradores, familia.

Mi actitud extrañó a los policías, acostumbrados a que los criminales arrestados se tomaran la foto con expresión triste o furiosa. Pero yo sabía que mi foto la verían mis detractores y no quería darles el gusto de verme triste y a la vez asustada. Y no era la primera vez que sonreía a una cámara cuando lo que sentía eran ganas de llorar. Luego nos tomaron las huellas digitales. Nunca me había visto las manos tan manchadas. Empecé a sentir vergüenza, pero las humillaciones apenas empezaban. Todo parecía indicar que iríamos a prisión, por increíble que pareciera, por injusto y absurdo que fuera. ¡Iríamos a prisión! ¡A la cárcel!

Los abogados que contactó Liliana Regueiro llegaron cuando éramos subidos a una patrulla. Vi a las muchachas hablando con ellos, explicándoles, yendo y viniendo; se acercaban a la patrulla y por la ventana nos daban ánimos.

Supuestamente Katya había sido liberada. Sólo continuábamos presos Sergio, Mary y yo, pero las muchachas seguían ahí, muy preocupadas, animándonos, aunque visiblemente asustadas. Me sentí angustiada por ellas, frágiles y solas. ¿Y si intentaban hacerles daño? ¡Tonta de mí!, no sabía entonces la clase de alacranes con alas que son. Vi a lo lejos las cámaras de televisión. Supe que ellas serían acosadas por los medios, perseguidas, presionadas, acorraladas, usadas o compradas. O todo junto.

"¡Que Dios las cuide!", pensé. Confiaba en ellas, en unas más, en otras menos, pero las consideraba mis amigas. Me lo habían repetido tantas veces que llegué a creerlo.

Cuando salimos para abordar la patrulla muchas cámaras trataban de captar las imágenes. No me impresionaban, era un acoso familiar, como de otra vida, y sin duda había más cámaras en las presentaciones de mis discos, películas o calendarios. Pero me incomodaba la idea, casi certeza, de que alguno fuera corresponsal de TV Azteca. Claro, no podían dejar de hallarse en primera fila para el teatro y la infamia que ellos armaron y orquestaban.

Salimos en la patrulla con sirena y velozmente para perder a la prensa. En el camino Mary y yo nos despedimos de Sergio. No sabíamos cuando volveríamos a verlo. O si volveríamos a verlo.

Durante años (16, para ser exacta) él siempre había estado presente en todas mis actividades, y en ese momento necesitaba yo su apoyo y su consuelo para no llorar en mi desamparo. ¡Y ahora esto! Quise parecer fuerte, tranquila, confiada a medida que nos acercábamos al presidio de mujeres Nelson Ungría en Río de Janeiro. Llegando nos despedimos de Sergio con una triste sonrisa, tratando de transmitirle confianza en la justicia, animándolo para que no se sintiera mortificado por nosotras, e intenté adoptar la actitud de una mujer dueña de la situación. Por dentro me resquebrajaba de dolor y angustia.

A Sergio lo llevaron a una prisión de alta seguridad para hombres, mientras que Mary y yo ingresamos a la prisión de mujeres. Después de ciertos trámites entre los guardias que nos llevaban y los que nos recibían, una de las funcionarias nos condujo al interior. Subimos unas escaleras de cemento y llegamos a un corredor; todo era gris y olía a sucio. Pasamos ante varias celdas ocupadas por mujeres que no dejaban de cuchichear. Unas parecían amables, otras mandaban besos y tomaban actitudes que me asustaban. Traté de que no se me notara el miedo.

Durante mi lucha por ser famosa y llegar a ser estrella conocí a gente de todo tipo y aprendí que lo peor era mostrarme intimidada. Mantuve, pues, la cabeza erguida, aunque cuidando no parecer "alzada". Respondí algunos saludos, ignoré los comentarios vulgares.

La funcionaria nos llevó a un lugar donde guardaban los objetos valiosos y había un baño. Recogió nuestras pertenencias de valor, que se reducían, en mi caso, a una cruz de oro con su cadena y un anillo de oro con brillantitos, regalo de mi madre cuando grabé mi cuarto disco; en el caso de Mary, a un reloj que no era valioso pero igualmente le fue confiscado. Luego pasamos al baño.

La funcionaria o carcelera era joven y si la hubiese visto en la calle no la habría imaginado en un trabajo así. Pidió que nos desnudáramos y me sobresalté, pero sabía que negarme sólo complicaría las cosas. Empecé a quitarme la ropa con el rostro hirviendo y lágrimas nublándome la vista. Nunca me había sentido tan desnuda.

Mis calendarios fueron hechos profesionalmente, con una fotógrafa, y pedí siempre que los asistentes abandonaran el estudio o la locación. Los calendarios nunca fueron eróticos ni pornográficos, muchas de sus fotos no difieren de las de tantas niñas bien que se ven en las playas de Acapulco, Manzanillo, Cancún, Padre Island (Texas). Otras consistían en una especie de broma o sátira, con alusiones al tapado (candidato por dedazo y seguro presidente de México) o a los encapuchados de Chiapas, o bien eran una desmitificación del tabú que representaba el condón en México. Los calendarios eran considerados "sexys" por el hecho de que tenían algunos desnudos que ni siquiera eran totales, pero las actitudes solían ser burlonas o risueñas. Eran trabajos conceptuales. Pero lo que estaba viviendo en ese momento en el baño de la prisión nada tenía que ver con nada que yo hubiese vivido. Obligada sin alternativa a mostrar mi cuerpo, me sentí humillada, herida, ultrajada. La penetrante mirada de la mujer buscaba no sé qué en mi cuerpo y yo procuraba verla a los ojos, intentando, pese a las circunstancias, mantener la dignidad, no convertirme en lo que querían convertirme: una reclusa, una criminal, un ser sin derechos, obediente, sumiso, pisoteado. Luché con la vergüenza, erguí mi cuerpo y respiré hondo, pero los ojos me traicionaron y unas cuantas lágrimas cayeron al piso. La mujer nos pidió que hiciéramos tres sentadillas. No me volví a ver a Mary y sé que ella también evitó verme. En silencio, ante la humillación, ofrecíamos una muestra de respeto a lo que cada una sufría.

La guardiana observó sin duda el rubor en mi rostro y comentó conciliadora:

—¿Por qué te da vergüenza, si tienes bonito cuerpo?

Mi rostro siguió sin expresión. Sentí asco. Y a tres meses de haber parido no me parecía bonito mi cuerpo, con sobrepeso. No hallé malicia en el comentario de la guardiana; sólo parecía querer aliviar ridículamente el momento.

—¡Vístanse! —ordenó la mujer.

Creí ver en ella una sombra de vergüenza. Pareció percibir la angustia que vivíamos y sentir pena por nosotras.

—¿Ya comieron? —preguntó.

—No —respondimos.

Era casi media noche y no habíamos comido nada en todo el día, pero sólo en ese momento caí en cuenta. Nos condujo a una cocina que tenía un comedor, todo de apariencia humilde. Unas reclusas de confianza limpiaban el lugar. La guardiana ordenó que nos alimentaran. Había unas ollas medianas con arroz, con un guisado de pollo, con frijoles, fruta, pastel de elote. El momento contrastó con el resto del día. Vino a mi cabeza el salmo 23.

No tenía hambre, pero me obligué a comer un poco. Tenía la esperanza de hallarme embarazada, pues empezaba a sentir algunos síntomas y mi periodo no se había presentado… ese deseo me daba fuerza.

Luego de comer un poco, Mary y yo fuimos llevadas a una celda que luego supimos era conocida como "la solitaria". A su llegada todas las presas permanecían en esa celda de prueba varios días a fin de que allí se juzgara su comportamiento y, sobre esa base, fuesen luego conducidas a celdas comunes con presas de buen o mal comportamiento. El calor era infernal. Me sentía atontada ante la absurda realidad que vivíamos. El ruido de las llaves, del candado, de las cadenas, de las rejas, me taladraba el cerebro. Percibí una sombra humana al fondo y la funcionaria dijo que compartiríamos la celda con una asesina acabada de llegar, pero sólo por unos días, mientras nos evaluaban.

La celda era oscura y grande, sin ventilador ni televisor. No tendríamos derecho de salir al patio, pero al menos había agua. Tampoco teníamos luz. La sombra del fondo murmuraba en forma monótona y repetitiva algo que yo no entendía.

—Eh, cantora, ¿tienes jabón? —me preguntó una negra joven desde la celda de enfrente.

—No. —respondí.

Y caí en cuenta de que no teníamos nada, de no ser una colchoneta vieja y sucia que nos fue proporcionada ahí. La joven nos arrojó una pastilla nueva de jabón y sentí enorme gratitud hacia ella y hacia Dios.

—Muchas gracias —le dije—. ¿Cómo te llamas?

—¡Simone! ¿Y tú?

—Gloria.

—Las noticias dicen que abusaste sexualmente de más de cien niñas. Las compañeras están enojadas contigo, muchas son madres y ese delito aquí no tiene perdón.

Eso me dijo de sopetón. Apenas si pude digerir la información, no daba crédito. No podía ser cierto lo que me había dicho. Siempre he amado y respetado a los niños. No, no era posible. ¡Mentira, mentira! ¿Pedofilia? ¿Me estaban acusando de pedofilia? Llena de pavor traté de explicar, de desmentir.

—No, yo no hice nada y menos eso. La acusación es obra de quienes en México quieren mi desgracia y utilizan una relación entre mi representante y una menor de edad para hacer este circo.

Relación en la que yo, ¿qué tenía que ver? Ni me preguntaron ni me consultaron, y cuando me di cuenta, los dos se veían muy contentos y ella tan embarazada que yo... ¿qué?

En cuanto dije lo que dije me sentí estúpida.

—¿Cuántos años tiene la niña? —preguntó Simone.

—Ya tiene diecisiete años.

—¿Qué, diecisiete años? —dijo Simone sorprendida y estalló en carcajadas—. Deja que le diga a las otras. ¿Tanto argüende por eso? Aquí a los once ya son putas.

Ahora pienso que algunas, allá en México, también lo son, y a veces con la venia de sus padres.

—Ja, ja, ja —reía Simone y yo no podía entender el chiste—. Una *garota* con el representante. Ja, ja, ja...

Y Simone fue a llevar el chisme que provocó carcajadas entre las demás reclusas.

Quedé pasmada por la revelación. Presa de la impotencia para defenderme de tanta mentira. ¿Qué más inventarían?

Mary y yo comentábamos en voz baja lo ocurrido cuando Simone me llamó de nuevo.

—¡Cantora!

Mary y yo nos aproximamos y vi que varias de las presas, desde la celda de enfrente, nos veían curiosas. —Dicen que eres la Xuxa mexicana... ¿Cantas?

—Sí, canto.

—Cántanos algo —pidieron, como si yo hubiera estado con ánimo para cantar.

—¡Claro que sí!, pero Mary también canta —dije—. Que les cante ella primero.

Mary, comprometida, y ante el interés de las presas en que cantara, lo hizo. Mary es una mujer muy bonita, que llama la atención por el contraste de su piel blanca con el cabello profundamente negro y rizado. Cantó "I Will Always Love You" y lo hizo muy bien. Cuando terminó, los aplausos se oyeron desde todas las celdas de esa ala del presidio. Luego canté una canción mía llamada "El recuento de los daños", que por todo lo que pasaba me salió con especial sentimiento, y también hubo una ovación. Nuestras vecinas se mostraban contentas, "estábamos haciendo amigas".

Poco después la gente dormía. La prisión quedó tranquila, silenciosa, ausente el sonido de los televisores y de la conversación. Sólo se escuchaban algunos apagados lamentos.

"¿Quién llora?", me pregunté. Era yo de nuevo. Pero no lloraba por hallarme en la cárcel, mis lágrimas pertenecen a un monopolio: ¡mi Ana! Echada en el piso de cemento, pues no quise acostarme en la colchoneta, que me pareció más sucia que el piso, lloraba por mi niña. Las lágrimas corrían por mi rostro aun dormida.

Si bien antes de perder a mi hija creía haber conocido el sufrimiento, también había conocido la felicidad y el éxito. Fui una niña amada, una mujer considerada bonita por algunos, una artista famosa, fenómeno artístico y social, amada por el público, convocadora de multitudes, hacedora de opinión. Una mujer que llegó a ser millonaria y sólo dos meses y un día antes se consideraba hija protegida y predilecta de Dios, sin pensar que Dios manda grandes pruebas a los hijos que más ama. Así, a mis 32 años, en aquel instante me hallaba tirada en el piso de una celda oscura, sin nada más, absolutamente nada más que no fuera mi desgracia. Y recordé a Job. "Yavé me lo dio, Yavé me lo ha quitado" (Job 1:21). "Si aceptamos de Dios lo bueno, ¿por qué no aceptamos también lo malo?" (Job 2:10).

Me quedé dormida y poco a poco me fui sumergiendo en mi único consuelo: los sueños bonitos.

## Capítulo dos

# Cómo me hice famosa

Media vida atrás, cuando tenía 16 años y estudiaba en el centro de capacitación de Televisa, luego de haber ganado una beca en un concurso convocado por Lucerito en "Chispita", una telenovela de amplia difusión en ese tiempo, tuve la oportunidad de audicionar con Sergio Andrade. Me había recomendado Ricki Luis, cantante a quien Sergio le estaba produciendo un disco y a quien yo había conocido en Monterrey cuando trabajaba como locutor de radio.

Sergio estaba formando un grupo musical de jovencitas que cantarían y tocarían instrumentos musicales y se llamaría Boquitas Pintadas. Muchas jóvenes audicionamos y fui la última en integrarme al grupo y la que más sufrió.

El grupo estaba formado por:

Pilar Ramírez, guitarra, primera voz, del DF.

María Raquenel Portillo, bajo, segunda voz, de Reynosa.

Claudia Rosas, batería, del DF.

Mónica Rodríguez, piano, de Coatzacoalcos.

Gloria Treviño, sintetizadores, de Monterrey.

Sergio Andrade, productor artístico, compositor de éxitos internacionales, hacedor de estrellas.

"Quién mejor que él para conducir nuestras carreras artísticas. Teníamos suerte. Es un genio", así se expresó Raúl Velasco, en aquellos años conductor del programa *Siempre en domingo*, con nuestras madres cuando nos presentamos en su programa y nos felicitó.

Presentarnos en *Siempre en domingo* y el lanzamiento del único disco que grabamos, había significado un año de arduo esfuerzo, estudios, sacrificios y preparación musical. Tuvimos que aprender no sólo a tocar, sino a dominar nuestros instrumentos; y a cantar, bailar y perderle el miedo al público. Nuestra instrucción musical fue muy completa: aprendimos teoría de la música, solfeo, armonía, historia de la música y composición. Sergio impartía esas materias y era exigente hasta la perfección, pero de que aprendimos, aprendimos. Nosotras, porque así lo deseábamos, pues disponíamos de toda la libertad para irnos y no volver, estudiábamos todo el tiempo, inmersas en una carrera contra reloj. Llegaba el momento de lanzar un grupo formado por mujeres que tocaría en vivo.

Nos costó mucho sacrificio; no había tiempo para vacaciones ni fiestas ni paseos; rara vez podíamos ir al cine. Era cosa de levantarnos y practicar cada quien lo suyo para luego ensayar juntas. Apenas nos dábamos tiempo para comer, vivíamos duramente la rutina de cada día, sin exceptuar los domingos. En especial yo, que como fui la última en integrarme al grupo, era la más atrasada.

El sacrificio no fue sólo nuestro sino también de nuestras madres. Hicieron un gran esfuerzo y tenían que turnarse para estar siempre cuidándonos. Las que más pendientes estuvieron de nosotras fueron la señora Carmen, mamá de Claudia; la señora Raquenel, mamá de Mary; mi mamá, quien tenía que hacer viajes constantes entre Monterrey (donde residía y se hallaban mis demás hermanos, para entonces cinco, todos más pequeños que yo) y la ciudad de México; y, alguna vez, la señora Lupita, mamá de Pilar.

No recuerdo que nos cuidara la madre de Mónica; sólo en una ocasión la vi llegar con tortas ahogadas para comérselas en compañía de su hija, a quien dejaba llena de manteca por fuera y por dentro (era muy gorda), y después de comer aprovechaba para hacer proselitismo en favor de no sé qué religión. Esto ocurría por el año de 1985, el año del gran terremoto.

Después de doce meses de preparación musical, grabamos un disco y, a escasos meses del lanzamiento, el grupo se desintegró, antes incluso de destapar el primer éxito (y el único) del conjunto: "No puedo olvidarlo", composición de Sergio Andrade que cantaba Pilar.

El disco fue grabado en Los Ángeles, la compañía disquera fue WEA e hicimos algunas giras de promoción. En una que recuerdo, patrocinada por Pepsi, que duró casi un mes, nos acompañaron la señora Carmen y mi mamá.

El porqué de la desintegración del grupo fue múltiple, pero lo que más pesó fue que el grupo se dividió en tres: Pilar y Mónica en un bando, Mary y yo en otro, Claudia en el suyo propio. Aparte, Pilar y Mónica vivían un romance, Mónica me lo confesó y la familia de Pilar lo confirmó. En el grupo llegamos a darnos cuenta de ciertos hechos de la vida íntima de ellas que por respeto no voy a comentar.

La compañía de discos WEA, por una supuesta cuestión de presupuesto quería hacer una gira del grupo con sólo tres de las cinco integrantes: Mary, Pilar y yo. Mary y yo nos opusimos, éramos las cinco o ninguna, pero Pilar aceptó siempre y cuando estuviera Mónica. Fue una puñalada mortal. Claudia consideró más honesta nuestra postura y nos apoyó. La gira no se realizó y el grupo dejó de existir. Al poco tiempo supimos que Mónica convirtió a Pilar a su religión, haciendo que Pilar renegara de la virgen María, y Pilar convirtió a Mónica a sus preferencias. La una para la otra, y les deseo felicidad.

Por aquella época Mary, de 15 años, se había casado en privado con Sergio Andrade, con la bendición y el beneplácito de sus papás. Mantuvieron la boda en secreto por razones artísticas y para evadir a las malas lenguas. Yo no me enteré de que se habían casado sino año y medio después, cuando se desintegró el grupo. Aun así, Mary me pidió discreción, que les guardara el secreto. Yo accedí.

Estaba ante un grave dilema. El grupo Boquitas Pintadas se había desintegrado, ya no estaba en el centro de capacitación de Televisa y mi familia me requería, pero yo no quería volver a mi ciudad natal. Mi familia insistía en que debía retornar, dando por terminada mi incursión en la "artisteada". Debía reintegrarme a la familia y continuar estudios convencionales. Yo me resistía, y como se me acabaron los pretextos para permanecer en México, molestos por mi terquedad mis papás amenazaron con retirarme todo apoyo económico.

Yo, con mis flamantes 18 años, mayor de edad, me rebelé y decidí tomar en mis manos las riendas de mi vida, ante el azoro y el disgusto de la familia. Prescindiría de ellos y demostraría que era capaz de obtener el éxito que me había propuesto. De nada valieron ruegos, promesas o amenazas. Estaba decidida a quedarme en la ciudad de México. Era el primer paso y no medí las privaciones, ni me importaron, aunque tenía buen cuidado de ocultarlas a mi familia para que no empezaran con "te lo dije". Saldré adelante, me repetía.

Por ese tiempo Sergio Andrade abrió una escuela de arte en la cual se enseñaba canto, baile, *aerobics*, actuación, música; Sergio impartía composición. Llegó a ser una escuela con gran número de estudiantes —calculo que más de 500 en las diferentes áreas—, le solicité trabajo a Sergio y así empecé. Hice de todo, hasta repartir volantes, mientras me entrenaba para ser instructora de *aerobics*.

Así comencé a ganar honradamente un dinerito que me permitía permanecer en la capital, pues allí estaban las puertas que había que tocar y me mantenía cerca de gente conocida en el ambiente artístico; en tanto, seguía teniendo sueños de fama.

A los 18 años rompí con mi novio porque él quería casarse y yo quería ser artista. Pasé, pues, por una terrible crisis emocional y a la vez me consideraba fracasada profesionalmente; pero lo peor fue darme cuenta que en mí crecía un sentimiento confuso.

Mis sentimientos hacia Sergio estaban cambiando. ¿A partir de cuándo? No lo sé, pero no fue desde el principio pues cada quien tenía su pareja y aparte nuestros fuertes temperamentos chocaban. Nuestra relación era —y lo fue muchos años— de trabajo y algo conflictiva, pues soy rebelde y empecinada, y él es exigente y metódico. Tan es así que en la época de Boquitas Pintadas yo vivía en la cuerda floja a causa de mi carácter y en no pocas ocasiones estuve tentada de irme y no regresar. Pero podía más mi deseo de ser artista, triunfar, alcanzar la fama. Sabía yo que le resultaba antipática, pero me soportó porque percibió en mí a la artista. Así que nos tolerábamos mutuamente, si bien yo lo admiraba como productor y compositor.

En el ambiente artístico le achacaban romances que él no parecía buscar. Mujeres con aspiraciones artísticas o simplemente interesadas ($$$) se le ofrecían y lo acosaban, pretendiendo lograr con el cuerpo lo que no les daba el talento. Se trataba de enganchar al productor más joven y famoso de los años ochenta, el niño genio, el hacedor de estrellas. Periodistas, secretarias, mujeres de todas las edades y diversos oficios y profesiones (proyectos inconclusos) lo buscaban, pero nunca, porque así lo señalaba el destino, alcanzaban sus objetivos "artísticos".

No todas las que se acuestan llegan ni todas las que llegan se acuestan. Aunque algunas de las que llegaron se acostaron. A mí, en aquella época no me constaban chismes ni rumores. Conmigo Sergio era absolutamente profesional y respetuoso, y lo que hiciera con su vida era su problema y no el mío. Durante mucho tiempo ese fue el tipo de relación que sostuvimos, pero con el paso de los años, entre el piano, el canto y el solfeo, no sé en qué momento la admiración pasó a ser afecto, el afecto se volvió cariño y el cariño se tornó amor.

Podía no ser físicamente el típico "carita", pero era el líder, el jefe, y eso nos atrae a las mujeres, sin contar con que el hombre era famoso, con dinero, músico y poeta y, para colmo, según decían, un excelente amante.

Conocí de primera mano detalles de su lado romántico por las conversaciones con Mary, pero si alguna aspiración había de mi parte, no pasaba de sueño guajiro. Él normalmente no avanzaba en ninguna relación si la mujer no le daba pie, y yo no era ni soy una ofrecida. Además, Mary era mi mejor amiga, y aunque me di cuenta que como pareja tenían problemas y el matrimonio pasaba por periodos de separación e incluso hablaban de divorcio, también sabía que Mary lo amaba mucho y deseaba rescatar su matrimonio. Sergio era excesivamente celoso. Sus experiencias con mujeres lo habían llevado a la conclusión de que, si no todas, por lo menos el noventa por ciento eran pirujas, infieles, pues a él se le ofrecían, casadas, solteras, de cualquier edad y de cualquier nivel social, y creo que temía que su compañera hiciera con otro lo que otras hacían con él. Pero fue Aline la que vino a romper el matrimonio de Sergio y Mary.

Sergio y yo habíamos conseguido convertir la conflictiva relación de trabajo en una buena amistad. Sergio me hablaba de su pasado y de sus sueños. Me encantaba escucharlo conversar. Es un hombre inteligente y con gran información y cultura, que habla varios idiomas y siempre conoce detalles interesantes en cualquier tema. Me veía más como un familiar que como mujer; cosa extraña, pues yo no estaba nada mal, y mujer guapa que Sergio trataba era seguro que la cortejaría para "llegar hasta donde ella quisiera". En una ocasión, en 1994 o 1995 si mal no recuerdo, Sergio me platicó que si algo le desagradaba era que lo acosaran mujeres casadas, las más insistentes y más ofrecidas. Y me puso el ejemplo de C, una conocida reportera de espectáculos varios años mayor que él, casada, con la que algún tiempo tuvo relaciones íntimas; era su amante y andaban de arriba para abajo, e incluso ella le dijo que estaba dispuesta a dejar hogar, marido e hijos si él se lo pedía. Sergio, ante tal actitud, se distanció de ella. Sentía pena por el marido y por los niños, y sentía pena por ella y por él mismo, pues no estaba enamorado de esa mujer que lo perseguía de manera enfermiza. Sergio entendió que debía dejarla y eso la lastimaría, pero nunca pensó que se convertiría en la mujer despechada y vengativa que es hoy.

Así, Sergio consideró que lo mejor era apartarse de ella, pese a que le debía algunos favores. Expliquémonos. Por ahí de 1982, 1983, la mamá de una artista juvenil que Sergio representaba, al descubrir el noviazgo entre él y su hija quiso juntar a todas las ex de Sergio y hablar con los jerarcas de Televisa para que Sergio Andrade fuera vetado, a la vez que se hacían públicas las relaciones que había tenido con las estrellas del momento. C se enteró del complot mediante Raúl Velasco y ella paró la bronca diciéndole a Velasco que Sergio no las había obligado, y que si criticaban al productor por haber andado con varias, entonces él "debería hacer memoria". Luego de esta conversación, Raúl Velasco comentó, "enrollando su propia cola y la de su familia para no pisarla": ¿Qué voy a decir? ¿Que Sergio Andrade se acostó con C, con L, con A, con P, con fulanita o zutanita? ¡Lo convierto en ídolo nacional!

Así pues, esta reportera le paró la bronca a Sergio Andrade al tiempo que se la evitaba ella misma, pues sabía que estaba incluida en la lista.

Después, C le dijo a Sergio:

—¿Qué nos das, Andrade?

—¿De qué?

—¿Para que nos traigas como nos traes?

—¿Por qué lo dices?

—Porque tienes otra incondicional y te va a costar.

—¿Sí? ¿Quién?

—Se dice el pecado, pero no el pecador. Ja, ja, ja.

C sintió que con ese favor adquiría derechos vitalicios de exclusividad. Sin embargo, Sergio acabó la relación con ella por dos motivos:

1. Sentía pena por el marido de C, con quien Sergio Andrade tenía una buena relación e incluso le produjo un disco. Segundo marido, hay que decir, porque el primero fue un centroamericano que la golpeaba. ¿Por qué? Habrá que preguntarle a ella, pero bien que se le vio llegar golpeada, pues el hombre era muy celoso.

2. Lo más importante es que Sergio no estaba enamorado de C y la relación se debía al asedio de ella, que cada vez lo molestaba más con sus celos, su acoso y sus comentarios en torno a la relación con el marido. Si eso decía del marido, ¿qué le esperaba a Sergio?

Y así un día, sin un adiós, sin una explicación, Sergio Andrade se separó de C. Se alejó "dejando a una ex amante frustrada, despechada y vengativa, al acecho".

Todo esto me lo contó el propio Sergio. Otras cosas las supe porque casualmente me fueron platicadas por personas que vivieron de cerca el "tórrido romance". Yo en ese tiempo era muy niña y estaba en casa con mi familia. Ni remotamente conocía a Sergio, y menos a la "reportera en cuestión", quien hoy descarga sobre mi persona su frustración, despecho y venganza. En 1994 o 1995, cuando trató de reconquistar a Sergio y a mí de enrolarme en TV Azteca, a Sergio le decía: "Muchacho de mi alma, no me tengas castigada con tu silencio"; y de mí decía que era "su muñequita". Vuelvo a preguntar: ¿y yo, qué?

Sergio empezó a tenerme la confianza que se le tiene a un amigo o a una hermana. Fueron muchas las historias que me contó, muchas las que se calló y muchas las que conocí sin querer, contadas por otras personas o bien ocurridas casi ante mis ojos, sin que me diera cuenta hasta que se trató de hechos consumados.

Dejé de trabajar para Sergio en la academia. Necesitaba poner en orden mis pensamientos y mis sentimientos hacia Sergio, a los que no les veía futuro. Sergio, al ver que mi familia no quería que yo siguiera en México y me retiraba su apoyo, me instó a que regresara a mi casa, por lo que yo pensaba que todo el mundo estaba en contra mía. Me disgusté con Sergio y le dije que no se metiera en mi decisión; yo no regresaría sin triunfar y se lo demostraría a todos, comenzando por él. Y me fui.

Tuve que aprender a ganarme la vida de diversas maneras. Vendí ropa e incluso comencé una pequeña industria de quesadillas listas para freírse que llamé "quesabrosas". Luego, viendo que hasta estudiantes universitarios cantaban en la calle y en los camiones, me dije: "¡Cantar! ¡Eso es lo mío!" Lo hice dos o tres meses y sólo me preocupaba encontrarme con algún conocido de mis papás. Total, tenía yo 18 años y el mundo era de queso y todo era cuestión de darle mordidas. Todos los trabajos eran pasajeros y yo tenía una meta: ser famosa.

Durante esos meses pasé grandes privaciones y vivencias que me inspiraron para escribir canciones. Entre trabajo y trabajo componía, soñaba y me miraba a mí misma triunfante, cantando en escenarios, rodeada de luces y aplausos.

Sintiéndome artísticamente más madura por mi trato con el público de la calle, el pueblo llano, me armé de valor y me tragué el orgullo. Sabía que Sergio trabajaba como locutor en la XEW, y aun temiendo que no me recibiera por la discusión que tuvimos cuando le dejé el trabajo, fui a buscarlo. Para mi sorpresa me recibió y limamos asperezas. Le mostré mis canciones y hablamos de la posibilidad de hacer un disco conmigo como solista.

Sergio Andrade estaba desencantado con el medio artístico por los problemas que había tenido. Se sentía usado y no quería saber nada de producir discos o representar artistas. Pero le mostré las canciones que había compuesto durante esos meses, ya no era sólo una chica con sueños, sino una mujer con hambre de triunfo, y Sergio sabía que esa era la clave del éxito: talento y hambre. Y decidió hacer mi disco. ¿Por qué? Sólo él lo sabe.

Siempre quise creer que porque después de escuchar mis canciones no se pudo resistir. Eran *hits*.

Me dijo que habría que pedir ayuda económica para hacer una producción independiente, pues el medio discográfico estaba pasando por una crisis y era mejor llegar con el producto listo que buscar una disquera con las manos vacías.

—Pero, ¿quién podría ayudarnos?

—Pues no sé. Mira, yo ahora no puedo, tendría que vender una propiedad y eso me llevaría meses —dijo.

—Es que la verdad no sé, no conozco a nadie, mi papá dudo que me apoye para ser artista, no quiere. Y con mi mamá tuve problemas y no le he hablado últimamente.

—¿Cómo? ¿Desde cuándo no le hablas a tu mamá?

—¡Uy, no sé! Meses... Y tengo más de no verla.

¡Nunca se lo hubiera dicho! Y eso que no le dije que me le escondía y que ella había estado enferma. ¡Me echó un sermón!

Sergio, que había conocido a mi mamá en la época de Boquitas Pintadas, sabía que ella, a más de inteligente e independiente, era perfeccionista y sensible, pero lo más importante, que me amaba mucho y se preocupaba por mí. Así que, al margen de que pudiera o quisiera apoyarme económicamente para la producción del disco, debía reconciliarme con ella.

En cuestión de días Sergio me llevó a Monterrey, donde hablé con mi madre. Ella, como siempre, tendió los brazos y nos reconciliamos.

Ahora sé que siempre seré su niña. Me ama y la amo. Es como la describí un día:

La mano fuerte que reprende
y la tierna paloma que acaricia,
eres el fresco beso sobre mi frente dormida,
eres quien desde antes de yo nacer ya me amaba,
eres tú, lo que yo un día quiero ser.

Aclarado todo, le expliqué mi intención de hacer un disco y el apoyo económico que requería. Me sorprendió su respuesta, ya que no esperaba que me ayudara, dadas las circunstancias. Pero me ayudó en lo que vio entonces como una carrera profesional y no como sueños guajiros. Me dio la oportunidad de hacer una carrera como se la dio a cada uno de mis hermanos. "Tienes suerte, hija, es un buen momento. Te voy a ayudar, vamos a hacerlo."

No daba crédito. Mamá no sólo perdonó mis rebeldías, sino que me apoyó para realizar mis sueños.

Fui a grabar el disco a Los Ángeles con Sergio y mi mamá. Fueron días maravillosos, me sentía segura de que triunfaría. Entre grabación y grabación íbamos al cine, a comer, a ver posibilidades de vestuario en las tiendas. A veces nos acompañaba Sergio, aunque casi todo el tiempo permanecía en el estudio haciendo las pistas y los arreglos. Así, mi mamá y yo pudimos recuperar juntas el tiempo que perdimos separadas.

A la hora de grabar la voz, yo echaba chispas, cantaba con todo, volvía a sacar el hambre de triunfo, pues sabía que era mi última gran oportunidad.

Grabamos las siguientes canciones: "Doctor psiquiatra", "No tengo ropa", "Mañana", "Bésame aquí", "Les diré, les diremos", "Cosas de la vida", "Qué hago aquí" (composiciones mías); "El último beso" y "Satisfecha" (*covers*).

Mamá no escuchó el disco hasta que estuvo terminado. Le gustó, lloramos y nos felicitó: "¡Va a ser un éxito!" Le dio su bendición y a mí también. Regresamos a nuestro país. Yo me quedé en el DF y mamá se fue a Monterrey.

Había que llevar la grabación a compañías disqueras y poner "changuitos" para que alguna se interesara. Sergio me advirtió:

—Si te compran el disco va a ser una maravilla, pero considérate con suerte si por lo menos se interesan en sacarlo aunque no te den ni un centavo. No porque no sea excelente. Lo que pasa es que la industria disquera está en crisis, muchas veces los directores de las compañías no tienen oído y el medio está saturado de solistas mujeres.

Creo que esto me lo dijo Sergio para que no me fuera a caer de una nube muy alta si no pasaba nada. Pero yo ya iba en cohete a la Luna y seguía preparándome y ensayando todo el tiempo disponible.

Por esa época no tenía dónde vivir ni trabajo ni entradas económicas, nada, y no quería —siempre orgullosa— pedirle a mi mamá para cosas pequeñas. ¡Yo podía sola! Sergio me permitió quedarme en su oficina a dormir y me contrató como su asistente en el programa de radio que conducía en la XEW. Me enteré que Mary y él ya no vivían juntos aunque aún no se habían divorciado, pero seguían trabajando lado a lado y llevaban una buena amistad.

—Lo nuestro se acabó —me dijo Mary en una ocasión. Me dolió verla melancólica. Sus problemas y el distanciamiento personal se había acentuado durante los meses en que estuve ausente, y lo que más preocupaba a Mary era que su familia lo supiera, que sus papás, abuelitos y hermanos consideraran que había fracasado en su matrimonio. Máxime que para que le dieran permiso de casarse prácticamente había parado de cabeza a la familia, pues querían que se esperara algunos años para hacerlo. Ella, enamorada, se negó a oírlos y ahora no quería reproches y el consabido "te lo dije". (Ay, cómo le tenemos miedo ese "te lo dije".) Por otro lado, Mary no quería volver a su casa, y aunque no me lo confesara creo que tenía la esperanza de una reconciliación o un milagro. Y eso se hubiera necesitado, porque Sergio andaba abiertamente con otra muchacha llamada Sonia.

Sergio parecía no tener remedio. Era inteligente, sensible, talentoso, trabajador, no fumaba, no tomaba, no era jugador, pero... Tenía una debilidad: las mujeres.

Una mujer puede ser la perdición de un hombre; muchas, su destrucción.

*Hay tres cosas que temo y una cuarta que me espanta:*
*Una calumnia que se expanda por el vecindario,*
*una muchedumbre amotinada*
*y una acusación falsa.*
*Pero la mujer que tiene celos de otra es una angustia,*
*un dolor íntimo, su lengua es un azote que no perdona a nadie.*

SIRÁCIDES 26:5.6

Mas el peligro real no era Sonia sino una tercera en discordia, más joven y más, digamos, aventada. Por lo que Mary me contaba, lo que le faltaba de edad le sobraba de experiencia: Aline.

Fue ella la que se las ingenió para que Sergio obtuviera el divorcio de Mary y se casara con ella por lo civil y por la iglesia.

En cuanto a mi disco, Sergio arregló todo. Tuve mi primera sesión fotográfica con Maritza López. Con el material fotográfico y la grabación me presenté en dos disqueras para ofrecer el producto, respaldada por el nombre de Sergio Andrade. Por lo menos garantizaba que sería escuchado.

Una disquera era nacional, Musart, y la otra internacional, RCA Victor. Mary me acompañó a las dos y en menos de una semana ambas compañías se comunicaron a la oficina de Sergio. Las dos querían el producto. Sin pensarlo mucho Sergio me sugirió aceptar la propuesta de RCA Victor, la cual pagó el costo de la grabación, dinero que se devolvió a mi madre no porque ella me lo pidiera sino porque así lo quise. Yo estaba feliz.

El destino es el destino. A veces dorado, a veces negro.

## Capítulo tres

# Aline y Sergio / I

¿Llegó cómo y recomendada por quién? No lo supe hasta que ella misma me lo dijo. Y eso de que yo la hubiera contactado es otra gran mentira.

Llegó a la oficina un día que no recuerdo con precisión. Para mí era un día como cualquier otro y ella, una aspirante más a artista, de las que venían a audicionar con Sergio.

Él se hallaba de nuevo en el medio artístico y la oficina se llenaba de personas que querían ser artistas y otras que ya lo eran y querían que Sergio les hiciera una nueva producción, les consiguiera coros, les hiciera arreglos. Como Cristal (artista invidente con la que Sergio Andrade hizo exitosa mancuerna) que fue a la oficina a hablar con él y supe que planeaban hacer un nuevo disco juntos.

Pero ese mundo giraba fuera de mi salón de ensayo, en el cual yo pasaba los días practicando *play-backs,* cantando en vivo, bailando, adquiriendo condición física y mejorando mi cuerpo mediante ejercicios. Era tanto lo que tenía por hacer que le faltaban horas al día. Mi objetivo era ser la mejor, pero de verdad la mejor, ¡la número uno! Y no cejaría en mi empeño.

Aline se asomó a mi salón de ensayos. Era una chica extrovertida, vestida con un conjunto rosa pastel que constaba de blusa ombliguera y minifalda; la blusa dejaba al descubierto parte del abdomen y la espalda al desnudo, y era evidente que no usaba *brassiere*. Más alta que yo, muy maquillada, me sorprendió cuando me dijo su edad, que a decir verdad no le creí, pues se veía mayor.

Se mostraba emocionada y nerviosa porque tenía una audición que su mamá le había conseguido con el famoso Sergio. Recordé mi primera audición, los nervios y le dije algo así como: "Sergio es súper serio, pero lo hace adrede para ver si uno se pone nerviosa". Le deseé suerte. *¡Ciao! ¡Bye!*, la despedí para que abandonara mi salón de ensayos. Me daban nervios que Sergio nos fuera a "cachar en la chorcha". Yo tenía mucho que estudiar y él era muy estricto en cuestiones profesionales.

En escasos minutos Aline y yo intercambiamos saludos, edades, nombres, unas gotas de esperanza y ánimo. Creí que nos habíamos caído bien, aunque me pareció precoz y, en parte por su atuendo, algo atrevida para la edad que decía tener. Vestir así en la ciudad de México era arriesgarse a que le faltaran al respeto, aun cuando la acompañase su mamá. Dicho sea de paso, la señora vestía minifalda de mezclilla y se comportaba como jovencita muy en la onda, y al igual que la hija, se veía de edad mayor que la que confesaba. Cuando por curiosidad me asomé a la recepción, ahí estaba la señora y me preguntó si era yo la que estaba cantando. Contesté que sí y me dijo emocionada: "Deséanos suerte, mi hija está audicionando con Sergio". Les deseé suerte y regresé a seguir ensayando.

A Aline le fue bien en la audición. Sergio había contratado dos maestros para que me dieran clases de baile y actuación, pero antes de que las tomara quiso ver lo que había yo avanzado por mi cuenta en horas y días de ensayos. ¡Y le gustó! Entonces decidió que no tomara yo las clases para no perder originalidad, de modo que los maestros fueron aprovechados por Aline y otras estudiantes.

En la oficina no sólo se presentaban mujeres, también audicionaban hombres, músicos y cantantes que ensayaban en el lugar. De tiempo en tiempo Sergio hacía evaluaciones para depurar los grupos y sacar a quienes se quedaban atrás (de ahí que yo no quisiera perder ni un minuto), como suele ocurrir en las escuelas de arte. O te superas día con día y das más, o ¡fuera!

Yo no convivía ni con las muchachas ni con los hombres. En mis pocos ratos libres solía componer canciones y pensar en los arreglos y me aislaba del mundo. Las y los estudiantes vivían en sus casas; la excepción éramos Sonia, de Pachuca, y yo, de Monterrey, y en algún momento compartimos el lugar en la oficina.

Sonia era una muchacha de carácter fuerte, orgullosa y con mucho talento para el ritmo y el baile. Se llevaba muy bien con Mary, pese a que sabía de la relación entre Mary y Sergio. Conmigo no era amable, más bien su actitud era neutral.

En cuanto Aline comenzó a ir a la oficina, empezó a buscar la oportunidad de hacerse la encontradiza conmigo, o bien llegaba directamente a hablarme y hacerse mi amiga. Sergio le daba clases de canto (que a mí nunca me dio) cuando le dejaban tiempo los asuntos de la oficina, pero como solía estar ocupado Aline me buscaba (que quede muy claro, ella me buscaba a mí) y me sacaba plática. El pretexto utilizado por Aline era que "empezaba a componer" y que yo le diera algunas ideas y opiniones, pero luego se arrancaba hablando de los temas que normalmente abordamos las chavas: el artista del momento, cuál era el más guapo de los cantantes, la disco, nuestra preferencia por algún muchacho o la relación con él, cierto ex novio. Y compartíamos sueños.

Un día, cuando nos teníamos más confianza, Aline me contó algo que, según ella, no sabía nadie, ni su mamá.

—Ay, Gloria, prométeme que no se lo vas a decir a nadie.

—Te lo prometo.

El suspenso flotaba en el ambiente. Aline sonrió, abrió sus ojos llenos de rímel y se ruborizó al decir:

—No sé si todavía soy virgen.

—¿Qué?

Me sorprendí ante la confidencia. No entiendo por qué, pues no era la primera chava de la que me enteraba que tenía relaciones. Pero ese tipo de confesiones siempre me sorprendía, probablemente porque desde que tenía 13 años hasta entrados los 18, fui incapaz de ver con naturalidad algo que para muchas chicas era normal. Una relación, una aventura, una experiencia. Para mí, hacer el amor era eso, hacerlo con amor, y quedaba atónita cuando alguien lo tomaba tan a la ligera, con tan poca magia. Y sabía que en ese momento Aline no tenía novio. O eso me había dicho.

—¿Cómo? ¿Cuándo? ¿Con quién? —pregunté.

—Es que ahora que nos cambiamos de casa hice nuevos amigos y tengo un vecino guapíiísimo.

—¿Y se hicieron novios?

—¡Qué va! —me dijo con un puchero y expresión preocupada—. Deja que te cuente, ¿o.k.? El día que nos conocimos me gustó mucho. Lo veía y se me caía la baba. Nos invitó a mí y a otras amigas a ver unas películas pornográficas.

Yo estaba con los ojos de plato. ¡Pensar que el día que conoció a su vecino, ella y otras chavas y chavos se pusieron a ver películas pornográficas! Aun ahora esas películas me dan pena ajena y jamás he visto una entera. No me gustan y no imaginaba cómo ella podía ver ese tipo de películas en compañía de otros chavitos, y menos siendo prácticamente desconocidos. Siguió contando.

—Ya era de noche y estábamos todos en su cuarto. Los otros chavos, en el piso; él y yo, en su cama.

Otro detalle que me pareció muy llevado para una primera cita. Ella tenía 13 años, pero sabía perfectamente bien lo que me contaba y lo que había hecho.

—Entonces, mientras veíamos la película, él me tomó la mano y me empezó a hacer cosquillitas en el centro de la palma. Mira, así.

Aline tomó mi mano y me hizo en la palma lo que dijo le había hecho su vecino. Yo sentí "cosa" y con un gritito y risa nerviosa retiré la mano.

—¡Guácala! —dije.

No me parecía romántica la historia, pero Aline reía y parecía disfrutar mi azoro ante lo que contaba.

—Me empezó a sudar la mano. Luego, con la película esa sentía rarísimo. Me levanté de la cama y avisé: "Voy a tomar agua". Tenía sed. Fui a la cocina y estaba tomando agua cuando llegó él, me quitó el vaso y empezó a besarme en la boca mientras me acariciaba el pecho.

—Y tú, ¿qué hiciste?

Esperaba mínimo que hubiera opuesto resistencia. Para mi sorpresa...

—Estaba como paralizada. Es que se sentía tan rico. Me acomodó la blusa y me llevó a la sala, que estaba a oscuras, pero la luz que llegaba de fuera daba para ver perfectamente. Me recostó en el sofá, me volvió a subir la blusa, me metió la mano bajo los calzones y me acarició. Me levantó la falda y me bajó los calzones y me besó por todos lados. ¡Me besó ahí! Y yo me moría, ¡pero me gustaba! Entonces él se abrió la bragueta ¡y se la sacó!, ¡se la vi!

Y yo como idiota, con la boca abierta.

—Incluso noté, porque la luz daba para ver, que tiene los vellos de ahí güeritos... Y trató de metérmela, pero me dio miedo y me puse muy nerviosa. Él me preguntó que si quería que se pusiera condón, yo no sabía qué contestar. En eso oímos un ruido y rápido nos acomodamos la ropa y todo, apenas a tiempo para no ser descubiertos por una persona que llegó y encendió la luz.

—¡Qué bárbara, Aline! —le dije.

—Yo creo que me metió como tantito así —con la mano indicó unos tres centímetros—. ¿Todavía seré virgen?

—¿Te salió sangre?

—No sé, creo que no.

—Pues mira, Aline, si te refieres a la virginidad que depende de si se rompe o no el himen, creo que todavía eres virgen. Pero si te refieres a la virginidad con base en la inocencia y la pureza, no, ya no eres virgen.

No dijo nada.

—Mira, una chava a la que se le haya roto esa telita por algún accidente, sin la intervención de un hombre, en el acto sexual, en mi opinión sigue siendo virgen, más virgen que cualquier otra que tenga la dichosa telita pero que se faje con uno o con cinco, como tú lo hiciste, o bien otras que sí llegan a consumar totalmente el acto. Entre las que lo hicieron totalmente y las que sólo se fajaron con el chavo (porque les cayó gente), no hay mucha diferencia. Sólo que se siguen haciendo pasar por vírgenes aunque de inocencia ya no tengan nada.

—Entonces se podría decir que ya no soy virgen —respondió con una risita maliciosa.

—Pues no sé cómo te sientas.

—Pues siento que ya no mucho.

Y echó a reír como si me hubiera contado algo gracioso.

Comentarios como este de Aline y otros que me hizo después, inspiraron la primera estrofa de mi canción "Virgen de las vírgenes":

*Tengo una amiga*
*que ya lo hizo*
*como con diez*
*y a todos les dice*
*que es su primera vez.*

*Ella es la más, más, más*
*virgen de las vírgenes.*

A los 13 años Aline me contaba sus idas a los antros, y cuando le pregunté cómo era que la dejaban entrar, me dijo: "Ay, pues cómo crees, me maquillo, me pongo tacones altos, y todos me calculan más edad". Contaba que tomaba bebidas alcohólicas, fumaba y vivía aventuras y reventones que yo nunca había experimentado. Como cuando me contó que en un antro había visto a un muchacho "guapíiísimo" (todos le parecían guapíiísimos), un perfecto desconocido, me dijo, moreno y con unos ojazos.

—Él también se me quedaba viendo —siguió contando Aline—. De repente me hizo una seña con la cabeza, como llamándome. Fui, pero él empezó a caminar. Lo seguí y llegamos afuerita de los baños y sin más ni más me besó en la boca ¡de una forma...! Luego me besó el cuello, las orejas, me abrazaba y me tocaba. Sentí, ¡uy!, pero vi que mis amigas me buscaban entre la gente y sentí vergüenza de que fueran a conocerlo. Me separé de él y me encontré con ellas. Me sentía como roja y caliente. Él y yo ni siquiera nos preguntamos los nombres, los teléfonos ni nada... ¡Fue tan emocionante!

Aparte de este desconocido y el vecino, me contó de otros muchachos, entre ellos un primo con quien se había besado y acariciado. A mi vez, le platiqué cosas mías, pero cosas comunes con mi novio, para nada las aventuras que ella platicaba.

Aline me daba pena y yo trataba de no sonar a mojigata cuando le decía que no tomara, no fumara, que no estaba bien que anduviera en aventuritas, por decirlo de alguna manera. Sentía yo que ella llevaba una vida precoz y su mamá no la cuidaba. Por el contrario, refería que su mamá la golpeaba, así como a su hermano, y hasta el perro se llevaba tremendas palizas. Luego se ponía a contar cosas tristes de su niñez, como la muerte de su papá, cuando ya él y la mamá tenían serios problemas porque el papá tenía casa chica. Hablaba de Benito, el nuevo marido de la mamá, un hombre más joven que la señora Joselyn, pues él tenía 28 años y ella 32 (?). A Aline, Benito le caía muy bien y decía que era muy guapo y que gracias a él habían mejorado social y económicamente. Benito solía darle regalos, cosa que Aline adoraba, sólo que había algo que le molestaba de su padrastro. Sentía como que se le quedaba mirando mucho, que era muy "cariñoso" y a ella no le parecía bien tanto abrazo y tanto apapacho porque no era su papá y principalmente por su mamá.

Aline se presentaba a sí misma como la imagen misma del desamparo. Huérfana de padre, víctima de abusos en su casa, desorientada. Y a la vez soñaba con la fama... Y yo me la creía.

Sin embargo poco a poco fui dándome cuenta de actitudes de Aline que no concordaban con la imagen que deseaba proyectar, actitudes que yo no alcanzaba a entender o no sabía qué sentido darles. Por ejemplo, Aline pasaba más tiempo del normal en las clases de canto con Sergio. Al principio no pensé mal ni malicié nada, pues ella decía que estaba empezando a componer canciones y un día comentó que se las mostraría a Sergio.

También empezó a preguntarme sobre Sergio. A mí el tema me motivaba por lo que yo sentía por él. Estaba enamorada y para mí era un desahogo hablar con alguien de él, pues nunca le había dicho nada a nadie, a nadie le había contado yo el secreto, ese sentimiento que me negaba y que me invadía el alma.

Nunca pensé que las preguntas de Aline ocultaran una segunda intención.

—¿Y Sergio, tiene novia? ¿Ha estado casado? ¿Tiene hijos? ¿Y su mamá?

Yo, por confiada e imprudente, le decía casi todo lo que sabía. Sólo evitaba hablar de Mary, por respeto a ella, que siempre detestó que se metieran en su vida privada.

Aline y Sergio pasaban cada vez más tiempo juntos. A veces, aunque tenían cerrada la puerta del despacho de Sergio, se alcanzaban a oír sus risas.

Sonia, que en ese tiempo salía con Sergio, empezó a decirme que Aline era una víbora y yo una tonta que no me daba cuenta. Evité hacer comentarios, pero luego, por los dichos y las actitudes de Aline, comencé a sospechar que ella estaba interesada en Sergio. Una vez iba Sonia subiendo al despacho de Sergio y Aline se le adelantó corriendo, empujándola, y se metió a la oficina y se encerró con Sergio. Sonia se volvió a verme como diciendo: "¿Ya ves?"

Ese mismo día hablé con Aline.

—Aline, ¿qué pasa?

—¿Qué pasa de qué?

—Con Sergio.

—¿Qué Sergio? —dijo pretendiendo tontearme, pues según ella era fan de Sergio Blass, integrante del grupo Menudo, y afirmaba que físicamente ella y él se parecían, y él era guapíiísimo, comentario por demás narcisista.

—Bien sabes a qué Sergio me refiero, no te hagas. No lo digo por mal pensada, pero parece que andas tras él.

—¡Ay, Gloria!, claro que no. Ahora me cae muy bien, pero sabes que al principio me parecía muy serio y sangrón; aparte me lleva muchos años. Claro que no, ¿de dónde sacas eso?

—No me lo tomes a mal, pero yo no creo eso de que dos personas no se enamoren por diferencia de edades. Como dicen, el amor no tiene edad. No te ilusiones con alguien que no te tomaría en serio.

Se lo decía sinceramente, pues aunque Sergio tenía muchas cualidades, era incorregiblemente mujeriego.

—¡Estás loca! Sergio no me gusta. Me cae bien, pero no me gusta.

—¿Entonces por qué te encierras tanto tiempo en su oficina?

—Por las clases, tú sabes. Además, le enseño mis composiciones. No seas mal pensada.

—¿Y por qué te portas así con Sonia? Como si...

—¡Ay, no! Es que ésa me cae gordísima, prieta y chaparra, no puedes negar que es una naca, hija de una verdulera de mercado. Como que no es para Sergio. Lo que pasa es que tenía urgencia de hablar con Sergio.

—Para empezar, Aline, el negocio de la familia de Sonia es muy honorable.

—Pero es una prieta...

—¡Ya párale! ¿Por qué hablas así, Aline? ¿Eres racista o qué? Sonia tiene bonitas facciones, muy buen cuerpo y un hermoso color de piel.

Aline, con un gesto de desprecio, dijo:

—Pues yo prefiero mi piel blanca y mi estatura... Oye, Gloria, ¿te puedo hacer una pregunta?

—Dime.

—¿No será que la enamorada de Sergio eres tú?

La pregunta me hizo tambalear.

—Sólo somos buenos amigos —dije la verdad pero evadí el fondo de la pregunta—, y ya te conté de mi ex novio. Aparte, yo era la que hacía las preguntas.

Las dos terminamos riendo, pero rematé:

—No te vayas a enamorar de él.

Las conversaciones sobre Sergio no menguaron. Aline insistía en que la relación entre ellos sólo era amistosa y profesional (y ahora sé que yo, muy dentro de mí, quería creer que así era). Y un día me atreví a contarle lo que jamás había confesado.

—Aline, ¿recuerdas que hace días me preguntaste si estaba enamorada de Sergio?

—Sí, ¿por qué?

—Porque... Sí, estoy enamorada de él.

Sentí ganas de llorar sólo de decirlo. Qué desahogo. Aline se puso roja, abrió mucho los ojos, luego puso cara de sorpresa y en seguida de comprensión.

—Me lo imaginaba, Gloria.

—¿Por qué?

—Pues porque cuando hablas de él te brillan los ojos. Y... ¿por qué no andan juntos?

—¡Cómo crees! Es imposible. Él no me ama, creo que ni siquiera se da cuenta de que soy mujer, me trata como a una hermana, como a una amiga.

Además, lo conozco, para que lleve adelante una relación, la mujer tiene que darle pie. Y yo nunca haría eso.

—¿Por qué, Gloria?

—Pues porque no. Para mí lo importante es el amor, no sólo la relación, y dudo mucho que él me llegara a amar. Y aunque tenga que arrancarme la piel, no voy a ser una del montón ni con él ni con nadie. Soy muy orgullosa y no soy una ofrecida. No, jamás funcionaría.

—Pero, Gloria, eres bonita, inteligente. Podría enamorarse de ti.

—Ay, Aline, le he conocido novias de verdad bonitas, inteligentes, organizadas. Sergio casi nunca se enamora. En cambio, ellas luego andan de rogonas. Además temo no conseguir su amor y perder su amistad, y no me gustaría lastimar a alguien que lo ama y no merece de mi parte una cosa así.

—¿Te refieres a Sonia?

—Sí —pero más que a Sonia, me refería a Mary—. Por eso el otro día te dije que no te fueras a enamorar de Sergio. Para qué te las vas a pasar sufriendo y suspirando por un imposible, que aparte es un mujeriego.

—Pero tú siempre hablas bien de él.

—Y no tengo por qué hablar mal. Es talentoso y, cuando quiere, tierno y simpático. Pero lo que es, lo es. Por eso te digo que tengas cuidado.

—Ay, tú, hasta pareces anuncio de "mucho ojo". Ja, ja, ja.

—Hablo en serio. Y por favor no le digas a nadie lo que siento por Sergio.

—Te lo juro, te juro que no se lo diré a nadie.

El mundo siguió girando. Aline iba y venía a sus clases con la falda arremangada, la blusa amarrada. Se hizo costumbre que sus clases de canto con Sergio se colgaran y se les oyera platicar y reír. Y yo, ilusa de mí, me sentía confiada en que, sabiendo Aline de mi amor por Sergio, respetaría y no se metería con él. Pero la avidez de Aline iba más allá de lo que podía yo imaginar. A pesar de que le confié mi secreto, se le declaró a Sergio y él le dio el sí.

La situación me dolió en el alma, pues me sentí traicionada por mi amiga. Y lo que empieza como traición, vive y muere por traición.

Pobre Sergio.

*No fijes tu mirada en una jovencita, tú podrías condenarte con ella.*

*No caigas en los brazos de una prostituta, podrías perder con ella todo lo que tienes.*

SIRÁCIDES 9:5-6

Me resigné y continué viviendo, guardando mis sentimientos. En tanto, me entregué ciento por ciento a mi carrera. Más que nunca, mi objetivo era triunfar.

Aline cuenta en su libro cómo supuestamente conoció a Sergio Andrade y entró en contacto con él. Según ella, yo la abordé fuera de la XEW para invitarla a mi escuela de modelos (¿cuál?). Luego, tras intercambiar preguntas e información, me despedí de ella a la James Bond: "Gloria, Gloria Treviño".

Otra prueba, Sergio era locutor en la XEW, lo mismo que, por ese tiempo, la mamá de Aline, como lo cuenta Aline en la página 53 de su libro. Y desde luego la mamá de Aline conocía muy bien a Sergio Andrade, compañero en la radiodifusora, conductor, compositor y productor artístico, y a la señora Joselyn ningún trabajo le costaba abordarlo y pedir una audición para su hija.

La misma Aline, en la página 71 de su libro, dice: "Lo malo es que... ¡yo no traía *brassiere*! Aunque ya lo usaba en ese entonces, ese día no lo traía puesto". Deliberadamente, y con la venia o el consejo de su mamá, ya que juntas fueron a la audición y así salieron de su casa y así andaban por la calle. Se le quedó la costumbre, pues en infinidad de ocasiones, cuando iba a la oficina, se le notaba que no llevaba *brassiere*. O no se lo ponía en su casa o se lo quitaba antes de llegar. Claro, yo qué iba a decirle si así la vi por primera vez: panza al aire, espalda pelona, sin *brassiere*, minifalda cortitita para enseñar las piernas pelonas (sin medias) y muy maquillada. Al gusto de ella y de su mamá, que así la traía. Y a mí ¿qué? No era mi problema, no me incumbía.

Por ejemplo, en la página 84 de *La Gloria por el Infierno* dice: "Más bien hablaba de 'esas cosas' (sexo) con mis amigas, que sabían lo mismo o menos que yo (nótese que le sale el subconsciente, pues entonces entre sus amigas ella era la experta)... O de plano, cuando, con ellas, nos poníamos a ver películas porno, con escenas muy fuertes..." (¡Ah para amiguitas! cándida niña de 13 años. ¿Y la mamá?).

Y si esto le salió, ¿qué se calló?

Y así podemos seguir, página por página. Como en la 103, donde cuenta cómo en su fiesta de 14 años por primera vez su mamá la dejó pintarse. ¿Y entonces el maquillaje cargadito con el que su mamá la llevó a la primera audición con Sergio a los 13 años, como se ve en la foto de esa audición? ¿Y la boca pintada de rojo? ¿Y los ojos tupidos de rímel con que siempre andaba? Mentiras y más mentiras. En su libro hay mentiras chiquitas y mentiras grandotas sólo para dárselas de inocente y santita, cosa que no era.

## Capítulo cuatro

# Enamorada

El día que Aline se le declaró a Sergio, llegó temprano a la oficina con su uniforme del colegio, falda arremangada, blusa amarrada a la cintura, y las pestañas duras de rímel (llegué a preguntarme si Aline alguna vez se lavaba los ojos). Llevaba un disco de Rafaela Carrá. Sergio aún no llegaba y Aline me dijo que quería mostrarme una canción. Entramos a la oficina de Sergio, pues ahí estaba el tocadiscos. En alguna parte de la canción la intérprete decía algo como: "Somos tan parecidos..." En ese momento Aline indicó el lugar vacío de Sergio y se señaló a sí misma, mientras empezaba a llorar. Entendí que estaba enamorada de él. De nada habían servido mis advertencias ni que yo le hubiera dicho que lo amaba. Sentí que un gran frío me recorrió el cuerpo.

No hablamos más porque en ese momento llegó Sergio y la vio llorando. Salí de la oficina sin decir palabra. Aline se quedó pues era hora de su clase de canto. Poco después Aline salió radiante, feliz y sin poder disimular su alegría me dijo:

—Gloria, ¡me le declaré! —y haciendo un puchero extendió las manos para tomar las mías—. Lo siento mucho por ti.

Sentí un nudo en la garganta, sentía una mano apretándome el estómago. Quería llorar, pero hice un esfuerzo y le sonreí.

—¿Y qué te dijo?

—¡Que sí!

Y Aline, emocionada, empezó a reír y a llorar al mismo tiempo.

—Te felicito... Los felicito a los dos.

También lloré.

—¿Estás enojada conmigo? —preguntó con cara de inocencia y voz de chillidito.

—Claro que no. ¿Por qué habría de estarlo?

—Pues... por lo que sientes por él —dijo con cierta malicia que no pude dejar de advertir y traté de ignorar. Sobreponiéndome le contesté:

—Ya te había dicho que lo mío con él era imposible, ¿por qué me iba a enojar? Ojalá y sean felices, tú eres muy enamoradiza y él es muy celoso —le dije sonriéndole sinceramente.

—Pues, mira, yo también soy celosa. Ja, ja, ja.

Nos dimos un abrazo y traté de convencerme de que aquella relación funcionaría. Ella era joven, pero muy adelantada en su forma de ser y con mucha iniciativa, como lo demostró al declarársele a Sergio. Aunque tal vez sentara cabeza y se le quitara lo loquita y enamoradiza. Entonces llenaría el corazón de Andrade, pues a fin de cuentas decía amarlo más que a nada. Y Sergio sería feliz con ella.

Repentinamente él entró.

—Vamos, Aline, ven conmigo.

Y salieron de la oficina. No me miraron, como si hubiese sido transparente o no hubiera estado ahí. Desde la ventana los vi subir al coche de Sergio. Los dos felices. Y me quedé llorando.

A partir de ese día Sergio esperaba ansioso a Aline y en cuanto ella llegaba desaparecían de la oficina. En ocasiones regresaban con globos, *souvenirs* típicos de las ferias, monos de peluche.

Durante algún tiempo Aline y yo casi no platicamos. Claro, ya me había sacado todo lo que quería saber. Pero no pasaron muchos días sin que Aline me buscara para contarme detalles íntimos de su relación con Sergio. No sé si por inconsciencia o por crueldad, pero gozaba haciéndolo y entraba en detalles.

—Besa riquísimo. Es como tierno y agresivo al mismo tiempo, con sus manos rodea mi cintura y me pega a su cuerpo con firmeza, mientras con los labios me besa y como si me fuera a romper. No me babea como los otros con los que me he besado. Sus besos van creciendo, y justo cuando siento que "me como los calzones", deja de besarme y me quedo con ganas de más.

—¿Cómo? ¿Qué es eso de que sientes que te comes los calzones? —le pregunté. Me había dado risa el comentario tan soez, nunca antes había oído algo así.

—Ay, pues sí —dijo ella muerta de risa, como si fuera la mayor de las gracias—, siento que se me meten así, mira —y con la boca hizo un gesto como si succionara un popote.

—¡Aline! —grité entre risas. La verdad me daba pena ajena, pero ella lo contaba de forma tan cómica que no podía menos que reír. De ahí en adelante, en todo lo que me decía "se comía los calzones". Cuando él la abrazaba, cuando la tocaba, cuando la besaba.

Aline me contaba (o me presumía) sus salidas a ferias, cines, centros comerciales, restaurantes. Estaba feliz y dispuesta a no fumar más y a ser fiel. Adiós reventones, en sus propias palabras.

Mientras ellos paseaban, yo me mataba ensayando. Sergio trabajaba en las mañanas, pero en cuanto aparecía Aline a la hora de salida del colegio, olvidaba todo, dejaba todo y desaparecían. Todos los días Sergio la llevaba a su casa hacia las 12 de la noche y curiosamente su mamá nunca se daba una vuelta por la oficina, mínimo para enterarse de los progresos de su hija (bien enterada estaba de ellos). La señora tampoco le restringía, según Aline, las llegadas a casa a altas horas de la noche. Y yo lo creía porque ni modo que la mamá no se diera cuenta de la hora en llegaba su hijita. Lo atribuía más a un descuido de la mamá que a la posibilidad de que hubiera gato encerrado, un plan de madre e hija para enganchar a un productor famoso y con dinero. Sólo Dios y ellas conocían la verdad.

Poco después RCA Victor fue comprada por BMG y cambiaron al director de la compañía disquera. Hubo gran desconcierto y, aunque mi papelería y buena parte del material de promoción estaban listos, el lanzamiento de mi disco se retrasó un tiempo que me pareció eterno. Pasaban los días, los meses, cumplí 20 años, y nada. Me sentía sumamente infeliz: sola, abandonada, vieja a los 20 años. Nunca me había sentido amada por un hombre. Me sentía un estorbo, una mujer sin familia. Y una madrugada hice una tontería en la oficina de Sergio.

Las pastillas que tenía en el piso parecían joyas. Eran de distinta forma, color y marca; para dormir, para el dolor, para la tos. Todo lo que encontré.

Quería dejar de sentir dolor. Un dolor con el que parecía haber nacido (olvidaba mi niñez feliz, en la que fui muy amada, como familiarmente lo seguía siendo), y no comprendía cómo nadie había detectado esa malformación. Cuando nací a mi mamá le dijeron: "Es una niña preciosa, saludable, sin defecto alguno".

Increíble. Podemos viajar por el espacio y no podemos curar una gripe ni detectar un corazón que está dando de más. Así es mi corazón, sufre ese mal semejante a una enfermedad degenerativa e incurable, de esas que te devoran.

De niña amé a todos los animales que cruzaron mi vida. Le llené a mi mamá la casa de conejos, perritos, gatos, pollos, gallinas, hámsters, tortugas, palomas, borregos, chivos, pericos, canarios, ratones blancos e incluso tuve dos cochinitos.

Mi corazón disfruta en grande ciertos momentos que, si para otros son simples y sencillos, para mí son mágicos y extraordinarios. Mi corazón reacciona como si se hinchara y llenara de ilusión, alegría, fantasía y amor. Pero soy persona de contrastes, y ante una desilusión, una muerte o una separación, sufro enormemente y me siento caer en un abismo.

No necesité agua para ingerir las pastillas. Lloraba tanto que hubiera podido tragarlas con mis propias lágrimas, ese llanto exacerbado por el recuerdo de mis animalitos muertos, el divorcio de mis padres, el fallecimiento de mi bisabuelito, la traición de mis escasos amigos, el fracaso que sentía estar viviendo en el amor, la horrible sensación de que no le importaba a nadie. ¡Pobre de mí! No sabía entonces lo que en verdad era la soledad, el dolor, la pérdida, la traición y la tragedia.

Presentaba a los 20 años un cuadro patético. El cabello castaño y largo hasta la cadera, delgada y pálida, con toda una vida por delante, con sentimientos buenos, deseos de triunfo y llena de amor. No obstante, devoraba las pastillas como si fuera un hambriento en un festín. Aunque en realidad tenía miedo. Miedo de no ser feliz nunca, de pasarme la vida encariñándome con algo o alguien para después sentir cómo me era arrebatado; miedo de no triunfar, miedo, miedo, miedo... Iba de la mano del peor compañero del mundo: el miedo. No sabía cómo enfrentarlo, quería huir.

Sentía un hormigueo en el cuerpo. Recuerdos, muchos recuerdos dulces, dulces... Puedes tomar los dulces que quieras, me decía mi bisabuelita, una señora adorable de cabellos blancos y ondulados, profundamente religiosa, hermosa en todos sentidos. ¿Sufriría al saber de mi muerte?... ¡Espero que no le digan nada!... ¡Cómo me dolería que ella muriera!... No deseaba que sufriera por mi causa. Peor aún, por mi muerte. ¡No!... Yo no podría soportar una pérdida así, ¿y acaso no debería estar yo cerca de ella y darle fuerza en ese momento? ¿No era ese mi deber?... Era la menor de 17 hermanos y no se quitó la vida aun cuando perdió a todos los suyos uno a uno, aun cuando la muerte le arrancó al compañero de toda su vida. Con su vida puso ejemplo de fe, dignidad, fortaleza. Siguió viviendo para dar amor, para darnos alegrías... Y yo, cobarde, egoísta, sentimental, por estúpida estaba cayendo en pecado. Me di cuenta de que estaba pecando. Era pecado lo que estaba haciendo. ¿Y Dios? ¿Y mi fe? Reaccioné. Me arrepentí. Vaya si me arrepentí. Tenía que hacer algo y traté de levantarme, pero no conseguí mover ni una mano. Sólo podía llorar. Quise gritar y no pude hacerlo. ¡Dios mío, perdóname!

Desde una esquina del techo veía mi cuerpo en la tina. Cubierto con una camiseta, con la piel más blanca que nunca. Me hallaba acurrucada como un feto, asustada, inquieta más por la situación que por mi cuerpo. Me sentía lejana, no podía detenerme, era jalada y atravesaba paredes, años, luces, oscuridad, galaxias, dimensiones. Empecé a sentir paz, un gran gozo, como si me expandiera. Y a la vez sentí remordimiento. Aun cuando me hubiera arrepentido a tiempo, con todo mi corazón, no merecía esa paz. Alcancé a percibir el futuro al cual estaba destinada, y que había destruido obrando contra la voluntad de Dios. Me vi triunfadora, realizando mis sueños; me vi amada y con una familia linda. Tenía yo una misión y debía morir cuando Dios lo dispusiera, sólo entonces. Vi a mis padres y a mis hermanos llorando y sufriendo por mí, ¡cómo lloraba mi madre! Era yo tan amada y no lo sabía. Me lo repetían y yo no escuchaba. Cuánto los amaba yo también. Pero lo peor era que no se los había dicho. Me invadió una gran angustia y grité sin gritos, sin lenguaje, sin sonido, como se comunica el espíritu, suplicando una oportunidad.

—Por favor, Dios mío, una oportuni... —tenía la cabeza en el inodoro—... dad.

Me obligó a vomitar. Me zarandeaba, me decía: "¡Gloria, Gloria, despierta!". Me bañaba con agua y de nuevo me hacía vomitar metiendo sus dedos en mi garganta. Me daba a beber agua y otra vez me hacía vomitar. Me obligó a caminar, sosteniéndome, porque se me doblaban las piernas. Me hizo beber leche —yo detesto la leche— y no me dejó caer en el sueño. Sudoroso, con los ojos húmedos, pero sin llanto, nervioso, se diría que enojado, tembloroso, preocupado, Sergio me dijo: "¿Por qué haces esto, Gloria?"

La canción de "Tu ángel de la guarda" acababa de nacer, sonaba en mi cerebro.

Setenta pastillas fueron mi fin
y frente a Dios diez días hablé
dando razones para volver...
Por fin me regresa en un barco de estrellas.

—Perdóname, Sergio... Perdóname

Ahora soy tu ángel de la guarda...

## Capítulo cinco

# La vaca de cinco patas…

Dios me había dado una segunda oportunidad. Así lo sentía y me daba vergüenza por haber sido tan débil. Aunque en ocasiones me sentía sola, había gente que me amaba y a la que mi muerte lastimaría. Mi mamá, mi papá, mis hermanos, la familia, y en especial mi bisabuelita Aurora a la que amaba entrañablemente y quien además era mi madrina de bautizo. Desde la muerte de mi bisabuelito era a quien visitaba con mayor frecuencia y seguido me quedaba con ella los fines de semana. En ese tiempo tenía yo doce años y hasta los catorce fue así.

Con ella aprendí a cocinar cosas simples: arroz, mole, guisados. Me encantaba ir con ella al mandado; me fascinaba escucharle historias de la revolución, de cómo era el amor en aquel entonces; aprendí a hacer cosas "de mujercita": limpiar la casa, barrer la calle, rezar, darle masaje en los pies. Era feliz aprendiendo mientras mi bisabuelita me daba dulces, me contaba historias y me llenaba de amor. Pero desde que me fui a México no tuvimos mucho contacto. La distancia, el costo de llamadas, mi falta de costumbre y mi pereza para escribir cartas dificultaban nuestra comunicación, pero no menguaba nuestro cariño. ¡Qué egoísta había sido!, ¡qué tonta!, ¡qué absurda! Me juré nunca más hacer una tontería semejante.

Desde ese día Sergio no quiso que me quedará sola en las noches. Mary se quedaba conmigo en la oficina; no era un hogar, pero tampoco era incómodo. En donde nos quedábamos había dos sofás grandes y en el fondo de la casa había una cocineta. Sergio no se quedaba allí; solía quedarse en hoteles o iba a su casa en Cuernavaca.

Le hablaba a Sergio con extremada educación, cuidando mucho pedir las cosas por favor y dando las gracias. Esa forma de comportarme y hablar era producto de la educación recibida en mi casa y en el colegio, donde nos enseñaron a mis hermanos y a mí a hablar de usted y a ser muy educada. Además, Sergio solía delimitar su espacio y exigía respeto, y pese a que ya existía cierta amistad y confianza, nuestro trato era de patrón y empleada. Y todavía cuidé más mi forma de hablarle después de que en cierta ocasión en que Sergio conversaba con un señor importante de la radio, dijo algo así como: "Ayer grabamos a las cuatro de la tarde", y yo que escuchaba, metí la cuchara sin que me preguntaran.

—No, Sergio, grabaste a las dos.

En ese momento Sergio no me dijo nada. Él y el señor me vieron y me ignoraron y siguieron hablando. Al salir, Sergio me dijo:

—Quedaste como la asistente más tonta e indiscreta. Ese señor jamás te contrataría ni recomendaría.

Y añadió que él pasaba por alto la falta porque mi trabajo era temporal, pero que de ahí en adelante fuera discreta y prudente y guardara mi lugar. Un asistente de ejecutivos o de productores habla cuando se le pregunta y nunca contradice a su jefe, y menos frente a otra persona. Si tenía que hacer alguna indicación o urgía algo, debía indicarlo con discreción o mediante una nota pasada discretamente.

Me pareció mucho protocolo y me molesté, pero observando a secretarias y asistentes de personas importantes vi que ese era el comportamiento con los jefes. Incluso hay una ridícula regla para evitar que los jefes hablen con las secretarias; tienen un asistente y éste se comunica con la secretaria del otro y para comunicar a los jefes cuentan uno, dos, tres y los ponen en contacto.

Me dio sentimiento y vergüenza que Sergio me llamara la atención por eso y me propuse no volver a hacer cosa parecida. Además, todos en la oficina hablaban así. Mary que había sido esposa de Sergio, al integrarse como empleada lo trataba de la misma forma que los demás y eso que Mary lo seguía amando, según noté.

Si Mary pensaba recuperar a Sergio, sus ilusiones se vinieron abajo cuando Sergio le pidió finiquitar el divorcio para casarse con Aline, pues ésta y su mamá hallaron la manera de presionarlo para que Sergio se casara. Eso lo contaré más adelante.

De repente mi mundo empezó a tomar otra velocidad, Sergio decidió que mientras se estabilizaba la compañía de discos BMG y se realizaba mi lanzamiento, tenía que adquirir tablas, medirme con el público. Así que llamó a varias personas que trabajaban en la oficina para darles una instrucción. Nótese que yo no aparecía como Gloria Trevi ni era famosa cuando Aline se dedicó a tiburonear a Sergio.

—Esta es una oficina de representantes de artistas y no sólo una escuelita. En este momento quiero que salgan a buscar trabajo para Gloria —dijo ante los atónitos empleados: un chofer, un *office boy* y una secretaria, aspirantes a *road-managers* de artistas que nunca habían conseguido un trabajo.

—La quiero cantando y con público —continuó Sergio—, así que busquen lugares en los que haya música en vivo. Bares, salones de fiestas, qué sé yo. Ofrézcanla y consíganle trabajo, audiciones, *castings*, no importa dónde, no importa lo que paguen ni a qué horas tenga que trabajar. Vayan a buscar y, sobre todo, a conseguir. Aquí tienen fotos y material de su artista.

Uno preguntó:

—¿Pero adónde vamos? ¿Con quién hablamos? ¿Qué le decimos?

—Si tengo que decirle a dónde ir y con quién hablar entonces yo lo hago y a usted lo despido. Es su trabajo. ¿Y qué van a decir de su artista? Pues que es la octava maravilla en súper ganga, que nada así había pisado la tierra desde la desaparición de los dinosaurios. Vamos, están relevados de cualquier otro trabajo. De las actuaciones que ella cobre y ustedes le consigan cobrarán un 10% como plus de sus sueldos. Así que consíganlo, esfuércense y no vuelvan sin nada. Aquí no trabajan inútiles.

Efectivamente, a la gente se le quitaba lo inútil con Sergio. Así que salieron a buscarme trabajo y retornaron con propuestas que Sergio revisó y ordenó que fueran atendidas. Daría audiciones en todos los lugares —yo, inocentemente, seguía ensayando las canciones frente a un espejo enorme que Sergio había mandado colocar sólo para que me viera y me corrigiera—. En eso escuché a Sergio gritando mi nombre: "¡Gloria, ven acá!" Entré a su oficina sudando, agitada por el ensayo, y asustada, pensando que había pasado algo, ya que Sergio no solía gritarme. Lo normal era que mandara a alguien a llamarme. Pidió que nos dejaran solos y me dio la mala noticia:

—Hoy tienes audición para ver si te contratan en un salón de fiestas llamado El Tico. Vas a cantar con música en vivo. ¿Cuál es tu repertorio?

—¿Mi repertorio? —dije con la boca abierta y los ojos como platos. No tenía idea y mi corazón se aceleró.

—¡Sí, tu repertorio! ¿Qué canciones te sabes? —dijo con cierta desesperación, como quién dice algo obvio que no es comprendido.

—Laaas de mi disco, me las sé todas.

—¡Esas te las sabías antes de grabarlo! ¡Tú las hiciste! No juegues, Gloria me refiero a canciones populares, éxitos.

Él no jugaba, nunca había sido precisamente juguetón conmigo. Sabía a lo que se refería pero... Tragué saliva.

—¡No me sé ninguna!

—¿Qué? —dijo con un tono que denotaba ironía, incredulidad, molestia—. ¡Tienes que saberte alguna!

—Me sé pedazos de varias, nada completo.

En cuestión de minutos sacó al piano mis tonos en las distintas canciones de las cuales yo conocía partes. Las grabó completas y me las dio para que las aprendiera, junto con una canción que yo no sugerí y que conocí en ese momento. Una canción llamada "Tristeza" que según Sergio no podía faltar en un repertorio.

Esto sucedía a las once de la mañana y esa misma noche, a las 8:30, iba con Mary y el chofer a mi primera audición. Por primera vez cantaría con un grupo en vivo y sin haber ensayado con ellos. Boquitas Pintadas no contaba pues sólo cantábamos nuestro disco mil veces ensayado y yo solamente hacía coros, excepto por mi canción "Amor cavernícola", en muchas ocasiones sin micrófono porque decían que yo cantaba muy fuerte y me lo apagaban.

Sergio Andrade no acudía, ¡gracias a Dios!, porque los nervios habrían podido provocarme un infarto. Mary iba emocionadísima con su cámara de video casera para grabarme y el chofer contaba orgulloso cómo Sergio les había encomendado la misión de encontrarme trabajo y todos estaban muy contentos de descubrirse nuevas capacidades y entender que no existen obstáculos insuperables. Mientras echaba su perorata de superación personal, yo repetía mentalmente las líneas de la dichosa canción llamada "Tristeza". Las demás las tenía bien puestas, pero con esa me sentía insegura.

Llegó el gran momento. El salón de fiestas tenía un bar en el cual haría mi audición. Un grupo de borrachines, hombres y mujeres con ánimo de pachanga, sería mi primer público en forma. Vestida con mis mejores trapitos, le di a los músicos la lista de mi repertorio y los tonos de cada canción. Tomé el micrófono y me lancé. Como podía iba sacando cada canción. Acostumbrada a escuchar pistas con espacios perfectamente definidos para entrar a cantar, no sabía cómo ni dónde entrar, no sabía usar el sentido musical. Pero no me achicopalé. Entré como pude en cada canción y los músicos, buenos "hueseros", se iban acomodando. Mary se realizaba con la cámara, hacía tomas desde diferentes ángulos y me echaba porras.

El público, entre trago y trago, no notaba los errores y se divertía de lo lindo. Respondía animado, aplaudía y pedía otra, otra. Hasta que llegó "Tristeza". Felizmente no se me olvidó la letra y el público reconoció la canción y empezó a cantar conmigo. Yo los animaba a bailar y ahí estábamos todos cuando me di cuenta de que no sabía terminar la canción. Sergio me la había grabado a las carreras y tipo *fade out*, así que esperaba que el grupo hiciera un "tan-tan" que marcara el final; ellos esperaban lo mismo de mí y por mi inexperiencia seguí cantando, así que repetimos la canción tantas veces que hasta el más borracho de la fiesta comprendió a plenitud el concepto de eternidad, de infinito, accesible gracias a una mujer que no los dejaba sentarse y los puso a cantar la misma canción unos 45 minutos. Todos sudaron la borrachera, recuperaron la sobriedad y se encontraron en medio de una clase aeróbica, porque yo no permitía que dejaran de cantar y bailar. Entonces entendí que el grupo nunca daría el tan-tan final y alguien podría morir de un infarto.

Dejé de cantar abruptamente y el grupo dejó de tocar. La gente suspendió el baile y aplaudió. Creo que más porque había acabado la canción que por mi interpretación, y me parece que de ahí todos nos fuimos a dormir. Al otro día, en la oficina, Sergio se moría de risa de mi *show*. La cinta de video se había acabado a la mitad de la eterna canción "Tristeza" y Mary contó lo que había seguido. Yo, muerta de vergüenza, escuchaba.

—Estás verde, Gloria. Verde, verde, verde —fue el comentario de Sergio. Me escurrí y me fui a ensayar y a aprender más repertorio. Pese a todo, me contrataron en El Tico y llegué a dar cuatro *shows* en un día. Los fines de semana cobraba 50 pesos por cada uno. Por otra parte, canté en el Foro 2 algunas canciones de mi disco. El público, de jóvenes, reaccionó muy bien y empecé a hacer de las mías en el escenario, cantaba "Satisfacción", de los Rolling Stones, en la versión de mi disco, y le quitaba la camisa al primer incauto que veía entre la gente. El público enloquecía, se reían y se divertían.

Seguí haciendo audiciones sólo para agarrar tablas. No disponía de mucho tiempo por los *shows* de fin de semana, pero como las audiciones solían ser entre semana y yo asistía, pues Sergio quería que adquiriera toda la experiencia posible y aprendiera a lidiar con todo tipo de público. Así me presenté en lugares "fresas" como el Hotel María Isabel Sheraton, donde tuve buena aceptación y me quisieron contratar, pero no acepté. También me presenté en un hoyo *funky* en el cual, por "gruesa" que pareciera en sitios "fresa", al público todo le parecían bobadas. Allí estaban con sus pelos verdes, sacándose los mocos y viéndome como si fuera bicho raro. Alguna gente se portaba en buen plan, pero la mayoría me estaba calando. Entonces uno de los parroquianos gritó: "Saquen a esa pinche puta". Empezaron a arrojar cosas al escenario, me saqué de onda y me dije: "Estos güeyes no me van a ganar". Micrófono en mano pregunté:

—¿Quién dijo eso?

—Yo —contestaron varios, mientras cerca del escenario una chavita me gritaba que no les hiciera caso. Pero ya andaba en mula.

—Pues el que me llamó puta me confundió con su mamá o su hermana, porque son las únicas putas que conoce y están taloneando allá afuera.

Se hizo el silencio y luego comenzó a crecer un murmullo.

—¿Quieren que me salga? —pregunté.

—¡Sííí! —se escucharon algunas voces.

—¡Pues chinguen a su madre! —grité, y empezó a sonar "Doctor psiquiatra". Empecé a levantar vasos, limones y cosas que instantes antes me habían aventado y ahora era yo quien las arrojaba. Luego agarré un refresco que me habían puesto en el escenario para mojarme la garganta si se me secaba y lo usé para mojar a la gente que brincaba al ritmo de mi canción. Al terminar el *show* y bajar del escenario, la gente gritaba. El empresario se me acercó y me felicitó.

—¡Les gustaste! ¡Eres el primer novato al que no descalabran y todavía quieren más! ¡Fantástico! —me decía con una cara de asombro sólo superada por la mía al saber que era la primera en no salir descalabrada.

—Gracias —le dije.

—¿De qué?

—Pues por no avisar cómo se las gasta aquí la raza —todos reímos.

En otra audición que hice en un lugar llamado El Barón Rojo, el dueño me corrió y quería que pagara unos ceniceros que había roto en mitad de mi *show* y luego me regañó, en lo que me iba, por haber cantado el himno nacional. Y sí, lo había cantado, pero es que los tres gatos sentados en las mesas eran taaan fresas, estaban taaan anonadados y participaban taaan poco, que supuse que el problema era que no se sabían ninguna canción y pensé que a fuerza tenían que conocer aunque fuera un pedacito del himno nacional. El tipo, "shockeado", me decía que con el himno nacional, la bandera y el escudo "¡no se juega!"

—Le faltó la virgen de Guadalupe. Además no estaba jugando, realmente cantaba —el tipo se puso rojo y salí muy digna.

Uno de los promotores me consiguió una audición en un antro de ficheras y, para mi sorpresa, Sergio aceptó. Yo pensaba: "¡Dios mío, si mi mamá o la familia me vieran!"

—Tienes que saber lidiar con todos los públicos —dijo Sergio.

Mi *look* contrastaba con el de las mujeres del antro. Ellas vestidas con ropas brillantes de tiritas, mostrando mucho, ¡pero mucho! Yo vestida de mezclilla. El dueño pretendió que me pusiera uno de los trajes de que disponían para los *shows*.

—No, gracias —dije firmemente. Así que después de algunas mujeres que salieron "cantando" sensualmente, llegó mi turno. Y el público, puros hombres, primero mostró sorpresa por mi vestuario. Llevaba *short* de mezclilla, botas vaqueras, blusa corta y chamarra, atuendo que en nada se parecía a los vestuarios típicos de cabaret. Pero canté las canciones más coquetas de mi disco —"Bésame aquí", "No tengo ropa"— y reaccionaron bien. Al terminar me invitaban a las mesas y querían pagar por bailar conmigo.

—No, gracias —dije de nuevo, tratando de aparentar una tranquilidad que no sentía, pues el lugar, entre otras cosas, me intimidaba y asustaba. Platiqué con las muchachas, que se portaron buena onda. Luego fui a la mesa del propietario junto con mi "brillante" promotor, el señor Godoy, que emocionado me decía que el dueño quería contratarme:

—Te cambiamos el vestuario por algo más sexy y vas a ser un éxito. Si no quieres compartir con la clientela, no tienes que hacerlo. Y si se tratara de alguien muy importante, pues te convendría. Y, mira, tu *show* lo podemos hacer bla bla bla bla...

El señor Bien Prendido tenía ideas y todo, y le sorprendió que no fumara y no bebiera —soy abstemia—. Mientras literalmente yo soñaba, lo escuchaba con cara de qué interesante y le daba el avión, pero por dentro estaba decidida a no aceptar plaza fija en ese lugar, pagaran lo que pagaran y dijera lo que dijera Sergio. No era mi concepto de carrera artística y había percibido mucha tristeza en las mujeres que trabajaban ahí. Afortunadamente Sergio declinó la oferta de trabajo, aun cuando el dueño ofreció pagar el doble. Este señor se decía cristiano y, si bien nunca le vi leer la Biblia, vi que la sudaba, pues siempre la traía bajo el brazo. Definitivamente no trabajaría en ese lugar ni en otro que se le pareciera. Mas, sin sentirlo, estaba adquiriendo unas tremendas tablas para lidiar con toda clase de público.

Por ese entonces, cuando Aline se acordaba de que yo existía, me buscaba y platicábamos nuestras experiencias. Yo hablaba de mis sueños y mis presentaciones; ella era explícita en detalles de su relación con Sergio. Decía ser una mujer feliz y sólo se quejaba de que Sergio era muy celoso y le tenía prohibido juntarse con vecinos y amigos hombres.

—Te lo advertí —le dije.

—¡Si, tú! ¿Pero qué tiene de malo una amistad inocente?

—Mira, él, a su edad, no se chupa el dedo, y la verdad tus amistades no son tan inocentes.

—Pues no, pero tampoco ando de piruja con todos.

—No creo que quiera correr riesgos… Y tú, ¿para qué quieres tentaciones? En esta relación no sólo tú puedes salir lastimada sentimentalmente, y si no ibas a jugar derecho, ¿para qué te metiste con él lastimando a una persona que sí le era fiel?

—¿Hablas de ti? —dijo entre burlona y agresiva.

—Claro que no. Ni lo pienso. Me refiero a Sonia.

—Esa no existe. Pero no te lo cuento porque pretenda tener otros novios, sólo es un comentario.

—Ojalá. Si no, esta relación va a terminar mal. Y no me gustaría que lo lastimaras.

—Si no soy mala. Bueno, taaan mala. Ja, ja, ja —y se rió de lo que le parecía una gracia.

—¿A qué te refieres? —le pregunté desconcertada, pues no encontraba el chiste.

—La verdad a veces tengo pensamientos y actitudes raras, pero luego me arrepiento.

—¿Raras? ¿Cómo es eso?

—Mira, por ejemplo en la escuela tenía una compañera que era así toda feíta y opacada (al parecer Aline no se veía en el espejo), y no sé por qué pero yo sentía mucho placer en darle de cachetadas, la dejaba llorando y la amenazaba con golpearla más si decía algo.

—¿Y ella qué hacía?

—Nada, ¿qué iba a hacer? ¡La muy tonta se quedaba llorando!

—¿Pero por qué, Aline? ¡Qué gacha!

—No sé. Es que a veces sentía como ansias y luego me arrepentía.

No quiero imaginarme cómo me hubiera ido con ella si me hubiera conocido a los 11 o 12 años. Cuando iba a la escuela era yo gordita y tímida.

En esta época las cosas eran diferentes. Aline —al menos eso parecía— simpatizaba conmigo, decía que le encantaban las canciones de mi disco. Pero empecé a notar algo que, aunque en un principio me halagó, después no me agradaba.

Aline empezó a imitarme en todo. Si me ponía gel en las cejas y me las peinaba todas paradas, ella también lo hacía, si me ponía sombras naranjas, verdes o azules, también se las ponía. Imitaba mis gestos, mis movimientos y en ocasiones mi forma de vestir (no siempre anduve con medias rotas). Para colmo, viendo que me gustaba mucho usar botas, hizo que su mamá o su padrastro Benito le compraran botas rojas, blancas, negras, lo que no me pareció normal.

Siendo novia de Sergio, Aline dejó de fumar y de beber y dejó de tener aventuras, según ella. Así, mientras la relación de Aline y Sergio iba viento en popa, mi carrera avanzaba a grandes pasos. Fui citada por el nuevo director de la compañía disquera, un señor español que había escuchado mi disco, consideró un acierto mi contratación y quería hacer, ya, mi lanzamiento.

BMG me mandó con Gabriela Diaque para que me diseñara una imagen. Había diseñado las imágenes de varias artistas, entre ellas Alejandra Guzmán y Sasha. Fui con ella a comprar vestuario a Los Ángeles y Mary nos acompañó, pues nunca se me separaba. Como no había cosas nuevas, me llevaron a una tienda de ropa usada donde se podía encontrar de todo, desde ropa de marca hasta reliquias de los años 70. Alguna con la etiqueta del precio aún puesta. Si le buscabas podías encontrar ropa muy buena, de marca, nueva o casi nueva.

Compramos cosas que me parecieron adecuadas. Al regresar a México hice una sesión fotográfica con Germán Herrera, extraordinario fotógrafo, y el producto fue muy bueno. Sólo que cuando Sergio vio las fotos preguntó:

—¿Quién diablos es esta?

—Soy yo.

—¡No! No eres tú. ¿Qué es esto? ¿Dónde está tu cabello? ¿Tu sonrisa? ¿Qué es esta oscuridad?

No era que las fotografías no fueran bellísimas, porque lo eran, sino que el concepto no era el que Sergio había pensado para mí. Ese mismo día revisó mi vestuario.

—¿Negro, café? ¿Qué es esto Gloria?

—Pues lo que... —no acabé la frase.

Nos fuimos al aeropuerto en ese momento y compró boletos para Los Ángeles (Sergio es así, impulsivo, impredecible). Llegamos a Los Ángeles —Mary nos acompañaba— y al día siguiente fuimos a Melrose y a Rodeo Driver y con dinero de Sergio compramos ropa de colores, cosas juveniles, chamarras de mezclilla, *shorts*, accesorios divertidos. Yo escogía y Sergio aceptaba todo, excepto cosas oscuras. ¡Luz, Gloria, alegría, juventud! La ropa me encantó. Compramos una chamarra de mezclilla con pedrería que brillaba hasta Marte y unas botas vaqueras de piel que me encantaron. ¡Me sentía feliz! Y más con ese tipo de ropa. Lo que había hecho Gabriela Diaque era un buen trabajo de diseño de imagen, pero con Sergio era yo misma, mis gustos, mi cabello suelto.

Llegamos a México y me mandó a otra sesión fotográfica, ahora con Maritza López. Las fotos salieron muy bonitas. Me sentí más yo, mi imagen, mis poses. Desgraciadamente no llegamos a tiempo para la portada del disco, pues ya habían empezado la impresión con una foto de Germán Herrera también bonita, con sombras en color sepia, cabellos recogidos y cara seria, pero no era yo. Al menos llegamos a tiempo para que en la contraportada y en los carteles de promoción pusieran varias fotos en que me parecía más a mí misma.

El lanzamiento del disco sería a finales de 1989 y la compañía encontró un pequeño inconveniente. Por problemas internos, el lanzamiento se había retrasado un año. En los boletines mi biografía afirmaba que tenía 19 años, mi edad cuando fui contratada por BMG, pero en ese momento tenía 20 años y en unos meses cumpliría 21. Me pidieron que me quitara edad para que la gente de los medios no supusiera que el disco tenía más de un año grabado y tuviese la impresión de que era un producto viejo, siendo algo novedoso.

La compañía no quería gastar en una nueva reimpresión de los boletines de prensa, pues según ellos cada centavo debía ser para la promoción. No vi problema, podían quitarme o ponerme los años que quisieran. ¡Sólo quería que lanzaran mi disco y ya!

El lanzamiento implicó que abandonara las actuaciones en El Tico, Players, Foro 2 y dejara de ganarme el sustento para en cambio acudir a presentaciones gratuitas de promoción. Me acompañaba Mary, con las pistas bajo el brazo, y un chavo de la compañía de discos llamado Colin. Iniciamos la "sensacional" gira por el Bajío, en un carrito estándar y sin aire acondicionado. La gira consistía en ir a cuanta estación de radio existiera en el trayecto y en presentarme en todo festival de radio o feria a cambio de un Gansito y una Coca-Cola ¡para el público! Bromeo. A cambio del espacio para promoverme. El escenario se cimbraba, la gente respondía. Un día Colin, que era muy buena gente y muy trabajador, me dijo: "Estás en quinto lugar a nivel nacional, chiquita, en unos meses serás una estrella".

Al principio de la gira me ponían a abrir los festivales, pero todavía no terminábamos la gira y ya estaba cerrando eventos, lo cual significaba que era la atracción, el plato fuerte, la estrella.

En una ocasión, durante la segunda o tercera gira gratuita, ante más de 30 mil personas, en un festival en el cual yo era la figura, la pista no sonó. Estaba ante la multitud y mis pistas no sonaban. Conté chistes, esperando que corrigieran el problema, pero no, nada. La cinta que traía el muchacho de la compañía de discos estaba en blanco. Se lo expliqué a la gente y pedí que me ayudaran a cantar *a capella*, y empecé a cantar sin música. Fue el acabose. En buen plan, la gente se entregó, cantó y lloró conmigo y la presentación fue un éxito. Cuando Sergio se enteró (a las giras iba yo con Mary, mientras Sergio permanecía en México, en su oficina, desde donde coordinaba a otros artistas y sus asuntos) me felicitó, pero a la compañía le reclamó enérgicamente. Y la compañía se lavó las manos despidiendo al pobre cuate que me acompañaba.

Me dio un patatús, pedí que no hicieran eso. Sergio estaba de acuerdo conmigo, la culpa no era de aquel muchacho, pero en la compañía dijeron que de todos modos iban a despedirlo por otros errores que había cometido. Pedí su recontratación y me dijeron que no quería volver porque había encontrado trabajo en otra disquera. El hecho es que mis giras ya no fueron en carro sino en avión. De otra parte, la compañía estaba desesperada, pues los 30 mil discos que sacaron a la venta, cantidad que mandaban hacer para los lanzamientos, no habían sido suficientes. Contra todo cálculo, se habían agotado y tardarían días en hacer más y distribuirlos.

La piratería hacía su agosto. "Doctor psiquiatra" ocupaba el primer lugar de popularidad y rompía el récord de semanas de permanencia en listas de música pop en México; sólo perdió el primer sitio para dejarlo a otra canción mía: "Qué voy a hacer sin él".

Empecé a hacer programas de televisión. En los estudios la gente dejaba de trabajar para ver mi actuación y yo creía que eso era normal. Al salir de los escenarios, programadores de radio y empresarios me felicitaban. "A nadie le aplaudieron como a ti", me decían, y yo pensaba que eso le decían a todos los artistas para hacerlos sentir bien.

El más importante programa de televisión de variedades me invitó por fin a participar con uno de mis temas. Esa presentación era clave. Llegó el gran día y ahí estaba yo en *Siempre en domingo*, en horario estelar, con sólo cinco o seis minutos al aire para conquistar al país. Sergio, que en esta ocasión estaba presente junto con algunas personas de la compañía de discos, me hacía mil y una recomendaciones. Los de la disquera me decían: "No te vayas a pasar con Raúl Velasco, cuidado, sé respetuosa" (me había ganado fama de terrible sin hacer nada malo). Sergio me decía: "¡Toda la energía! ¡Entrégalo todo! ¡Es tu hora!"

Me santigüé, cerré los ojos y tomé la mano de Sergio, que estaba a mi lado, mientras Raúl Velasco me presentaba. "Dios mío, guíame, ayúdame, muéstrame el camino", pensé. Salí al escenario con las medias rotas, los cabellos parados y un minivestido y me puse en posición. Sentía que vibraba con tanta energía, la adrenalina hacía que me hormigueara el cuerpo. Bailé por el escenario y no respeté áreas de luz, tampoco me cuidé la falda pues ¿qué tenía de malo? Llevaba pantaletas, medias, otras medias (las rotas) y calzón de baile, así que corrí, salté y me tiré al piso. Al final la gente gritaba y pedía otra, otra. Raúl Velasco me hizo una pequeña entrevista.

—¿Así que estás loca?

—No, sólo estoy desesperada.

—¿Por qué estás desesperada?

—Por ser feliz, por cantar, por quitarte los lentes...

Y sin más le arrebaté los lentes al veterano conductor, que se puso colorado y nervioso. Alcancé a ver la reacción de la gente de la compañía de discos, ¡casi se caen al piso del pánico! Rapidito, le devolví al señor los lentes y todo salió bien. Tras bambalinas Raúl Velasco me invitó al siguiente programa; quería que hiciera con él ese tipo de travesuras espontáneas. Pero tres días después llamaron a la oficina para cancelar mi presentación, porque al parecer don Emilio Azcárraga, dueño de Televisa, vio mi actuación en el programa con un obispo que de prostituta francesa no me bajó. El ultimátum era: "Si quería volver a pisar un escenario de Televisa tenía que peinarme, remendarme las medias y cuidar que no se me vieran los calzones".

Cuando Sergio me lo dijo, mi respuesta fue: "Por los calzones no hay problema, la próxima me los quito, pero el pelo y las medias, eso no lo voy a modificar. Para eso, que inviten a otra artista".

Sergio se rió y me apoyó. En tanto, la disquera suponía terminada mi carrera y me suplicaba que recapacitara. Pero en esos días otra canción cantada por mí desbancó a "Qué voy a hacer sin él". Era "El último beso" y en algunas listas de popularidad aparecían mis canciones en los tres primeros lugares. 1º, "El último beso". 2º, "Qué voy a hacer sin él". 3º, "Doctor psiquiatra".

El trancazo era "Doctor psiquiatra", pero las otras dos también habían alcanzado el primer lugar de popularidad y el éxito era tremendo. Yo pensaba que eso era normal. Llamaron de *Siempre en domingo* y me volvieron a invitar al programa, esta vez sin condiciones, tal como yo era, subiéndome a la mesa de las noticias, despeinando gente seria, persiguiendo camarógrafos, rompiendo escenografías. Récord de *rating*, de ventas y de asistencia de público a mis presentaciones, a las que iba todavía en plan promocional, para que me dijeran: "Salvaste la feria". Y, en general, Televisa me abrió las puertas, pese a que no era su creación.

La gente me reconocía en la calle y me pedía autógrafos. Sin yo saberlo, estaba empezando a ser considerada un fenómeno. "Pásele a ver la vaca de cinco patas".

—PASELE A VER LA VACA DE CINCO PATAS... —

## Capítulo seis

# Aline y Sergio / II

Mis canciones sonaban en la radio, empezaron a surgir clubes de fans y mis presentaciones en televisión causaban polémica. Unos jóvenes *gay*, promotores de las presentaciones de Cristal, hablaron con Sergio sobre algunas propuestas de *shws* míos; además querían encargarse de las ventas de mis actuaciones.

Sergio les dio la oportunidad. Empecé cobrando seis mil pesos (aproximadamente unos dos mil dólares) y hubo ofertas a pasto de palenques y ferias. Al poco tiempo aquel precio subió a 12 mil pesos. Las actuaciones eran frecuentes y Sergio incrementó la tarifa a 30 mil pesos por actuación. De hecho no hacía "promocionales", mis actuaciones eran pagadas y ciertos meses tuve exceso de trabajo. A todo decía yo que sí podía, era lo que siempre había soñado y no iba a arrugarme a la mera hora. Sergio desde la oficina en el Distrito Federal, veía en qué portadas de revista aparecería, en qué programas iba a presentarme, fechas, horarios.

Mientras, Mary y yo viajábamos con músicos y promotores. Veía a Sergio muy de vez en cuando y unas cuantas horas, pues mis presentaciones eran todos los días y me la pasaba tomando aviones, dando entrevistas en diferentes ciudades, atendiendo a mis fans y sus broncas, pues no les faltaban problemas, sufrimiento, soledad y yo los sentía, más que amigos, parte mía, y me obligaba con ellos a un compromiso más allá de los escenarios.

En mis presentaciones empecé a notar que el público se entregaba, lloraba y me demostraba gran cariño. Yo también lo amaba y lo sigo amando. Sergio sólo iba a presentaciones importantes en alguna plaza de toros o en un palenque de categoría.

Ese 1989 fui considerada la revelación del año. Era un éxito de carne y hueso y quienes vendían mis fechas parecían ignorarlo. En los palenques actuaba a la una o dos de la mañana por mi forma de cantar, correr y bailar, terminaba bañada en sudor y Coca-Cola, pues en "Doctor psiquiatra" me bañaba con refresco. El equipo de seguridad me sacaba en brazos, con escasa ropa cubriendo mi cuerpo, pues mis faldas, blusas, chaquetas y capas terminaban desgarradas, víctimas de tanto arrastrarlas, o de mi desesperación o mis berrinches, según la canción que cantara. No terminaba desnuda, como luego decían, solía quedarme con corpiño y una camisetita, pantaleta, medias transparentes, las clásicas medias negras rotas y el calzón de baile, pero sin ropa suficiente para cubrirme del frío. Así me exponía a las inclemencias del tiempo, en muchas ocasiones en madrugadas heladas que mordían mi cuerpo caliente. Tenían que ser así, sin dar tiempo a que el público reaccionara y me siguiera, pues entonces sería imposible salir ya que la gente rodeaba los carros, taponaba las salidas. En ocasiones me sacaban en ambulancias o patrullas. Provocaba pasión, no quiero decir erótica, pero pasión.

Me dio gripe, y por ella, tos; luego quedé afónica. ¿Cómo iba a cantar esa noche? Las pocas horas que me quedaban trataba de dormir bajo todas las cobijas del cuarto de hotel. Mary se encargaba de tener la ropa y el maquillaje listos para que en el último momento me vistiera y arreglara. Mary, que canta precioso, hacía coros en mis presentaciones y me sentía agradecida y honrada de contar con una corista así, que además era mi amiga. Pronto ella tuvo sus propios admiradores.

Despertaba empapada en sudor, con gripa y fiebres. Tomaba Cóntac-X y Flánax (para desinflamar los ganglios de la garganta) haciendo un gran esfuerzo, pues me chocaba tomar medicamentos (y más desde aquella triste estupidez).

Más tarde escuchaba al público gritar mi nombre, oía al presentador anunciándome y a los músicos tocando la introducción de "Gloria", de los Doors. Bebía entonces un vaso de agua súper helada y me persignaba. Entraba segura al escenario y con un grito que me salía del vientre empezaba a cantar. Terminaba dos horas después, dos horas totalmente en vivo roncanroleando, raspando la voz, gritando, cantando y matizando. Creo que lo que realmente me ayudaba era la persignada.

Como no paraba de trabajar, empecé a tener accesos de tos después de las actuaciones y vomitaba los líquidos que bebía, como también los escasos alimentos que ingería, pues antes de una presentación no comía casi nada para bailar ligerita. Después, con la adrenalina, el ejercicio, la tos, el cansancio y el sueño, ya no me daba hambre, acababa tan cansada que lo único que deseaba era dormir.

Mis principales alimentos eran la comida de los aviones. Cuando daban sándwiches y Coca-Cola era feliz; cuando daban cacahuates era espantoso. Moría de hambre, pues en la próxima ciudad no daba tiempo de nada y luego no comía nada por la actuación. Mido 1.66 metros y pesaba 46 kilos. Todo bien, pero la tos y los vómitos no se me quitaban.

Una vez en un hotel, tras un acceso de tos, comencé a vomitar en un cenicero de esos grandes que hay en los pasillos. Los que vendían mis fechas casi me cargaron a mi cuarto para que nadie me viera. Yo no admitía que estaba mal y necesitaba descansar y recuperarme, quería seguir trabajando. Pero Mary no me solapó y por teléfono le informó a Sergio lo que pasaba. Sergio puso pintos a quienes vendían mis fechas y canceló varias presentaciones.

Los agentes casi se infartaron porque tendríamos que devolver el dinero. A Sergio no le importó y me envió con el médico. Por entonces había empezado con un dolor en el pecho cada vez que respiraba. El doctor diagnosticó principio de pulmonía y dijo que corría el riesgo de pescar una pulmonía fulminante y morir al momento. Creo que lo dijo para asustarme y lo consiguió. Durante 15 días no abandoné la cama.

Recuperada, aproveché para ver a mi familia en viaje relámpago a Monterrey.

Ese mismo año recibí mis primeros discos de oro y platino, y trofeos como artista y revelación. Pero éxito, fans, dinero, fama y algunos sueños realizados no me daban la felicidad. Sergio y Aline estaban en la cumbre de su romance, pues mientras yo subía como la espuma en mi carrera, a Aline se le subía a la cabeza ser la novia de Sergio y se portaba sangrona y mal con el personal de la oficina. Daba órdenes como si fuera la patrona, no le hacía caso a las maestras de actuación y de baile y llegó a crear una situación difícil.

Aunque conmigo se medía, cada vez era más criticona y pretendía mangonear y mandar a Mary. Un día me tocó presenciar cómo Aline le gritaba a Mary. Intervine en la defensa y Aline me reviró. La dejé hablando sola porque no quise rebajarme a una situación de verduleras y me fui directamente con Sergio a poner la queja e informarle de la situación.

En ese momento Sergio mandó llamar a Aline y le dijo:

—Gloria es una amiga de hace muchos años, aparte de ser la artista que hoy mantiene esta oficina. Y ninguna noviecita que yo tenga va a venir a mangonearla como si ser mi novia fuera igual a ser la representante. Y para tu información, Aline, Mary es mi esposa.

En ese momento Aline se volvió a ver a Mary sorprendida, con la boca abierta y los ojos desorbitados, pálida. Hasta yo sentí vergüenza, pues ni Sergio ni Mary sabían lo que sabía Aline, que yo estaba enamorada Sergio. Y estar allí los cuatro hablando de eso me abochornaba. La esposa de Sergio, la novia y la enamorada secreta en plena revelación de intimidades. Sólo faltaba que Aline revelara mi gran secreto. Sergio continuó:

—Y lo que es más, Aline, aunque Mary y yo nos separamos hace tiempo, todavía es mi esposa, porque no hemos firmado los papeles de divorcio. Así que si te sientes tanto, entérate de que legalmente ella está mejor parada que tú conmigo.

Se hizo un silencio mortal. Sergio observaba a Aline fijamente. Ella se ruborizó.

—Tú, Aline, eres mí compañera, mi novia, pero a cualquier persona que ande conmigo voy a exigirle respeto para estas dos personas que son como mi familia, así como a ellas les exigiré respeto para mi pareja.

Aline empezó a llorar y dijo en tono sincero:

—Perdón, perdónenme. No sé qué me pasaba. Lo siento.

No esperaba yo una reacción así y sentimentalmente, como siempre, le creí a Aline, a sus lágrimas de cocodrilo. Luego de ese día la relación entre las tres pareció mejorar. Aline volvió a ser amable y aun cariñosa con nosotras. Sobre todo en presencia de Sergio, y más resbalosa que nunca con él. Sergio pensaba que era la mujer de sus sueños y que realmente lo amaba.

Sergio y Mary empezaron a formalizar el divorcio. No parecía haber prisa, pero él prefería que fuera así, lo que para Mary liquidaba cualquier esperanza de recuperarlo. Entre Aline y Sergio todo iba bien hasta el día en que ella cometió lo que Sergio consideró una traición, una mentira. Aline entró adonde yo estaba llorando a gritos.

—¡Se acabó! ¡Se acabó todo! ¡Se acabó para siempre!

—¿Qué se acabó? —pregunté.

—Sergio y yo terminamos —dijo angustiada—. ¿Qué hago, Gloria, qué hago?

—¿Qué pasó?

En ese momento entró Sergio con las mandíbulas apretadas y los ojos llameantes.

—Lárgate —le dijo—, no quiero verte. Lárgate, puta.

—¡Por favor, Sergio, perdóname —gemía Aline.

—¡Sergio! —gritó Mary subiendo las escaleras asustada— ¿Qué pasa, Sergio?

—Lleva a Aline a su casa ahora mismo, por favor —dijo Sergio sin responder a la pregunta. Mary miraba con desconcierto a un Sergio muy disgustado, a una Aline nerviosa que lloraba y trataba de replicar. Yo no sabía dónde ocultarme. ¿Por qué tenía Aline que haber venido a refugiarse donde yo estaba y hacerme presenciar aquello?

—¡No hay excusa, Aline! ¡No sigas mintiendo!

Aline bajó el tono y, llorando, dijo:

—¿Qué le voy a decir a mi mamá?

—Dile lo que se te de la gana. O lo que es, que ya no quieres seguir estudiando aquí porque prefieres a tus amigos y a tus vecinos.

—No, Sergio, te lo juro, te amo.

—Si, cómo no. ¡Lárgate de aquí cuanto antes! No quiero repetirlo... Mary, por favor llévala a su casa.

—Sí, Sergio.

Aline salió desbaratándose en llanto. Sergio se encerró en su oficina con tremendo portazo que me hizo cerrar los ojos. Todo quedó en silencio. Dejé pasar unos minutos y toqué suavemente la puerta de su oficina, sin obtener respuesta. Cuando estaba a punto de retirarme, escuché la voz de Sergio: "Pasa".

Entré. Tenía los ojos rojos, como si hubiera llorado.

—¿Qué pasó, Sergio?

Estaba cabizbajo, triste, enojado. No dijo nada.

—¿Quieres hablar? —pregunté.

—¡Es una puta y yo un estúpido! —exclamó al fin.

—¿Qué paso? Cuéntame —insistí. Y Sergio empezó a hablar.

—Anteayer Aline me dijo que su mamá se sentía mal y que no quería venir para quedarse con ella y cuidarla. Le dije que no había problema, pero luego pensé que su mamá tal vez había descubierto nuestra relación y, recordando que Aline juraba y perjuraba que su mamá no la dejaría andar conmigo, pensando que a lo mejor querían separarnos llevándola a otro lado, le pedí al chofer que se acercara a la casa de Aline cuidando que no lo vieran y si notaba algún movimiento que indicara lo que temía, era necesario que viera a dónde la llevaban. No quería que me pasara con Aline lo que me sucedió con L. Quedé muy preocupado y cuál sería mi sorpresa cuando el chofer me informó que como a las 10 de la mañana llegó una "combi" llena de muchachos y se estacionó frente a la casa después de recoger a un vecino. Aline salió muy arreglada y se subió encantada a la combi, que el chofer siguió hasta Reino Aventura. Luego siguió a pie al grupo de amigos y vio cómo se las gastaba entre risas, abrazos y besos. Aline se besaba en la boca con uno de ellos, coqueteaba con otro e incluso en uno de los juegos mecánicos se la había pasado abrazada al tipo. Y así anduvo todo el día, de beso, arrimón y manoseo, pues llegó noche a su casa.

Sergio hizo una pausa. Continuó.

—Lo peor es que llega hoy y me dice: "Cómo te extrañé, mi amor". Le di oportunidad de decir la verdad y le pregunté: "¿Cómo sigue tú mamá?" "Todavía no está bien, pero me valió porque me urgía verte". "¿Pero sí la cuidaste ayer?" "Ay, sí, todo el día", dijo fingiendo fastidio. "¿No saliste a ninguna parte?" "Claro que no. Imagínate si ella me iba a dejar". "¿Segura, Aline?" "Ay, pues claro". "Pero ¿estás completamente segura, Aline?" En ese momento empezó a tartamudear y a ponerse nerviosa. "Sí, ¿por qué?" "Porque ayer mandé que te siguieran y sé lo que hiciste desde que saliste de tu casa con minifalda de mezclilla y tu enamoradito. Me contaron de tus manoseos, besuqueos y todo. ¡Mentirosa, puta!" Entonces ella empezó a llorar y a decirme que la dejara explicarse. ¿Qué podía explicarme? ¡Nunca podré confiar en ella de nuevo!

—Y Aline, ¿que dijo?

—Que no era nada serio, que me ama, que sólo quería sentirse segura y esa salida le había servido para darse cuenta de que soy el hombre de su vida. Por eso está aquí, sólo quería saber cómo era un beso con otra persona. Pero no le había gustado. No quise escuchar más y le dije que se callara y se largara. El resto lo sabes.

Aline estaba haciendo creer a Sergio que solamente con él se había besado, que era el único hombre al que amaba, el primer hombre en su vida. No daba crédito a lo que oía, pues Aline misma me había contado con lujo de detalles sus relaciones y aventuras con otros chavos. Pero no creí que fuera el momento para echar tierra. Me dolía verlo así. Y ella me había buscado tan desesperada...

—Es joven Sergio, entiéndela, necesita de amigos de su edad.

—¿Para besarse con ellos y sabrá Dios que más? Pues entonces que no venga a decirme que me extrañó, que no venga a verme la cara de idiota.

Yo quería consolarlo.

—Sería bueno que la escucharas, podría expli...

No terminé la frase. En ese momento sonó el teléfono privado de Sergio. Era Aline.

—¿Qué quieres? —dijo Sergio.

—O.k., o.k. Ven y hablamos.

El tono de voz de Sergio cambió, también su semblante. Colgó.

—Viene para acá. Por favor no le comentes que te dije. Y no le vayas a decir que fue el chofer el que la siguió, cree que fueron unos detectives. De todas formas todo está acabado entre ella y yo.

Sergio siguió hablando de su desilusión, de lo que sentía por ella. Poco más tarde llegó Aline, llorosa.

—Permítenos, Gloria —dijo Sergio, y salí. Horas mas tarde Aline me buscó.

—Lo perdí a nivel personal, pero seguiremos en lo profesional. Eso me da esperanzas, voy a reconquistarlo. Unos detectives me siguieron y me cacharon.

—Sí, Aline, lo sé. ¿Por qué hiciste eso?

—Por estúpida, Gloria. ¡Sólo quería estar segura de que era el hombre de mi vida. Y ahora lo estoy, con amigos de mi edad no me siento tan contenta como con él. Los besos no me saben si no son los de él. Dudé porque tenía mucho tiempo de no salir con alguien de mi edad. Y fui estúpida. Además creí que sería bueno para que mi mamá no sospechara.

—Sergio no perdona ese tipo de cosas.

—A mí me va a perdonar. Tiene que perdonarme. Ya lo verás.

Pasaron los días, los meses. De su relación sólo sabía lo que Aline ocasionalmente me contaba. Que andaba triste pues ya no eran novios. Y aunque pasaban juntos nuevos periodos, sólo eran algo así como "amigos con derechos". Y ella estaba tratando de hacerse necesaria ayudando a ensayar a otras chavas y haciendo cosas en la oficina.

Me enteraba de muy poco de lo que ocurría a mi alrededor, pues me mantenía sumamente ocupada y lejos de la ciudad de México. Por eso para mí fue una sorpresa llegar de uno de tantos viajes y ver a Sonia embarazada. Después me enteré que tuvo una niña que conocí al regreso de otro viaje. En su casa Sonia me recibió amable. Viéndola con su niña sentí simpatía por ella. Me pareció sincera y directa y empecé a creer que me había equivocado y que Sonia era de mejor corazón que Aline.

La bebita me pareció muy bonita. De pestañas tan negras y tupidas que parecía tener los ojos delineados. Y el cabello negro y rizado. Pensé: es de Sergio. Pero Aline decía que la niña era de uno de los músicos y Sergio también lo creía así. Entendí que Aline lo decía por malévola, pues nunca había sabido que Sonia anduviera con alguno de los músicos. Sergio no hablaba conmigo al respecto y a Sonia casi nunca la veía. La vez que la visité para conocer a la niña, la bebita me pareció la más linda que había visto en mi vida. Supe que yo quería tener una bebita tan hermosa como Sofía.

Mientras tanto seguía presentación tras presentación. Sergio preparaba el viaje para la grabación de mi nuevo disco y supe que también grabaría a un grupo llamado "Clase 69", a Cristal, a una prima mía, Mariana, a otra joven y a Ivette.

Ivette (quien se había incorporado a la compañía siguiendo mis pasos pero sin mucho éxito) no sabía que la grabación de su disco era un hecho y sería música *country* tex-mex, tipo Selena, pues Sergio no suele decir lo que va a hacer. Y mostró el cobre. Un día Sergio la mandó a hacer una audición con un grupo de escasa fama, sólo para que se fogueara (como me había mandado a mí a mil y una partes), no para que fuera sustituta refrito de un grupo de poco éxito. Sin embargo, el grupo le propuso a Ivette que trabajara para ellos e Ivette, que desconocía los planes de Sergio, aceptó la propuesta y se convirtió en la mundialmente desconocida Aranza. Luego, en conversaciones con Mary, Ivette sacó su resentimiento porque no recibía la atención que yo. Otra que me consideraba culpable de su mediocridad y fracaso.

Prácticamente yo era ajena a todo lo que pasaba en la oficina. En ese tiempo apareció una joven llamada Mari Morín con una canción escrita especialmente para mí: "Pelo suelto". Sergio me dijo que la grabaría en mi próximo disco, pero le hizo algunos cambios, sobre todo en la melodía del coro, que era idéntica a "Suena tremendo", una canción de moda cantada por Magneto. Aunque Sergio hizo los cambios para pulir la canción y convertirla en un éxito en potencia, no quiso compartir créditos y dejó que apareciera como composición total de Mari Morín.

Me enteré entonces de que Aline iría también a Los Ángeles para ir conociendo el ambiente de los estudios y ayudar (¿en qué podría ayudar?, lo único que haría sería estorbar). Supuse que todo era un pretexto, que iba para estar cerca de Sergio, pues aunque no estaban totalmente reconciliados, tampoco estaban totalmente peleados.

En vísperas del viaje, en agosto de 1990, fuimos a las nuevas oficinas, un lugar más amplio en el que se manejarían mejor los asuntos de mi carrera ascendente, que cada día exigía más espacio y personal. Esperaba afuera en el carro. Era de noche y estaba con mi guardaespaldas, un joven ex boxeador que casi no me hablaba. No me gustaba tener guardaespaldas, pero me habían convencido de la necesidad de tenerlo. Aquel joven, que no era mala gente y hacía bien su trabajo, pagaba los platos rotos de mi desagrado, pues lo sentía una especie de híbrido entre nana y Chuck Norris, y ambas cosas me desagradaban sobremanera. Aguardábamos a que salieran de la oficina Sergio, Mary y mi prima Mariana, con quien no había tenido contacto antes porque vivía en Estados Unidos, pero que había decidido ser artista y sumarse a la empresa (en contra de la voluntad de mi mamá). No quise entrar para no demorarnos. Estaba hundida en pensamientos cuando entró abruptamente al carro Mariana. Lloraba, y alarmada le pregunté:

—¿Qué pasa?

—Ay, Gloria.

—¿Qué tienes? ¡Habla!

—Es que Sergio...

—Sergio ¿qué?

En su español torpe, mezclado con inglés y señas, me explicó:

—Sergio me descubrió hablando por el teléfono de la oficina con mi novio en Estados Unidos.

Pensé que el problema era que estuviera usando un teléfono de la oficina. No era la primera vez que lo hacía. En los recibos con frecuencia aparecían sus llamadas y había sido advertida que no lo usara. El teléfono de la oficina era para cosas de la oficina, no para asuntos personales, y menos para llamaditas de larga distancia al novio. Sin embargo, el llanto me parecía excesivo.

—Bueno, pues pagas la llamada y ya.

—Es que Sergio piensa que por andar de novia no tomo en serio la carrera, pierdo el tiempo y no le echo ganas. Tienes que ayudarme, tienes que decirle a Sergio que sólo hablé para terminar con mi novio.

Hacía teatro. Pasaba del odio al llanto y a una desesperación que no venía al caso. Para calmarla prometí que la ayudaría. Ya me había dado cuenta de que era muy teatrera y exagerada y le encantaba hacerle a la actriz. Supuse que le estaba "poniendo mucha crema a sus tacos".

Poco después viajamos a Los Ángeles. Para mí era sensacional; aún no era famosa por allá y podía ir a tiendas, cines y restaurantes con cierta libertad. Aunque me gustaba el reconocimiento, pues sólo tenía un año de fama o cosa así.

Aline y Mariana a veces parecían súper amigas, aunque en ocasiones Aline confesaba antipatía por mi prima. Pero hablar mal de las demás era usual en Aline, por lo que no le puse atención.

Las dos convivían mucho y se identificaban. Así, aparte de que Aline encontró en Mariana su alma gemela para compartir aventuras y competir, las dos se dedicaban a impresionarse una a la otra con cosas materiales como las modas y la ropa de marca. Y a espaldas una de la otra, se dedicaban a vituperarse.

A medida que pasaba el tiempo me daba cuenta de que Mariana era mentirosa, compulsiva y envidiosa. Al parecer ahora con nada le daban gusto y se la pasaba tejiendo intrigas y malas ondas, como cuando le pedí que me ayudara con la pronunciación de una canción en inglés que Sergio me había pedido que aprendiera. Me la enseñó mal y hubiera hecho el ridículo cantándola si él no la escucha antes. No le dije nada, pero nunca más le pedí un favor.

En las presentaciones en que participaba haciendo coros exageraba los movimientos sensuales para acaparar la atención. Eso no me hubiera incomodado —pues un *show* debe ser un *show* en cada uno de los elementos que participa— de no ser porque en dos o tres ocasiones tipos calenturientos le hicieron propuestas obscenas que, lejos de molestarla, parecieron agradarle. Y no sólo eso, para colmo le molestaba que sus desfiguros no lograran acaparar la atención del público. Mi mamá tenía razón. Mariana era mentirosa, envidiosa, imprudente, coqueta y ambiciosa. La verdad completa sólo la descubriría años después.

En Los Ángeles me encontraba ocupada con las composiciones y arreglos musicales, salidas a tiendas para examinar posibilidades de vestuario y detalles de la grabación de mi disco. Me acompañaba Mary, que trataba poco a Aline y Mariana, quienes a su vez se acompañaban. Sentía alivio al tratarlas lo menos posible, pues no me parecían bien sus incesantes chismes, intrigas y mentiras, y además no quería yo quedar en medio, como cuando la mamá de Aline parecía ignorar que su hija era novia de Sergio.

Yo no sabía ni qué onda. Aline se portaba muy grosera con su mamá y me comentaba que no soportaba que anduviera de metiche, pues le estorbaba en sus planes para reconquistar a Sergio, y a veces se arrancaba hablando de los maltratos de que su madre la hacía objeto. Por otro lado, la señora Joselyn desahogaba conmigo su pena y me habló de intimidades familiares que por discreción y respeto me callaré, pero si ellas aceptan, las cuento. Volviendo al asunto, el problema era de ellas, no mío, y cada una por su lado me contaba cosas que aparte de hacerme perder el tiempo ni me iban ni me venían. En esos días, cuando Aline o la señora Joselyn se me acercaban para quejarse y lamentarse cada una de la otra, yo prefería desaparecer. Lo último que deseaba era involucrarme en sus problemas.

Afortunadamente la señora Joselyn se regresó a México porque tenía que cuidar a sus demás hijos. Ahora me pregunto, ¿quién pensaba la señora que tenía que cuidar a Aline? Ella debió quedarse con su hija y cuidarla, como hizo mi madre. Después de que la señora Joselyn se fue, Sergio y Aline empezaron a pasar más y más tiempo juntos. Era evidente que se habían reconciliado y, como dicen, las reconciliaciones son siempre lo mejor del amor.

Pese al trabajo, Sergio se daba tiempo, cosa que nunca pasó conmigo, para ir con ella a Disneylandia, y de compras. Y, claro, Aline andaba radiante de amor y consiguió hacer realidad uno de sus sueños: grabar un disco.

Mientras la reconciliación de Aline y Sergio iba de bien a mejor, la actitud de Mariana iba de mal en peor. Mi prima había engordado y era una gorda bonita. Sergio estaba preparando el disco de Mariana, habló con ella del vestuario y le dio una cantidad fuerte de dinero, del que mi tío había dado una parte, y por enésima vez le recomendó que cuidara su peso.

El carácter de Mariana era cada día peor y su actitud más extraña y sombría. Comía como loca, diríase que retando a Sergio. Y su aumento de peso hacía que la ropa recién comprada no le quedara, pero sobre eso no admitía comentarios.

Las pistas para el disco en inglés de Mariana estaban quedando sensacionales, pero un día antes de que comenzara a grabar la voz llegó mi tío para llevársela. Por cierto, la encontró asoleándose en la alberca del hotel, feliz y descansada, usando un bronceador nuevo con *gleeter* (brillitos) que había salido al mercado y que ya nos había presumido a Mary y a mí.

Mi tío le pidió a Sergio el dinero que le había dado y Sergio se lo devolvió completo. No descontó el vestuario comprado por Mariana ni lo invertido en pistas, músicos, estudio de grabación, viaje en avión, hotel, comidas, estudios. El dinero fue devuelto íntegro.

Mariana no me comentó nada. Desde que la señora Joselyn llegó a Los Ángeles había ido cambiando para mal, comiendo y engordando cada vez más. Luego me enteré de que unas personas le habían dicho que cancelara el trato con Sergio y le presentarían a un productor estadunidense con el que le iría mejor, pues ella era estadunidense y le daría el trato que merecía. Mi prima al parecer se dejó llevar por la propuesta. Llamó a su papá, que siempre iba cuando ella le hablaba, y mi tío fue por ella y se la llevó. Me dio pena cuando escuché las pistas del que pudo ser su disco. Habría sido un éxito.

La partida de Mariana dio a Aline más oportunidad de estar a solas con Sergio —a veces me pregunto si Aline no habrá tenido que ver con la partida de Mariana, que le haya metido ideas raras en la cabeza para quitarla de en medio—. El hecho de que mi prima se fuera, en realidad me quitó un peso de encima, independientemente del lazo familiar, era muy intrigante.

Para grabar su disco, Aline tuvo que hacerle trampa a otra muchacha. El disco de Aline no estaba totalmente concebido, pues Sergio no había decidido en que género la grabaría, y quedaría para otra ocasión. En cambio la otra jovencita, de imagen tierna, dulce y voz muy comercial, encajaba a la perfección en un concepto adolescente. El problema con Aline era que no daba la ternura ni una imagen púber, pues estaba muy crecidita y desarrollada. Aline se había ofrecido ayudar a la chavita a que ensayara las canciones por el tiempo en que, por su problema con Sergio, Aline casi no salía ni convivía con él. Aline adoraba las canciones del disco de la otra chica y en Los Ángeles, durante la grabación de las pistas, le dio a Sergio los supuestos tonos en que cantaba la muchacha, que no pudo acudir desde el principio de la grabación porque tenía exámenes en el colegio. Y cuando la muchacha llegó a Los Ángeles a grabar la voz, resultó que las pistas estaban en un tono muy alto para ella y no pudo cantar. Y como la inversión ya estaba hecha, Aline reparó el "error" grabando ella el disco. Así nació "La chica fea", que a mí se me hizo muy fea... por la forma.

Sergio, enajenado como nunca con Aline, creyó que verdaderamente había sido un error y consideró que a fin de cuentas no era injusto que Aline se quedará con el disco. Y cuando terminó la grabación, ella regresó a México porque supuestamente su mamá estaba muy sacada de onda. No se había tragado que Sergio y Mariana eran novios —como habían aparentado— y se estaba oliendo (¡después de casi dos años, señora perspicaz!) que entre Sergio y Aline había algo más. Así, Aline se fue a casa con disco grabado y novio reconciliado.

Sergio y yo nos quedamos para terminar mi disco y días después, hallándonos en el estudio, sonó el teléfono. Sergio contestó y se puso pálido. Luego de un gran silencio, continuó.

—¿Pero cómo fue?... ¿Y dónde estás ahorita?... ¿Y cómo estás?

Por su voz adiviné que algo grave había pasado. Y en cuanto colgó, comenzó a explicarme.

—Era Aline. Su mamá ya sabe todo lo nuestro. La golpeó y le prohibió que me vuelva a ver.

—¿Pero cómo fue? ¿Cómo se enteró?

—Me dijo Aline que se sentía muy mal al irse, muy triste, extrañándome mucho, y para desahogarse escribió una carta contando todo como si fuera para mí, diciendo lo que siente por mí, hablando de cuando tenemos relaciones, de todo. Luego rompió la carta en pedazos chiquitos y la tiró, pero su mamá la recogió, la pegó, la leyó y ahora lo sabe todo.

Sergio estaba deshecho y preocupado. Canceló el estudio y fuimos al cine para que tratara de distraerse. Sólo había avión a México hasta el día siguiente y empezó a llorar. Era la primera vez que lo veía llorar y, en mi hombro, cerca de mi oído, dijo las palabras que yo deseaba escuchar. Pero no eran para mí, no hablaba de mí.

—La amo como nunca amé a nadie, no quiero perderla.

Yo también lloraba. Y dije sin palabras: "Yo también te amo como nunca amaré a nadie". Lo dije con el corazón mientras él lloraba por ella.

> *El amor es paciente, y muestra comprensión, el amor no tiene celos, no aparenta ni se infla, no actúa con bajeza ni busca su propio interés, no se deja llevar por la ira y olvida lo malo.*
>
> *No se alegra de lo injusto, sino se goza en la verdad, perdura a pesar de todo, lo cree todo, lo espera todo y lo soporta todo.*
>
> *El amor nunca pasará.*
>
> Corintios 13:4 al 8

## Capítulo siete

# El éxito de *Pelo suelto*

Sergio se fue a México en cuanto pudo. Días después regresó a Los Ángeles para terminar mi disco —que se había quedado a medias—, con la gran noticia de su compromiso con Aline. Se casarían a la brevedad, era la condición para seguir juntos. Había hablado con la mamá de Aline y ultimado detalles y accedió a todo lo que le pidieron. El matrimonio tendría que ser civil y eclesiástico (de repente eran muy religiosos) y con bienes mancomunados (nada interesados). Claro, no podía faltar la recepción.

De regreso en México luego de acabar mi disco, encontré a una Aline radiante, luciendo el flamante anillo de compromiso con un diamante. Ella y su mamá andaban felices con lo del vestido de novia y la fiesta de bodas. Yo deseaba que Sergio fuera feliz, pero dudaba que Aline significara su felicidad. El había elegido y, pese a todo, Aline y yo nos seguimos tratando.

Continué mi vida intentando no pensar en nada que no fuera mi carrera. En cuestión de semanas mi nuevo disco estaría en el mercado y en la radio, y yo como loca, de arriba abajo, con actuaciones y promociones, me hallaba bajo una avalancha de compromisos. Cobraba entonces 50 mil pesos por presentación.

Empresario que me contrataba tenía que pagar en efectivo y antes de que saliera al escenario. Las maletas llenas de billetes se volvieron algo común, que me parecía divertido. Hubiese podido bañarme en dinero de haber sido tan cursi como la Demi Moore de *Una propuesta indecorosa*. Pero aunque me parecía fantástico tener dinero, estaba mil veces más preocupada por la comunicación con el público y el desempeño de mi trabajo, así que mi contador —la empresa— se hacía cargo de las cuentas, cobros, pagos de impuestos, depósitos.

Me di cuenta de que mi carrera iniciaba su apogeo cuando en una plaza de toros en León, Guanajuato, que estaba a reventar, empecé a cantar "Pelo suelto" y con los primeros acordes la plaza se cimbró y el público cantó conmigo de principio a fin:

> Voy a tener el pelo suelto,
> voy a ser siempre como soy.

Mi segundo disco, un éxito millonario, con canciones como "Pelo suelto", "Tu ángel de la guarda", "Agárrate", me abrió las puertas del extranjero: Centroamérica y Sudamérica. El disco se colocaba en los primeros lugares de popularidad y ventas.

Mi compañía disquera organizó giras de promoción a esas regiones y a Estados Unidos. El éxito se reflejó en las ventas, y los programas en que me presentaba reportaban altos *ratings*; las revistas ilustraban sus portadas con mi imagen y recibía premios de medios periodísticos y electrónicos: "artista revelación", "la más querida del público, "la estrella del año".

El primer año sí acudí a recoger los premios, pero me chocó el ambiente cargado de envidias e hipocresía y dejé de ir, lo cual me ganó críticas de revistas y diversos medios. Lo importante para mí era seguir con lo que me gustaba: mi trabajo, mi público. Y me sentía tranquila con mi conciencia.

Mary continuaba acompañándome, pero había planes para lanzarla como solista. Ella y Sergio ya habían empezado a seleccionar el material que grabaría. Cuando sucediera, era indispensable tener alguien que ocupara su puesto en lo que hacía conmigo, aunque seguramente tendría que conseguir a dos personas: una que la sustituyera en los coros y otra como *road-manager* (responsable operativo de las presentaciones), pues sería muy difícil encontrar a alguien tan competente. Pensé: ¿quién mejor que mi amiga Lucía como nueva *road-manager*? Tendría que aprender, pero nadie nace sabiendo. Además era mi amiga. Y ya me había buscado para pedirme trabajo por la difícil situación económica que pasaban en su casa.

Aline también me hacía coros para ir agarrando tablas. Total, todas hacían mis coros para agarrar tablas. ¿Y yo? ¿Los coros de quién hice? ¿De quién me colgué? ¿A quién usé de trampolín? A nadie, ¿verdad? Mi trabajo y mi friega me costó.

Mi banda era buenísima. Tres coristas, hombres "de color", con unas voces estupendas; un guitarrista y un saxofonista de primer nivel que venían de Estados Unidos para mis *shows*; aparte, las tres coristas mujeres, en aquel entonces Mary, Aline y una más que era a veces Mariana, a veces Lucía, o Mari Morín o alguna otra que poníamos a prueba. También tenía un trompetista, otro guitarrista, un baterista y una baterista, un bajista y percusionista, todos mexicanos.

Al tiempo que preparaban la boda de Aline y Sergio, éste organizaba el lanzamiento artístico de Aline. Fotos, notas en revistas, contrato con disquera de Televisa, elaboración de imagen, más cierta promoción que se apoyaba en mi carrera. Inclusive, en mis presentaciones se llegó poner como condición que le dieran una oportunidad a Aline.

A Mary no le había quedado más que finiquitar su divorcio con Sergio. Así, sin obstáculo, todo quedaba listo para la boda de Sergio y Aline. Iglesia, vestido, fiesta, invitados, todo. Y entonces surgió un problema entre Sergio y Aline. Él quería cancelar todo, pues descubrió que Aline había vuelto a hacer algo semejante a lo ocurrido con el vecino y Reino Aventura.

La bomba estalló en casa de Aline a consecuencia de un equívoco. Se suponía que cuando su mamá había "descubierto" la relación con Sergio, Aline trató *desesperadamente* de convencerla, sin que le importaran los golpes que le diera, para que la dejara andar con Sergio. La verdad era muy distinta. Efectivamente, Aline andaba desesperada, pero persiguiendo al grupo Menudo y metiéndose con ellos en los camerinos para besarse.

Sergio la descubrió porque, pensando a dónde hacer el viaje de bodas, en mal momento le vino a la mente el día en que ella se fue de reventón a Reino Aventura con sus amigos. Quiso entonces hablar con ella de eso para que no quedaran dudas.

—Aline —le dijo—, estamos por dar un paso muy importante en nuestras vidas y quiero que me digas lo que ya sé, sólo quiero que tengas la honestidad de contarme cómo fue todo.

Para sorpresa de Sergio, Aline palideció, echó a llorar y confesó lo que no se le preguntaba.

—En realidad no estuve en mi casa cuando mi mamá descubrió que yo andaba contigo, sino que, la verdad, fui a ver a Menudo con una amiga.

Sergio actuó como si lo supiera y le sacó más.

—Cuéntamelo todo. Lo sé, pero quiero escucharlo de ti.

—Te juro que cuando entré con ellos al camerino, sola, no pasó nada. Sólo nos tomamos fotos y me dieron autógrafos.

El pleito fue inevitable...

A mi cada día me dolía más la soledad de mi corazón y de mi cama. En el escenario medio desnudaba a hombres en una de las partes más atrevidas de mi *show* y en la intimidad no tenía un compañero. Pero las canciones de amor seguían brotando y los viajes continuos impedían que me relacionara con alguien. No distinguía si un muchacho se me acercaba porque le gustaba o porque era famosa. Y me pasaba algo extraño. Deseaba que Sergio supiera que no andaba con nadie, ni siquiera esporádicamente. Y él me celaba (o por lo menos eso me parecía) como cela tal vez un padre o un hermano. Algo es algo. Sin embargo, el trabajo ocupaba gran parte de mi tiempo y de mis pensamientos, y el cariño de mi público casi lograba suplir mi necesidad de amar y ser amada.

Sergio sabía que a mí me gustaba hacer *comics*, pues en ocasiones escribía cosas e historias utilizando dibujos. De allí le nació a Sergio la idea de sacar una revista. Mientras se trabajaba en ella comenzaron a aparecer propuestas para hacer cine, desde pornográfico hasta de arte. Rechazamos esas propuestas y nos decidimos por el cine popular, por empezar con algo más infantil y comercial. Además, pagaban lo que se pedía y aceptaban mis condiciones: nada de besos en la boca. Firmamos contrato con el grupo Galindo para filmar *Pelo suelto*. La filmación fue decepcionante por lo limitado de los recursos y el pésimo profesionalismo.

Un día llegó por mí Sergio al terminar la filmación y me informó que teníamos que viajar a Monterrey, luego me explicaría. Tomamos un avión y Sergio me preguntó:

—¿Quieres mucho a tu bisabuelita, verdad?

—La adoro. ¿Le pasó algo?

—Tu mamá llamó en calidad de urgente. Dice que tu bisabuelita está en el hospital y se encuentra muy mal. Está muriendo, le queda poco tiempo.

El resto del viaje lo hicimos en silencio. No podía controlar las lágrimas, sentía algo espantoso. En mi afán por realizar mis sueños la había dejado. Por alguna estúpida razón había creído el comentario que en broma se hacía en la familia: "Mamá Boyita es tan saludable que nos va a enterrar a todos". Sabía que ella estaba bien cuidada y rodeada de amor. Mi tío Fernando vivía al lado de su casa con su esposa y tres hijos; enfrente, mi tía Yolanda con su esposo y sus niños, dos en ese tiempo. Mi abuelita Gloria también vivía enfrente. A sólo una cuadra de su casa vivían mi tía Consuelo con su esposo y cinco o seis hijos. Igual mi tío Antonio, con su esposa y cuatro hijos. Mi mamá y mis cinco hermanos (Gustavo no había nacido) vivían a unos minutos de su casa y mamá todos los días estaba con ella, pues era la nieta preferida. Y así todos mis demás tíos, y los hijos, nietos y bisnietos, igual que algunos vecinos, la visitaban y le mostraban su cariño.

La amaba y ella me amaba. Me sentí estúpida. En un programa de televisión con Verónica Castro había expresado mi amor por mi bisabuelita y le había cantado una canción que compuse para ella. Pero ahora sentía que nada era suficiente para expresarle lo que sentía, lo que la amaba, y mi agradecimiento por todas sus enseñanzas. Una cosa era cierta, mi reina se moría.

En Monterrey mamá mandó por mí al aeropuerto y fuimos al hospital. La enfermita se alegró mucho de verme y tuve la oportunidad de darle de comer ese día. La mimé, la abracé y la besé como si fuera una niña chiquita. Me enseñó que tenía tele y video en su cuarto del hospital y tenía puesto el video del programa en que cantaba yo su canción: "Aurora". Sin embargo, mi mamá me explicó que aunque el fin de mi bisabuelita estaba próximo, se estaba haciendo todo lo posible para prolongarle la vida y esperaban que el día de su muerte demorara lo más posible. Me aconsejó que estuviera tranquila, pues mi bisabuelita ya había tenido la dicha de verme. Y me pidió que me mantuviera pendiente; si mi bisabuelita empeoraba y se acercaba el fin, me avisaría. Le dejé varios números a los que podía llamarme.

Tuve que volver a México, pues la filmación debía continuar. Días después supe que mi bisabuelita había fallecido. Aunque mi mamá trató de comunicarse conmigo no pudieron avisarme a tiempo, pues nadie contaba con que la señal del celular no llegaría a la locación en que filmábamos.

Mucho después supe que lo último que pidió fue que le pusieran el pedacito del video donde cantaba yo la canción que le compuse. Siempre le estaré agradecida a Verónica Castro porque, aunque no fuera su intención, me dio la oportunidad de despedirme en su programa de esa mujer maravillosa que fue mi bisabuelita. Uno soporta mejor las ausencias cuando hay besos, te quiero, caricias, palabras de consuelo y hasta luego.

Se me fue al cielo y seguí trabajando y arrastrándome por el suelo. La película rompió récord de taquilla y asistencia. Fue un rotundo éxito.

El dinero seguía entrando a carretadas con mis actuaciones y películas. Un día Sergio me mandó llamar a su oficina y me expuso una idea.

—Gloria, se me ocurrió hacer un calendario contigo, como esos calendarios de muchachas que eran muy populares en los años cincuenta y sesenta.

Yo no sabía exactamente a qué se refería.

—Quiero decir un calendario grande, con fotos tuyas en bikini, sexy pero muy juvenil.

Pese a que era considerada una artista controvertida y atrevida, no era para andar mostrando mi cuerpo sin ropa. Las pocas veces que me había mostrado en bikini estaban justificadas por el mar o la piscina. Y siempre me moría de vergüenza. Había recibido propuestas de *Playboy* y las había rechazado. La idea consistía en bikinis y semidesnudos. Tenía que pensarlo. Sergio me dijo que como quisiera. Y me decidí. Era un paso que podía poner en riesgo mi carrera, pues tenía un público infantil muy grande, pero no quería ser sólo para niños sino para todos. Y al día siguiente di el sí. Aporté ideas y el calendario se hizo.

Fue una producción independiente, pues se acercaba diciembre y los inversionistas y editores tuvieron miedo. El calendario fue otro gran éxito, el aguinaldo de los voceadores. Cientos de miles se vendieron como pan caliente e iniciaron un nuevo mercado. Al año siguiente todo el sector femenino del mundo artístico procuró sacar su calendario. Marcaba yo el rumbo y todos se iban en banda.

El calendario se convirtió en factor popular. Incluso los periódicos que lo reseñaban se vendían mejor, pues en las páginas interiores aparecían mis fotos. No planeaba el calendario, todo lo hacía por impulso y de corazón. Las ideas de las fotos eran de Sergio y mías; las fotos, de Maritza López, que casi siempre las tomó espantada. En una de las tomas, cuando salí sólo con un pantaloncito, unos tirantes cubriendo mis pezones y calcetas rotas, me preguntó asombrada:

—¿Estás segura?

Sonreí y le dije: "Sí".

Cuando el calendario era ya un éxito, Maritza López casi se proclamó como la de la idea y Sergio la dejó darse vuelo. Todo mundo se subía al columpio de Gloria Trevi.

También fue publicada mi revista. Tuvo una buena aceptación, pero el trabajo era inmenso. Yo hacía las tiras cómicas, contestaba las cartas de las fans, daba entrevistas, hacía programas de televisión, daba conciertos y tenía que cumplir con promociones de la compañía disquera, que firmó conmigo mi primer contrato millonario: un millón de dólares.

Era ya un éxito en el mercado latino de Estados Unidos y empecé a llamar la atención de los medios anglosajones. Comenzaron a ocuparse de mí y a ofrecerme *castings* para hacer películas allá. Pero mi inglés era muy deficiente y Sergio me puso una maestra de inglés que también fue aprovechada por Mary, Aline y cuanta persona me acompañaba, pues la maestra viajaba conmigo y en los aviones y en los escasos momentos que me quedaban libres, me ponía a machetear el inglés.

Algo más empezaba a suceder. En las entrevistas me mostraba sincera, hablaba de lo que sentía y lo que creía. No buscaba agradar a la sociedad ni fingirme una santita. Incluso criticaba cosas sociales y reprendía fuertemente a la gente prejuiciosa de un país donde perduraban muchos hipócritas tabúes; rechazaba los viejos conceptos y me carcajeaba de quienes se fingían blancas palomas.

La gente del pueblo me demostraba su cariño y la alta sociedad me criticaba, pero sus hijos me amaban. Y entonces también los intelectuales cayeron en las redes de Gloria Trevi, una chava que no había terminado la prepa.

Cuando se estrenó mi película *Pelo suelto* fue un fenómeno cinematográfico en el castigado cine mexicano. Rompió récords de taquilla en competencia con éxitos internacionales del tamaño de *Batman*. Las colas para ver mi película eran interminables. Hasta vergüenza me daba. Pese a que la había hecho con todo el corazón, los recursos y el guión eran pobres. Pero eso no disminuyó su éxito.

Entre mis actividades, procuraba dedicarles tiempo a mis fans. En un convivio en las oficinas llevamos mariachis y comida y me tomé fotos con ellos. En eso me dijeron que Sergio me mandaba llamar. Llegué a su despacho. Allí estaban Sergio, Aline y dos hermanas que dijeron ser mis fans.

—Mira, Gloria, Aline las está proponiendo como candidatas a tus coros. Las dos eran guapas sin llegar a bellezas.

—Ah... Hola, ya nos conocemos, ¿no? —bromeé con ellas, pues minutos antes, abajo, me habían pedido autógrafos y reímos—. Pues suerte, eh.

Y me retiré (no contrataba ni seleccionaba a nadie). Las dos hermanas eran jóvenes y de más o menos buena presencia. Se trataba de Katya y Karla y ni una ni otra cantaban, lo cual no sabía, pero pronto iba a descubrirlo.

Sin embargo, Aline proponía coristas a diestra y siniestra, pues le urgía encontrar a alguien que la reemplazara definitivamente en mis coros, a fin de que se concretara su lanzamiento como solista. Los requisitos eran juventud, buena presencia y voz. Así que Aline invitaba a hacer audiciones a toda muchacha medianamente bonita que se cruzaba en su camino.

## Capítulo ocho

# El fracaso de Aline

Era difícil encontrar gente que cubriera los requisitos para ser mi corista. Tenía que ser joven (pues las actuaciones iban dirigidas a los jóvenes) y debía tener voz y presencia. Llegó a hacerse una convocatoria mediante mi revista y mucha gente envió fotos y casetes, pero si tenían voz era cosa de ver si eran aceptadas por el público y si aguantaban el ritmo de trabajo.

El lanzamiento de Aline no podía esperar y a mi amiga Lucía N, de físico y voz regulares, fue corista suplente en unas cuantas presentaciones mientras Aline preparaba sus coreografías (que por cierto eran un mal remedo de las mías), se le hacían estudios fotográficos y se organizaba el lanzamiento. Designaron a Lucía N su *road-manager*, había aprendido cómo era el asunto observando a Mary. A partir de ese momento, Mary y otra chica que tenía muy buena voz fueron mis coristas.

El lanzamiento de Aline se hizo con bombos y platillos. Sergio puso toda la carne en el asador. Le di la portada de mi revista y se arregló el debut en *Siempre en domingo*, horario estelar, conferencia de prensa. Decir que había sido mi corista le abría puertas en las disqueras, con programadores de radio y en programas de televisión. Incluso mis fans la apoyaban porque era mi amiga, y antes de ser famosa ya tenía club. Yo deseaba que le fuera bien. Y Sergio me pidió un favor especial para Aline.

Sergio pactó con varios programadores de radio mi participación en sus festivales a cambio de que colocaran a Aline y su canción "Las chicas feas" en los cinco primeros lugares de popularidad. Estuve de acuerdo y me presenté en los festivales sin cobrar y sin obtener beneficio alguno, pues ya era famosa. El tiempo que utilicé para apoyar la carrera de Aline puebleando por todo México, era un tiempo que me hacía falta para mi internacionalización. Pero cómo no darle la mano a una amiga.

Posteriormente Sergio condicionó mis actuaciones a la contratación de Aline. Los empresarios aceptaban, pues Aline cobraba de cuatro a seis mil pesos y el interés en contratarme era mucho. Sin embargo, pese a esto y a los anuncios que Sergio pagó en revistas promoviendo a Aline, no lograba el éxito esperado. Su canción estaba entre los cinco primeros lugares de popularidad, pero su disco era un fracaso de ventas, que no cubría la inversión realizada.

De modo que la recién casada Aline se la pasaba en giras de promoción con Lucía N, y fue en una de estas giras, en un festival de radio en Sinaloa, donde conoció a Marlene. Y no sé con quién quería quedar bien (sólo Aline sabía su verdadera intención), pero invitó a Marlene a hacer una audición para mis coros.

Más tarde conocí la versión de Marlene. La audición con Sergio fue frente a la mamá y el maestro de canto de Marlene. Ella inmediatamente se quedó con el puesto. Era una hermosa jovencita de 13 años con un vozarrón lindo; delgada, de aproximadamente 1.70 de estatura. Sergio comentó que era una solista en potencia y eso a Aline se le "atoró".

Marlene era muy inocente y consentida. Su mamá se mantenía al tanto de la hija con llamadas y no era raro que llegara a ver a su hija no sólo a México sino a cualquier lugar en que nos presentáramos. Marlene nunca había tenido novio y se llevó bien con Katya. Y podía llevarse bien con todas, pues tenía buen carácter y no andaba en chismes e intrigas con nadie. Sin embargo no había oportunidad de convivir mucho con las demás, pues Mary, Marlene y yo viajábamos continuamente, mientras Gaby, Katya y Lucía N trabajaban en México.

Lucía N acompañaba a Aline, que seguía sin pegar, pero cuando nos llegábamos a ver hablaba de su gran éxito, de las multitudes que le pedían autógrafos y de sus agendas de trabajo. No sé si quería engañarme o se autoengañaba. Sabía yo que la empresa se dedicaba a buscarle presentaciones y entrevistas porque nadie la llamaba. ¿Pero quién era yo para robarle la ilusión?

En cierta ocasión en que fuimos todos a Los Ángeles a uno de mis conciertos, en que Aline quiso hacerme coros pues allá no la conocían, visitamos Disneylandia y nos divertimos mucho. La estrella fue Marlene, porque con sus ocurrencias y su bonito carácter nos mataba de la risa. Era la más niña, pese a que físicamente se veía alta, delgada, una modelo, una chica bella que llamaba la atención; en mis actuaciones, al igual que a Mary, le salían muchos admiradores y era muy profesional. Los Ángeles era nuestra ciudad favorita, y la propuesta que recibí para hacer cine en Estados Unidos me hacía soñar con la posibilidad de conquistar el mercado anglosajón.

Grabé el disco *Me siento tan sola*, otro trancazo y éxito de ventas, y vino otro calendario exitoso, conciertos y nueva película, en esta ocasión dirigida por Sergio. Entre los dos escribimos la historia y él hizo el guión de la película que fue filmada en Monterrey, donde mi mamá se encargó de la organización y producción. Los Galindo fueron los productores ejecutivos, y pese a que no era una película de arte, fue de mejor calidad y más bonita que la anterior. Entre Ernesto Laguardia y el *Maromero* Páez, elegí al Maromero porque me caía bien, se me hacía raza y buena gente. De ahí en fuera el *casting* corrió por cuenta de la producción.

Durante la filmación casi no pude convivir con el elenco, pues tenía que contestar cartas de fans, hacer dibujos para mi revista, aprenderme el guión de la película y atender entrevistas.

Por aquellos días, entre centenares, llegó una joven llamada Wendy. La diferencia fue que al terminar la película no retornó a su casa. En aquel momento no estaba enterada, probablemente ni siquiera lo planeó así, pero se quedó a estudiar y trabajar.

El poco tiempo que tenía yo libre para convivir con los actores, en su mayor parte lo compartía con los extras, que eran montones de niñas, sin contar a las mamás, tías, vecinas y madrinas que las acompañaban y que muchas veces tenían que saltar las bardas del lugar para entrar. Compartí también con Daniel y Sherlin, las estrellitas infantiles de mi película y con Coco Levi, educado y correcto. No tuve mucha oportunidad de trato con Sergio, pues teníamos pocas escenas juntos.

Consideré un honor trabajar con Silvia Derbez, excelente actriz, persona fina y sencilla. Alma Muriel probablemente estaba pasando por graves problemas, pero fue muy profesional.

Por otra parte no convivía mucho con la gente porque para Sergio mientras menos se vea al artista, mejor. Además yo estaba engentada por tantas actuaciones y firmas de autógrafos y encontraba placer y descanso en mi semisoledad, recluida en la *camper* acondicionada como camerino; digo semisoledad porque nunca estaba verdaderamente sola: Nicolás, el guardaespaldas, hacía guardia en la puerta, y siempre me acompañaban Mary, Katya o Aline.

Observé que Aline inició una guerra contra mi mamá, que dirigía y organizaba muchos aspectos de la producción. Aline era la asistente personal de su marido, y como mi mamá sencillamente la ignoraba, no permitía que le diera órdenes una mocosa, la mocosa empezó a criticar el trabajo de mi mamá y a enfrentársele. Nunca lo hubiera hecho. Una vez mi mamá llevó a mi hermanito recién nacido a visitarme y Aline se le atravesó en la puerta de la *camper* y no la dejó entrar. Sólo Dios sabe cómo le hubiera ido a Aline si mi mamá no hubiera traído en brazos a mi hermanito. El caso es que se armó tremendo lío, pues mi mamá inmediatamente se lo dijo a Sergio, quien le dio la razón y le llamó la atención a Aline por tomarse atribuciones que no le correspondían; inclusive, hizo que fuera a casa de mi mamá a ofrecer disculpas.

Resentida, en la primera oportunidad Aline me dijo que mi mamá se creía mucho y ni modo que mandara más que la esposa del director (pobre ilusa). Respiré profundamente para no mostrar mi molestia. Podría quejarme y aun criticar a mi mamá, yo, hija mala y estúpida, pero ¡nadie me la iba a tocar! Le sonreí a Aline y le lancé a los ojos la más fría de mis miradas. "Pues sí —le dije—, manda más que la esposa del director y más que el director. Y si tú odias a tu mamá y quisieras matarla es tu bronca, pero con mi madre no te metas. La respetas".

Aline le fue con el chisme a Sergio, pero éste la puso en su lugar, le dijo que se pusiera a trabajar y no fastidiara. Ya no le hicimos caso y se tuvo que tragar su coraje. La filmación continuó y *Zapatos viejos* fue un éxito en taquilla.

Aunque Lucía N y yo casi no nos encontrábamos, por el afecto que le tuve en la niñez y la pubertad, la consideraba una gran amiga, digna de toda mi confianza. La relación de Aline y Sergio parecía marchar bien a secas y yo seguía enamorada en silencio de él. En cierta ocasión en que Lucía N me habló de Edson, su ex novio, le conté lo que sentía por Sergio y le pedí guardara mi secreto. Lucía, la segunda persona a la que confesaba lo que sentía, dijo que ya lo había imaginado.

—Tus ojos brillan cuando él llega —dijo.

Poco después empecé a notar que mi amiga confundía los nombres de Sergio y de Edson con cada vez más frecuencia. Así me di cuenta de que estaba interesada en Sergio.

—Caramba —pensé—. No vuelvo a abrir la bocota. Parece que tengo algo contagioso. Si me visto de alguna forma, se visten como yo; si me peino o me pinto, me copian; si quiero algo, también lo quieren; y si amo a alguien, lo aman.

Sin embargo, no había nada que disputarse.

En cierta ocasión, de gira en Argentina, tenía interés en comprar una casa y temía que alguien me la ganara. Entonces, como tenía yo que regresar a México, le pedí a Lucía N que me comprara la casa con mi dinero. Y dijo:

—¿Cómo voy a hacerlo si no estarás para firmar?

—Confío en ti. Compra la casa y ponla a tu nombre, luego haremos el cambio de propietario. Yo te hago llegar el dinero y cierra el trato ¡ya!

Y así se hizo. Proporcioné el dinero, compró la casa a su nombre y no le pedí que inmediatamente pusiera la casa a mi nombre, confiada en que en cualquier momento se efectuaría el trámite.

En aquellos días Aline andaba invitando a medio mundo a audicionar con Sergio para cerciorarse de que no regresaría a mis coros o quién sabe con qué intención, Aline era un poco rara.

## Capítulo nueve

# El primer contrato con Televisa

Corría el año de 1992 y el gobierno de Carlos Salinas de Gortari puso en venta el Canal 13, hoy parte de TV Azteca.

A don Emilio Azcárraga, dueño de Televisa, pareció preocuparle la privatización de ese canal e inició una serie de contrataciones de artistas para garantizar la exclusividad. Yo era noticia en *New Yorker*, *Journal Street*, *People Magazine* y me convertí en importante botín, por lo que no se hizo esperar la oferta de contratación.

Sergio se mostraba renuente a este tipo de contratos y puso como precio de mi exclusividad una cifra no sujeta a negociación. Eran varios millones de dólares —eso o nada— y se sabía que a ningún artista le habían ofrecido contrato semejante. Televisa dijo sí. En el acuerdo estaban comprometidos calendarios, películas, novelas, programas y especiales. El contrato se firmó en el año de 1992.

Con parte del dinero me compré una casa muy bonita en el Pedregal que modernicé y redecoré a mi gusto. No escatimé en gastos, compré lo mejor de lo mejor, candiles de cristal, obras de arte, vajillas de porcelana, muebles finos y alfombra blanca. ¡Era un dulce! Grande, bonita, con chimeneas, un jardín enorme, estacionamiento para varios autos. La cocina parecía un laboratorio espacial, tenía de todo y a mí me encantaba cocinar. Pero ¿y qué? ¿Viviría sola ahí?

Se instalaron en mi casa las personas con las que mejor me llevaba: Katya, Lucía, Gaby, Marlene y, aunque no siempre pues tenía su propia casa, Mary. Sergio y Aline iban de vez en cuando; tenían una residencia en Cuernavaca y solíamos visitarnos. Cuando se les hacía tarde o estaban cansados se quedaban en mi casa y les cedía la recámara principal. De cualquier forma seguía viajando mucho con Mary y Marlene y era un alivio que hubiera gente en mi casa. En Cuernavaca Sergio y Aline tenían empleados que limpiaban y cuidaban su casa. Yo no, sólo tenía un jardinero que iba de tiempo en tiempo y nunca pensé en contratar sirvienta. La ropa se lavaba en la tintorería y la limpieza de la casa nos la distribuíamos: cada quien limpiaba lo suyo. Cuando me encontraba allí me tocaba lavar platos, aspirar o sacudir. Por otro lado no quería meter gente extraña en mi casa, y con tanto trabajo que tenía ni siquiera lo pensé a conciencia. No estaba acostumbrada a tener sirvienta y tampoco puse vigilantes, confié en el vigilante de la calle.

A Aline le encantaba mi casa, mi televisión gigante, mis juegos de video. Tenía alberca techada y un salón de juegos con futbolito y pin-pon. Y un cuarto para bebés. Soñaba con tener uno mío, aunque no me acostaba con nadie. Pero soñaba, soñaba, soñaba. Compré cuna, ropero, juguetes, lámparas, todo.

Un día, al volver de un viaje, descubrí mi recámara ocupada por Sergio, Aline y Katya. Dormían en mi cama cubiertos con los edredones. De golpe pensé cosas gruesas, pero me dije que era una mal pensada. Sin duda se habían dormido viendo alguna película, pues la televisión de mi cuarto estaba encendida. No se dieron cuenta de mi presencia y salí discretamente, sin ruido, pensando que no debía pensar mal. Ultimadamente a mí qué me importaba, ¿o qué podía reclamar?

Al día siguiente, ellos como si nada. Katya y Aline súper amigas y todos risa y risa. Fingí que no había visto nada. En efecto, no había visto nada. Katya empezó a tener gran influencia en la empresa y cada vez controlaba más cosas: cuentas bancarias, tarjetas de crédito y más. Era de absoluta confianza. Yo seguía envuelta en la locura de los viajes. Estaba en casa no más de 10 días al mes y es decir mucho.

Estando en casa, me gustaba cocinar para mis amigas. La enorme alacena y el refrigerador gigante siempre estaban atascados de comida: jamones, quesos, carnes, fruta, verduras, latas, galletas, panes, de todo. Era mi gusto llegar y encontrar la cocina llena de delicias, de las cuales todas disfrutaban sin límites. Era una compensación por las muchas veces en que, trabajando en la oficina, no había hora para comer. A veces se compraba comida en un restaurante cercano y en ocasiones se nos pasaba el tiempo y al terminar desquitábamos el hambre en alguna taquería.

El disco de Aline era un consagrado fracaso, pero Sergio tenía esperanzas de que con otro tema levantara cabeza. Sergio no se rinde fácilmente; si no era con ése disco, sería con el próximo. Un día, recién llegadas ella y Lucía N de una promoción, Aline chacualeaba por la oficina, mientras Sergio atendía personas en su despacho y Lucía N aguardaba para hablar con él y pasarle el reporte de la última mini gira promocional de Aline. Vi a Lucía sentada, meditativa. Me llamó.

—Gloria, ¿podemos hablar? —dijo solemne.

—Sí, claro. ¿Qué pasa? —me senté a su lado.

—Ay, Gloria, no sé cómo decir esto.

—Pues como sea, dilo.

—Es que, Aline...

—Aline, ¿qué?

—Aline le pone los cuernos a Sergio.

—¿Qué? ¿Cómo lo sabes?

—Sé que Sergio es muy celoso y han tenido problemas hasta porque Aline se le queda viendo a un tipo. Y la verdad es que en las giras, cuando Sergio no va, Aline se desata.

—¿A qué te refieres? ¿Se le queda viendo a los tipos o qué?

—No, Gloria. ¡Se mete con los tipos! Ella los busca. Por ejemplo, cuando vamos en el camión con todos los artistas y sus *managers*, en vez de sentarse conmigo y junto a la ventanilla para saludar al público y evitar que se meta con ella alguno de los tipos del camión, adrede va y se sienta con ellos y se la pasa chacoteando. Esta última vez se sentó con Chao, se tomaron de la mano y estuvieron plática y plática. Luego, en la noche, ya en el hotel, me dijo que iba por hielos y salió del cuarto. Le dije que yo iría en cuanto terminara de bañarme, y cuando acabé ya se había salido. Fui a buscarla por todos lados y no la encontré, ni máquina de hielos había en el hotel. Pasó mucho tiempo y no aparecía. Me acordé de lo que había pasado esa tarde y pregunté por la habitación de Chao.

Hizo Lucía una pausa, un desconsolado movimiento de cabeza.

—Fui a ver qué —continuó—, y antes de tocar a la puerta escuché la voz de Aline, por lo que me escondí y la vi salir del cuarto. Se besaron en la boca y todavía se entretuvieron despidiéndose. Me adelanté al cuarto y cuando Aline llegó le pregunté dónde andaba, por qué había tardado tanto. Me dijo que había ido a buscar hielos al restaurante y unos fans la habían entretenido y se le había olvidado traer los hielos. Lo dijo con tanta naturalidad y gracia que, si no la hubiera visto, le habría creído.

—No puede ser, Lucía. ¿No estarás confundida?

—Qué voy a estar confundida. Y no es la primera vez.

—¿Qué quieres decir?

—Que antes ya se me ha desaparecido. Una vez con un programador de radio y otra con un fan medio guapillo. ¿Qué hago? ¿Le digo a Sergio? ¿Y cómo? No sé qué hacer.

Sentí en ese momento una gran decepción respecto de Aline. Quita de en medio a Sonia, le baja el marido a Mary, se mete con el hombre que sabía que yo amaba, se casa con él por lo civil y por la iglesia, el marido lucha por hacerla estrella para cumplirle uno de sus caprichitos, y apenas con dos años de casados aprovecha cualquier ocasión para ponerle los cuernos.

—Tienes que decírselo a Sergio. Es mejor que lo sepa y, a sabiendas, que haga lo que quiera, pero a sabiendas.

Poco después Lucía N habló con Sergio y él me llamó y me agradeció la sugerencia que le hice a Lucía. Inmediatamente mandó llamar a Aline, quien llegó con su típica expresión de enamorada feliz de verlo. Y allí, sin esperar, frente a mí y Lucía, a quemarropa le dijo:

—¿Que te acostaste con Chao?

Aline puso los ojos en blanco y se desplomó en el piso, con el rostro enrojecido. Sergio no quería ni tocarla. Me incliné para ver cómo le ayudaba, parecía desmayada. Lucía fue por un paramédico al hospital de al lado. El hombre la examinó, le abrió los ojos y a señas nos dijo que no estaba desmayada, no tenía nada.

—Va a despertar cuando quiera despertar —dijo. Y comenzó a frotarla enérgicamente a la altura del corazón. Aline reaccionó. Sergio pidió que los dejáramos solos. Ese día se cancelaron todas las citas en la oficina. Sergio le pidió el divorcio y empezó "el infierno de Aline", que se la pasaba pidiéndole perdón. Hacía de todo, se arreglaba, se mostraba penitente, pero Sergio exigía sin cesar el divorcio. Pasaban los días y ella no obtenía el perdón. Me buscó para solicitar que la ayudara, me explicó que Sergio era su único y verdadero amor; lo de Chao había sido una estupidez sin consecuencias y Lucía N era una mentirosa. Le respondí que a mí no me involucrara en sus broncas y sus mentiras. Yo se lo había advertido hacía mucho tiempo, y así como sabía meterse solita en líos, solita saliera de ellos.

Sergio no quería ni oír hablar de Aline. No la corrió ni la fue a entregar a su casa, pero no la llevaba con él ni le hablaba. Cuando se dirigía a ella era sólo para decirle "quiero el divorcio". Sergio pasó unos días terribles, deprimido, sombrío, irritable, trabajando menos. Aline sufría la indiferencia de quien antes la atendía en todo. Sergio le recogió las tarjetas de crédito y los anillos de compromiso y boda.

Sergio se despreocupó de los asuntos de Aline y se mantenía distante y silencioso con los demás. Sabía yo que sufría por Aline, pero si algo era más grande que el amor por ella, era su orgullo. Y no faltó quien se mostrara dispuesta a consolarlo. Lucía en primer lugar.

Sergio ya no quería siquiera que Aline me hiciera coros. Deseaba que se convenciera, por las buenas, de que ya no tenía nada que hacer con él. La relación había terminado y sólo esperaba que le diera el divorcio y se fuera de su vida. Meses pasaron en esta situación.

En febrero de 1993 fui invitada al festival de Viña del Mar en Chile, país en el cual era ya un acontecimiento. Acudí con mis músicos y mis coros. En esa ocasión, tratándose de un hecho tan importante, Sergio fue con nosotros. Aline lloró y suplicó para ir, pero sus esfuerzos fueron inútiles, se quedó en México.

Iba yo emocionada y dispuesta a comerme al "monstruo de los mil ojos", como llaman al público de ese escenario. Decidida a entregarme y conquistarlo. Fui la artista más premiada de ese año, pues gané los premios Naranja, Gaviota de Plata, Reina del Festival, Aplausómetro y Artista más Popular.

En aquel país se realizaban concursos para encontrar a mi doble. Los fans aguardaban fuera de los hoteles. El día que me presenté, el escenario se cimbró. Hice de las mías con un reportero, en el frenesí del baile perdí la falda, subí a una bocina a cuatro metros de altura y allí recibí la ovación del público.

Los organizadores no querían dejarme salir a cantar otra canción, pues ya había trastornado demasiado el escenario, pero el público aulló y pidió mi regreso. Canté una canción emotiva y agradecí con el corazón el cariño expresado por el público en ese escenario de fuego. Durante los días restantes del festival hubo gran polémica por mi actuación, que fue motivo de debates. Y todavía en Chile, noté a Sergio más callado de lo normal, y vaya que era callado.

—¿Qué te pasa? —le pregunté en la sala de mi *suite*.

Me miró y sin demostrar sentimiento alguno me dijo:

—Aline aceptó el divorcio. Me habló de México para decirme que está en su casa. Será cuestión de que hablen nuestros abogados.

No sabía si decir lo siento o gracias a Dios. Era lo más sano para los dos, pero ignoraba los sentimientos de Sergio respecto de Aline. Él se mostraba hermético. Me di cuenta de que había reanudado públicamente sus relaciones con otras mujeres, pues hacía lo posible por restregar sus nuevas amantes en el rostro de Aline. No ocultó la relación que empezó a tener con Lucía N y ella tampoco disimuló. Era la novia oficial, pero no era la única. Katya se mostraba más atenta y cariñosa que nunca con Sergio. Y aparte estaban las aventuras fugaces, de las cuales no tengo certeza, pero sí sospecha. En esta forma Sergio se curaba el despecho y le daba a Aline una cucharadita de su propio chocolate.

Aline no reclamaba nada, sólo pedía otra oportunidad, hasta el día en que probablemente no soportó quedar fuera de la acción. Tal vez le caló mi éxito, o se le juntó todo, o quizá tenía un nuevo plan.

Sergio y yo quedamos un rato en silencio, hundido cada uno en sus pensamientos. Y así lo dejé. Tenía que cumplir compromisos del festival y de mi disquera.

Pasé el día de mi cumpleaños en Chile. En mi cuarto recibí periodistas, fans, empresarios, presentes y felicitaciones. Ese día me puse un lindo vestido entallado, con cierre a mitad de la espalda. Al acabar el día, estaba muy cansada; no era mi ideal de celebración, pero tenía que cumplir compromisos.

Mary, Marlene y Sergio habían estado ayudándome a atender a las personas que fueron a verme. Era de noche y en algún momento Mary y Marlene salieron del cuarto. Sergio se quedó en la salita de la *suite* y yo fui al baño a ducharme. En el baño no podía bajar el cierre, por más que trataba no conseguía sacarme el vestido. Varios minutos luché con la cremallera y empecé a desesperarme. Volví a la sala despeinada y furibunda y le pregunté a Sergio:

—¿Ya regresó Mary?

—No. ¿Qué te pasa?

—Es que el cierre del vestido se me atoró —dije.

Pese a los años de conocernos, en ciertas cosas guardábamos distancia. Él no me tocaba, había mucho pudor entre nosotros, aun durante las sesiones de fotos para mis calendarios. Pero el cierre me tenía desesperada, así que pensando que no lo tomaría mal, le dije:

—¿Puedes ayudarme, por favor?

—Claro.

Se hallaba sentado. Caminé hacia él, le di la espalda y me recogí el cabello para facilitar el arreglo. Empezó con unos jaloncitos y sentí sus dedos entre mi piel y el vestido, leves, como si tratara de no tocarme. No conseguía abrir el cierre y trató con los dientes. Sentí su respiración en la espalda, y en el cuerpo se me despertaron extraños deseos y sensaciones. Al fin Sergio rompió el cierre y el vestido quedó abierto. Mi corazón se aceleró al percibir que su respiración se hacía pesada; yo hacía esfuerzos para que no notara la mía. Me quedé parada dándole la espalda unos segundos, sin pensar, y cuando comencé a pensar y estaba a punto de decir gracias, su mano se plantó en mi espalda y empecé a temblar de miedo y placer, de miedo a la felicidad y a la infelicidad, de miedo al placer, a la emoción y a la caricia. No pude moverme, me quedé quieta disfrutando la caricia y deseando que continuara. Él, como si me leyera el pensamiento, continuó acariciándome como nunca lo había hecho nadie. Me hizo volverme y comenzó a besarme y a quitarme el vestido. Eché a llorar de emoción, de placer, de confusión. ¡Cuántas sensaciones! ¡Cuántos sentimientos! ¡Cuántos deseos tantos años acallados!

—¿No quieres? —susurró. Y sin pensarlo dije:

—Sí, sí quiero.

Sergio me acarició entre dulce y tierno, con fuerza y dominio. Me dejé llevar al mar de sensaciones que por fin recibía del hombre tantos años amado. Nos amamos o, mejor dicho, lo amé y me acarició durante horas. Hicimos el amor hasta que quedamos dormidos.

A la mañana siguiente me encontré con Mary y Marlene en el desayuno. Aunque no me arrepentía, esperé que no se hubieran dado cuenta. Sentía pena de que lo fueran a saber. Podían mucho en mis tabúes sociales y morales. No hicieron comentario alguno, tal vez ni cuenta se habían dado. ¿Y ahora qué? Sergio no había dicho nada. No prometió nada ni yo pedí nada. ¿Cuál sería nuestra relación en adelante? ¿Existía algo entre nosotros? ¿O para él se trataba de un accidente, un momento de pasión?

No pregunté y él no dijo nada. Los últimos días que pasamos en Chile, me trató más como mujer que como hermana. Fue aquél nuestro único encuentro. Había que regresar a México. Nos esperaba el trabajo, el divorcio de Sergio, los compromisos, las muchachas. Todo volvió a ser igual.

Nunca hubo entre nosotros alusión o comentario en torno a lo que pasó esa noche que guardé en el fondo del corazón.

## Capítulo diez

# Ruptura con Azcárraga

Regresé de Chile a mis actividades habituales. Hice el calendario y un especial para Televisa. En relación con el contrato con Televisa me entró un temor. El contrato por varios millones de dólares era entre la televisora y Conexiones americanas. Si Conexiones era propiedad de Sergio, Aline podría reclamar la mitad de la empresa que me representaba. ¡Era una locura, una injusticia! Hablé con Sergio y le pregunté como estaba esa situación. Solía confiarle todos los asuntos administrativos, económicos y contables a Sergio y al contador. Sergio sonrió tranquilo.

—No te preocupes, la empresa no es mía. Aline no podrá tocar ni un centavo de ella, aunque era su tirada.

—¿Qué quieres decir?

—Su abogado pidió una lista de mis bienes para que le dé la mitad de todo.

—¡Ay, Sergio!

—No hay problema, Gloria. Sólo tengo la casa rosa de Cuernavaca y la mitad de su valor no asciende a 70 mil dólares. Eso me lo gano produciendo un disco. Lo otro es la casa blanca de Cuernavaca, pero no están bien los papeles y llevará tiempo quitármela.

—¿Aline lo sabe?

—No. Ella y su mamá creen que se van a embolsar varios millones.

Mientras esto sucedía, Lucía N se veía desconcertada, pues Sergio la alejaba cada vez más, o al menos eso parecía. La relación entre Sergio y yo era un secreto a voces, pero como siempre nos habían inventado relaciones, nadie sabía a ciencia cierta qué pasaba. Una tarde Lucía N, que había conocido a mi ex novio, me comunicó que el ex me andaba buscando, quería hablar conmigo. Me lo dijo en plan secreto y conecté la metida de pata de Aline y luego a Lucía echando a Aline de cabeza. ¿Sabría Lucía de lo mío con Sergio? ¿Me quería hacer lo mismo que a Aline? Le salió el tiro por la culata, porque le dije que no quería nada con el ex e inmediatamente fui a contarle a Sergio, pues lo que menos deseaba eran chismes o intrigas.

La relación entre Lucía y Sergio se deterioró por completo a raíz de esto y fue cuestión de semanas para que Lucía pidiera vacaciones y se fuera a su casa en Monterrey. Yo la quería muchísimo y no me parecía haberla traicionado. Confiaba en ella y pensé que deseaba poner en orden sus ideas, sus sentimientos.

Aline y su mamá recibieron como bomba la noticia de lo poco que podrían quitarle al marido. Digo poco aunque me parecía muchísimo, pues Aline no tenía hijos con él y en la breve duración del matrimonio había sacado gran provecho de él y era Sergio el más lastimado. Ella, tenía la vida por delante, pretendientes, oportunidades.

Sergio me contó que la mamá le dijo que Aline estaba despedazada y si él quería el divorcio tendría que pagarle 800 mil pesos, unos 250 mil dólares. Aline necesitaba ese dinero para distraerse y olvidarlo, pues lo seguía amando. Sergio en el acto aceptó pagar, para sorpresa de la señora, que en seguida se arrepintió de no haber pedido más. Así que en otra ocasión dijo que aparte del dinero tendría que pagar los impuestos de Aline. En un principio Sergio se negó, pero entonces sacaron las uñas. La señora, acompañada de tíos y padrastro de Aline, le dijo a Sergio que si no pagaba todo no le darían el divorcio y harían un escándalo, pues ella sabía que Sergio vivía en amasiato con otras mujeres (se refería a Katya y a Lucía N), y que del escándalo no me libraría yo. Con esta amenaza convencieron a Sergio. Y a fin de cuentas lo que él quería era no tener más trato con esa gente.

Por otro lado, Aline fingía que deseaba mantener la amistad con su ex marido y le llamaba, pero él ya la conocía. Unas dos semanas después de que Aline se fuera a su casa, Sergio me llevó al aeropuerto. Mientras nos despedíamos, una fan que trabajaba allí y a la que veía con frecuencia, me comentó:

—Acabo de ver a Aline.

—¿Sí? Ah, que bueno.

Ella suponía que Aline era mi amiga y no sabía que era esposa de Sergio. Quise cortar la conversación pero…

—Iba a Acapulco con un muchacho muy guapo. Parecía su novio.

Sergio sonrió con tristeza, pero ya no le hacían efecto los decires de que Aline no quería divorciarse y lo seguía amando. Sabía bien que ella sólo quería otro disco.

Paralelamente, estaba yo tratando de obtener una tarjeta platino de American Express, y entre los requisitos pedían que tuviera propiedades en la ciudad de México. Aparte de la casa donde vivía, estaba la otra casa, la que puso a su nombre mi amiga Lucía N. Le llamé y le pedí que hiciéramos el cambio de propietario.

—Claro —me dijo—, ya sabes, cuando quieras.

—¿Puede ser ya?

—Es que mi mamá esta medio mal y no puedo ir a México. ¿Lo podemos hacer luego?

—O.k.

Días después Lucía llamó y me dijo que no tenía problema en devolverme mi casa, pero lo haría siempre y cuando yo cubriera sus impuestos.

—Claro, es obvio que debo pagar cualquier impuesto de la casa.

—No, no me refiero a esos impuestos, sino a los impuestos de lo que gané.

—¿Cómo?

—Mis impuestos —sentí que el corazón se me oprimía.

—¿Cuánto debes?

—Mi contador se pondrá en contacto con el tuyo.

¿Su contador? No entendí qué pasaba. Supuse que ella pensaba que yo no le ayudaría con el pago de sus impuestos, que tenía ese apuro económico y deseaba tener la certeza de que yo le resolvería la bronca. Me dolió porque no tenía por qué extorsionarme. Era mi amiga de la infancia, casi mi hermana, y estaba dispuesta a ayudarla. Decidí mostrarle mi afecto y mi apoyo y di instrucciones para que sus impuestos fueran cubiertos. Comenté con Sergio el incidente y me dijo:

—Tu amiga no va a devolverte la casa.

—¿Cómo crees? Claro que sí, la conozco, sólo está en apuros.

—¿No te das cuenta de que te envidia muchísimo?

—No, Sergio, vas a ver que no. Yo pago sus impuestos y ella me devuelve la casa.

—Te sugiero que sea dando y dando.

—No, quiero demostrarle mi cariño, mi amistad y confianza.

—Como quieras, Gloria, pero ella quiere cualquier cosa que tú puedas querer, no es tu amiga.

Me negué a creerle. También me dijo que Lucía y Aline se habían puesto de acuerdo.

—No, Sergio, no puede ser. Desde que Lucía N delató a Aline no se llevan, lo sabes.

—Las coincidencias no existen. Las dos están pidiendo que paguemos sus impuestos. Es extraño, parecen asesoradas por el mismo abogado.

—Vas a ver que Lucía no es así, Sergio.

Tenía yo una venda en los ojos. El león cree que todos son de su condición, y yo creía que ella, como yo, era una amiga de verdad.

Pagados sus impuestos, me dijo que no podía viajar a México para poner la propiedad a mi nombre, pero en cuanto tuviera un tiempito lo haría. Decidí ir a Monterrey, pues el asunto me estaba poniendo nerviosa. Ni siquiera era la propiedad, era el hecho. Le pedí a Mary que me acompañara y llegamos de improviso a la casa de mi amiga, una casa muy modesta que había sufrido reformas y ampliaciones. Para la familia fue una sorpresa verme, y como iba de incógnito les pedí posada. Cuando jovencita me había quedado a dormir en esa casa cientos de veces y suponía que existían cariño y confianza, sin embargo noté incomodidad en ellos. Lucía se mostró nerviosa y... claro que podíamos quedarnos.

Le expresé a Lucía mi voluntad de cambiar de nombre la propiedad ante notario público y tartamudeando dijo: "Sí, no hay problema". Hice cita con un notario y mi amiga salió "a pasear". Me imaginé que había salido a llamar a alguien pues no nos invitó. Además no nos trataba de manera normal, estaba nerviosa, como si tratara de ocultar algo. En ese lapso la mamá de mi amiga pidió hablar conmigo a solas y empezó a decirme que estaban muy tristes por lo que había hecho mi mamá.

—¿A qué se refiere, señora?

—A lo de la herencia de tu abuelita. Tu mamá nos obligó a Lalo (el marido de la señora) y a mí a firmar como testigos en un testamento falso.

—¿Los obligó?

—Bueno, estábamos con grandes apuros económicos y nos dio 200 mil pesos.

Eso explicaba la ampliación de la casa, pensé mientras mi corazón se congelaba. Sentía dolor, confusión, impotencia.

—Nosotros —continuó— estaríamos dispuestos a declarar eso para que tú recuperes tu herencia, pero necesitaríamos algo más de dinero. Tú sabes, para consultar abogados y protegernos.

Era la mamá de mi mejor amiga. Una señora a la que yo consideraba dulce y buena. Y ahora pretendía ponerme contra mi madre y hacer una extorsión disfrazada. ¿Quiénes eran ellos? Empezaron a parecerme extraños y quise salir de esa casa inmediatamente. Me sentí en peligro, pero debía recuperar lo mío. No la herencia, sino la casa ganada con mi trabajo.

—Ya lo sabía, señora —respondí tranquila.

—¿Ya sabías qué? —dijo con cierto asombro.

—Que mi mamá hizo eso. Y la respaldo por completo. Mi mamá puede hacer cualquier cosa con el dinero o lo que sea. Lo administra para mí y mis hermanos, así que lo que ella haga es correcto.

La señora enmudeció y se puso pálida, muy seria. En eso llegó aquel novio de Lucía, el famoso Edson. Entendí que el chavo no se olía que Lucía hubiese andado con Sergio. Ella me había contado que era muy celoso y sentí pena por él, porque Lucía no estaba siendo sincera.

Mi amiga regresó del paseo y procuró evitar que habláramos con el novio. De hecho me lo presentó de lejos, no sé si porque temía que yo dijera una imprudencia o le fuera a quitar al chavo. Mejor para mí. No tenía ganas de convivir con esas personas, sólo deseaba ir con el notario, arreglar lo de mi propiedad y dejar la amistad para mejor momento. Deseaba creer que el nerviosismo de mi amiga se debía al temor de que su reconciliación se viera amenazada por alguna imprudencia mía, o que tal vez le preocupaba que Mary o yo le dijéramos a Sergio que había vuelto con el novio.

De otra parte me dio gusto que hubiera vuelto con Edson, porque así le resultaría más fácil olvidar a Sergio. Lo que sí, yo no sabía si seguiríamos siendo amigas, pues su actitud me estaba lastimando. Recordé unas palabras de mi padre: "A un amigo no se le quiere por lo que uno espera de él, se le quiere tal cual es, sin esperar que este sea como uno, ni que agradezca, pues lo que se da por amistad no busca recompensa. Lo que es más, uno puede ser amigo de alguien que no es amigo, así como puedes querer a alguien que no te quiere".

Lucía no quiso devolverme la casa por nada. Sergio me dijo que me lo había advertido y se molestó con ella. Me sugirió consultar a un abogado, pero yo le pedí que hablara con ella y la convenciera de que no me hiciera eso. Al fin fuimos con el notario y éste nos dio a firmar los documentos. Lucía N los tenía frente a sí y empuñaba la pluma. De repente, para mi sorpresa, arrojó la pluma sobre los papeles y dijo: "No firmo".

—¿Qué? —dije todavía sin creerle.

—No voy a firmar —dijo fríamente, transformada, con gesto y actitud que no le conocía.

—¿Pero por qué? Es mi casa —le dije.

—No, es mi casa —me contestó cínica, casi con una sonrisa—. Está a mi nombre y si la quieres te la vendo —agregó mirándome a los ojos. Y en sus ojos vi placer, la intención de humillarme.

Empezaron a brotarme lágrimas. No lloraba por la casa, sino la pérdida de una amiga; peor todavía, por comprender que nunca había sido mi amiga. Regresé a México cuanto antes y le comuniqué a Sergio el problema. En mi presencia, él se comunicó con ella y negoció el precio. Pedía 800 mil pesos, pero seguía derritiéndose por Sergio y como favor a él me vendió mi casa en 300 mil y pico de pesos. El abogado me dijo que podía procesarla por abuso de confianza y meterla a la cárcel años. Yo tenía todas las pruebas, pero me tenté el corazón y le pagué lo que pedía. Total, yo ganaba eso en dos actuaciones y uno debe devolver bien por mal, dice Jesucristo.

La mamá de Aline le dijo a Sergio que si a Lucía N, siendo sólo una querida, le había dado 300 mil pesos, era justo que a Aline, esposa legítima, le diera lo que pedía. Eran verdaderamente cínicas.

Mi relación personal con Sergio quedó en una especie de limbo. Ni seguíamos ni habíamos terminado. Yo lo amaba, pero era evidente que tenía trato íntimo con Katya, Wendy, Sonia y más. Ellas no lo ocultaban y se mostraban cariñosas con él. También lo buscaban en la oficina personas que despertaban mis sospechas, como Lorena Herrera. Pero como entre Sergio y yo no existía vínculo o compromiso de índole amorosa, no me sentía con derecho a reclamar nada. Por orgullo opté por mostrarme indiferente hacia él en esos territorios.

Por otro lado, todos eran amables y atentos conmigo, en forma extrañamente natural. En cierta ocasión fuimos a Guanajuato Sergio, Mary, Katya,

Marlene, Gaby y yo. Rentamos motos y nos anduvimos divirtiendo por las calles, fuimos a ver las momias y a restaurantes. Yo estaba sentida con mi familia por lo de la herencia de mi abuelita, y como mis amigas me decían que me querían como a una hermana, empecé a ver en ellas a las hermanas y amigas que toda la vida había querido tener y en Sergio a la figura paterna. En los hoteles de lujo y suites presidenciales empecé a no sentirme tan sola. No tenía la atención amorosa del hombre al que amaba, pero todos se preocupaban por mí.

—¿Tienes hambre? ¿Qué quieres de comer?

—Ya mandamos tu ropa a la tintorería.

—Te pedimos camarones porque sabemos que te gustan. (La verdad es que ni me gustan tanto.)

Al final, claro, Sergio o yo poníamos la tarjeta. Mis solícitas amigas disfrutaban de todo y mucho más que yo, que por razones de trabajo, de imagen, me limitaba al comer.

Yo era considerada líder de opinión y ese año habría elecciones. Mis canciones, aparte de ser éxitos comerciales, eran irreverentes, rebeldes, irónicas. En muchos casos tocaba temas sociales, existenciales y políticos, críticas corrosivas en lenguaje a veces infantil pero mordaz. Incitaba a la igualdad de la mujer y criticaba la apatía del rico ante la miseria. Hablaba sin pelos en la lengua de todo tema tabú sobre el que me interrogaban. Incluso había manifestado mi deseo de algún día llegar a ser presidenta de México, deseo sincero y real que causó revuelo y controversia. Los candidatos a la presidencia preparaban sus campañas y fui invitada a colaborar en las de los partidos de la Revolución democrática (PRD), del Trabajo (PT) y Revolucionario institucional (PRI). No estaba segura de querer hacer proselitismo político en esos momentos, pero acepté conversar con los organizadores de las distintas campañas, aprender un poco y, quién sabe, tal vez si me identificaba con las propuestas de alguno de ellos, lo apoyaría. Hablé con Porfirio Muñoz Ledo y con un equipo de jóvenes que se encargaban de atender a la juventud del PRD; también con los asesores de Cecilia Soto y con el director de campaña de Luis Donaldo Colosio. Sabía, como todo el México de aquellos años, que el candidato del PRI sería el próximo presidente de México, pero no sentía inclinación por ninguno de los partidos y sí una cierta antipatía hacia el PRI. El Partido acción nacional (PAN) no me invitó; era un partido reaccionario al que critiqué ferozmente cuando pretendieron prohibir las minifaldas en Guadalajara.

Un día recibí una llamada. Era Luis Donaldo Colosio. Fue una conversación corta pero cálida.

—Hola, Gloria, ¿cómo está usted?

—Bien, señor candidato. ¿A qué debo el honor de su llamada?

—Mire, Gloria, como usted sabe soy candidato a la presidencia de México y quiero hacer cosas buenas por nuestro país. Usted apenas sabe de mí, pero yo conozco su trayectoria, su forma de pensar y cómo la quiere la gente. Nuestro país necesita un líder que oriente a los jóvenes para despertar esa gran fuerza que representa la juventud mexicana y tú, Gloria, tienes ese poder de comunicación, ese carisma.

—Gracias, señor. Favor que usted me hace, pero creo que no es para tanto.

—Sólo quiero hablar con usted y mostrarle mis propuestas para mejorar el país. Si le convencen podría ayudar en mucho a la gente que usted dice querer tanto. Yo también quiero romper con reglas y esquemas, para bien.

—Pues mil gracias, señor, cuando usted diga.

—¿Qué día no tiene compromisos?

—El día que usted diga. Si tengo algún compromiso lo cancelo.

—Mire, yo voy a andar en campaña esta semana, voy a estar en Tijuana, ¿pero qué tal si regresando nos vemos?

—Claro que sí, señor.

—Entonces, creo que será por ahí del lunes o martes de la próxima semana. El domingo le confirmarán a qué hora y dónde.

—Claro que sí, jefe —le dije en broma. Me estaba cayendo bien, se me hizo súper buena onda, sencillo, humilde, raro en un político. Él rió porque le dije jefe.

—¿A poco parezco mandón? —dijo.

Mira que ser candidato a presidente de un país y decir que yo apenas estaba conociéndolo, pero él a mí sí me conocía. No porque lo creyera, pero se me hizo un comentario noble. Si no era real, por lo menos era inteligente.

—No, señor, para nada. Estoy bromeando.

—Bueno, hasta pronto, Gloria.

—Gracias, señor candidato, que le vaya bien en Tijuana.

—¡Oiga, Gloria!

—Sí, dígame.

—Me gusta mucho su nuevo disco.

—Ay sí, ¿a poco ya lo oyó?

—¡Claro que sí!

—A ver, ¿cómo se llama?

—"Más turbada que nunca". Y mi canción preferida es "A la madre" —dejó escapar una risa franca y yo también reí.

—A mis hijos también les gustas, pero ese disco sólo lo podrán oír cuando crezcan.

—Cómo será, señor. Si no digo nada malo.

—No, nomás muchas verdades. Bueno, Gloria, cuídese y nos vemos.

—Salúdeme a su familia, a sus niños y a su esposa.

—Claro que sí, Gloria, hasta pronto.

—Adiós.

Apagué el celular. Iba por carretera de México a Cuernavaca y el atardecer era hermoso. Sergio manejaba mi Lincoln negro media *limousine*. Me sonrió y me dijo que era muy confianzuda.

—¿Por qué lo dices?

—Pues por cómo le hablaste al futuro presidente.

—Pero si le hablé con pinzas.

—Ay, Gloria, no te das cuenta, pero tienes una gran estrella. Corres con suerte y le caes bien a la gente.

Fijé mi vista en el camino, en las estrellas que empezaban a aparecer. Tenía ganas de llegar a la casa de Cuernavaca, a la casa de Sergio. Empezaba a sentirme allí en un hogar, con las muchachas que cada vez eran más parte de mi vida. Tenía ganas de hablar con ellas, de jugar, de poner música, platicar trivialidades y contarles que al futuro presidente de México le gusta la canción "A la madre". Iba riéndome de mis pensamientos. Pero México tiene de hermoso lo que tiene de pinche. Tres días después Colosio fue asesinado.

No lo conocí, pero al igual que miles de personas lloré al saber de su muerte, de la brutalidad con que le arrancaron la vida. Lo que más me dolía era recordar su voz al mencionar a sus hijos, en esa voz había orgullo, amor, cariño. No quise ir al velorio, no quería ser uno de esos que van a exhibirse. Considero esos actos algo íntimo, privado, aunque cuando se trata de personajes reconocidos se vuelven actos públicos. Lo entiendo y como pueblo yo habría acudido, pero como artista y personaje público preferí no ir, preferí llorar sin exhibicionismo. No podía dejar de pensar que en México siempre es lo mismo, todo lo bueno lo descuajaringan. ¡Viva Pancho Villa! Pobrecitos.

En esos días Sergio terminó de pagar a Aline lo que pedía. No nos reponíamos de esa sangría cuando el contador, llamado Benjamín, que se había quedado con las acciones de la empresa que me representaba y con la cual tenía yo el contrato con Televisa, hizo de las suyas. Sergio, para proteger ese dinero y la empresa de la ambición de su ex mujer, la había confiado al contador, permitiendo que apareciera como accionista mayoritario. Pero el señor abusó de la confianza depositada y, cuando Sergio le pidió que pusiera las acciones a nombre del verdadero dueño, se negó a hacerlo. Después de arduas negociaciones Sergio tuvo que pagar 600 mil dólares para que el contador devolviera lo que no era suyo. Al mismo tiempo, Sergio descubrió que quienes se encargaban de vender las fechas de mis presentaciones eran unos tramposos: cobraban más de lo pactado, pedían más boletos de avión y otras tropelías. Los empresarios eran robados y el robo era enorme. Sergio ya no quiso trabajar con ellos.

Nunca supe cómo fue exactamente lo del fraude, pero en una ocasión en que me contrataron otras personas en Estados Unidos para un *show*, ellos ya no fueron intermediarios y con todo el descaro del mundo prepararon una demanda para interponerla en Estados Unidos por incumplimiento de contrato. Nosotros no podíamos probar los robos de ellos, pero era obvio que actuaron en combinación con Lucía N.

Sergio prefirió llegar a un acuerdo que pagar abogados e ir a juicio. Ellos también cobraron varios cientos de miles de dólares, lógico que a esas alturas nuestra economía estaba resentida, pues además había que pagar millones de pesos en impuestos.

Nosotros seguíamos trabajando mucho. Grabamos mi cuarto disco y pese a todo nos divertimos al hacerlo, con canciones como a "A la madre", "Chica embarazada", "La papa sin catsup". Nuevamente rompía esquemas y con canciones como "El recuento de los daños", "Un día más de vida" se consolidaba mi carrera de cantante y compositora. Durante la grabación de este disco, Sergio dirigía también producciones y grabaciones de otros artistas, entre ellos un grupo llamado Kinder en el cual estaban Mary Morín y su novio Armando Arcos. Mary es la compositora de "Pelo suelto" y "A la madre" entre otras canciones y yo sentía por ella simpatía y gran respeto en lo artístico. Además había sido mi corista y la consideraba una chica talentosa. Sergio me invitó a verlos antes de que hicieran una audición con una disquera, pero me advirtió:

—Sé que Mary Morín te cae bien, pero te suplico que no te dejes llevar por esa simpatía. Van a audicionar contigo como ensayo general, te pido que los critiques con dureza. No les diga sus cualidades, sólo sus defectos, y mientras más dura, mejor. Les vas a hacer un favor. Mary Morín es muy competitiva y si la criticas se va a superar, en cambio si la elogias se va a confiar y se la va a creer, no le harías ningún bien. Así que muy lista.

Yo sabía que Wendy había presentado audición con ellos para integrarse al grupo, pero no la aceptaron. El grupo lo formaban dos hombres y una mujer. Presentaron su audición en un estudio de grabación en Los Ángeles. Adopté una actitud súper seria, aunque la verdad mucho de lo que hacían me gustaba y me parecían distintos a todos los grupos de México, pero al terminar la audición hice lo que Sergio me pidió. Sólo señale errores y me dolió en el corazón no decir lo que me había gustado. Se hallaban exhaustos, sudorosos y azorados ante mis críticas, pero yo estaba convencida de que sería positivo para ellos y pensé que alguna vez podría decirles cuánto me gustaban. No imaginé que habían tomado mis críticas como cosa personal y un día se vengarían.

Llegué a México con mi nuevo disco, otro éxito con vetos y levantamiento de vetos. El título del disco, *Mas turbada que nunca*, dejó más que turbados a los puritanos y tuvo gran repercusión en Centroamérica y Sudamérica. Aún no pasaba un año desde los robos y extorsiones y no habíamos logrado recuperar lo perdido, cuando fui llamada por el *Tigre*, don Emilio Azcárraga. Querían discutir conmigo detalles de mi primera telenovela, porque yo me mostraba renuente a las escenas de besos en la boca. Creía yo que si la novela tenía un buen *rating* no eran necesarios los besos. Siempre, desde la escuela, había sido yo sumamente delicada en cuanto al roce físico. Nada sin amor. Y era difícil para mí separar la realidad de la ficción y ver esas escenas en términos profesionales. Acudí a la reunión con Sergio y Mary Boquitas. El Tigre nos recibió y empezó la conversación. El señor se dirigía únicamente a mí y en algún momento, para señalar ineptitudes e incompetencias en la hechura del especial, Sergio intervino en la conversación. Estaba comenzando a hablar cuando don Emilio gritó enfurecido:

—¡Vete a la mierda!

—Señor, yo no le estoy hablando mal.

—¡A la mierda! —rugió de nuevo el Tigre.

Sergio, con sus pocas pulgas, dijo en tono sereno: "Pues a la mierda", y salió de la oficina. Mary lo siguió. Yo miré al Tigre a los ojos. Ni por todo el oro del mundo iba a dejar que trataran así a mi gente. Sergio no había hecho nada incorrecto. ¿Qué quería ese señor? ¿Hablar sólo conmigo? ¿Humillar a mi gente? ¿Que le lamiera los zapatos? Me levanté de mi silla y grité: "Pues a la mierda y a la chingada", y salí de la oficina dando un portazo mientras las secretarias, con azoro en las miradas, guardaban un silencio sepulcral. Apresuré el paso y alcancé a Sergio y a Mary. Sergio sonrió al verme. Quizás había creído que yo permanecería en la reunión, y sentí que con la mirada me agradecía el acto de lealtad. Subimos al carro y rápidamente salimos de la empresa. En el trayecto le dije a Sergio que quería romper el contrato con Televisa.

—Pero vas a tener que devolver el anticipo.

—No importa, lo devuelvo.

—¿Cómo, Gloria? Gastaste gran parte en tu casa y agrega lo que nos robaron.

—No importa, vendo la casa y pido un préstamo al banco. A mí me contrataron para trabajar, no para humillarme ni para humillar a mis amigos.

Poco después rompimos el contrato con Televisa. Los ejecutivos de la empresa me dijeron que ellos no querían romper el contrato y si no lo deseaba no tendría que tratar con don Emilio. Pero dudaba en pertenecer a una empresa en la que estaba mal con el patrón. No, quería mi libertad. Y devolví el dinero.

Para reunirlo sumé un préstamo bancario con los ahorritos que guardaba para producir una muñeca a mi imagen y semejanza, proyecto que fue detenido. Quedamos pobres, pero muy dignos. Tendría que trabajar mucho para pagar al banco el préstamo y los intereses, más los sueldos de todos nuestros empleados. Mal que bien para todo iba saliendo. Con los intereses entregaba lo más que podía para reducir mi deuda con el banco. Mi casa del Pedregal la compró Joan Sebastián para vivir con Maribel Guardia; la vendí con todo y muebles, toda linda, y con eso acabé de pagar la deuda. Me quedé sin hogar, pero no me asustaba la situación. Seguí trabajando y Sergio me dio posada en su casa de Cuernavaca, adonde llevé cosas personales, ropa, piano, mascotas, y a veces me quedaba en algún hotel. Las personas que solían quedarse en mi casa también se mudaron a Cuernavaca o a un departamento de

Sergio en la capital. Me llevaría tiempo reponer todas esas pérdidas económicas, pero nunca había sido excesivamente materialista. Si había, qué bueno; si no, no perdía el sueño. Todavía tuve que hacer una película para Televisa, *La papa sin catsup*, y en reconocimiento a que don Emilio nos mandó a la mierda, pusimos un montón de mierda en la película, en una escena sumamente controvertida que provocó críticas y, en el cine, vómitos; a mí esa escena de humor negro me sigue pareciendo asquerosamente divertida.

Y para seguir yéndonos a la mierda iniciamos negociaciones con TV Azteca.

## Capítulo once

# Negociaciones con TV Azteca

Fue precisamente el día que conocí a la ahora famosa conductora de programas de chismes de artistas, cuando Sergio me contó los detalles de su relación con ella en el pasado. Había dejado Televisa para incorporarse a TV Azteca y nos invitaba a comer.

—Le debo un favor a C y nunca lo olvidaré, me explicó Sergio.

Lo miré intrigada y continuó.

—Ella metió el hombro por mí cuando estalló lo de X.

Yo conocía la historia de Sergio con X. Cuando X tenía unos 14 años y Sergio 26, habían sido novios pero a escondidas de la madre. Pero por ese entonces Sergio también andaba con Cristal (a la que aprecio, y si menciono su nombre es porque ha reconocido su relación con Sergio), con una de las concursantes a "Modelo del año" y con dos que tres más, incluida la propia conductora.

Al parecer para Sergio la relación más importante era la que sostenía con X, con quien se empezó a involucrar sentimentalmente. Pero la madre —que había alimentado un interés personal en él— los descubrió y los separó. Corrió la versión de que Sergio había tratado de violar a X, versión que daban los allegados a ésta para justificar que hubiese dejado de trabajar con Andrade. Contaban las malas lenguas que la señora trató de destruir a Sergio, más por despecho que por proteger a su hija. Habló incluso con la mamá de Yuri para que ésta no participara en la OTI con una canción de Sergio.

C supo del asunto por Raúl Velasco, con quien trabajaba, y juntos enfriaron el problema. Así, gracias a ella el chisme no pasó a mayores y tacharon de loca a la mamá de X. Sergio ganó el OTI con Yuri y "Tiempos mejores" continuó cultivando éxitos.

—Le debo una a la conductora y tal vez ahora sea el momento de pagar. Además en TV Azteca están interesados en ti y ella va a ser la intermediaria.

Sergio me contó que desde que años atrás terminó el romance con C, él se alejó y sólo se habían visto en contadas ocasiones. "Pensé que estaría sentida conmigo —dijo Sergio—, pero ahora reaparece en mi vida en el mejor de los planes. Han pasado seis o siete años y el tiempo cierra heridas y cura cicatrices".

De modo que empezamos a aceptar invitaciones a comer y a sostener pláticas de acercamiento, pero todavía se tenían que finiquitar cosas con Televisa, como la película. Y fue así como C me puso en la mira para realizar contra mí su venganza de Sergio y aliviar su despecho.

Seguí con presentaciones por toda la república. Corría el año de 1994 y tuve una presentación en Chihuahua. En el aeropuerto de la ciudad, en una sala especial, daba entrevistas y firmaba autógrafos cuando una joven de unos 15 años y su mamá me abordaron. Yo no las busqué ni las llamé.

La joven me mostró una foto de tres o cuatro años atrás en la que aparecía conmigo. Era una foto como cualquier otra de las miles que los fans tomaban conmigo durante los *shows*, en las entrevistas y en la calle. La cantidad de gente que veía a diario era enorme, y chavos y chavas, al volver a sus ciudades, me mostraban fotos de ellos conmigo y pedían que las autografiara. El hecho de que tuvieran esa fotografía no era único ni extraordinario, y por supuesto no la reconocí. Sin embargo no quise decepcionarla y cuando, ilusionada, me preguntó si la reconocía, le contesté: "¡Claro!", y le dije algo como "¡qué bárbara, cómo has crecido!" ¿Qué más podía decirle? Acto seguido la mamá se me colgó del brazo y jaloneándome, porque yo trataba de zafarme, me decía que su hija quería ser artista, que con la filmación de *Zapatos viejos* se habían emocionado y habían pretendido que la chica participara, pero no habían sabido qué hacer, por tanto, si se presentaba otra oportunidad querían aprovecharla. A todo esto, la mujer no me soltaba el brazo y amablemente le pedí que me permitiera seguir firmando autógrafos. Le propuse que pidiera los datos de la oficina a mi asistente y ellas dejaron los suyos por si algo se presentaba. Sólo así me soltó la mujer.

Seguí firmando autógrafos sin pensar en ellas. Mas la mujer, ni tarda ni perezosa, a poco se comunicó a la oficina y consiguió para su hija Karina (así se llamaba el retoño) una audición. Rauda y veloz la llevó a México.

Estaba hospedada en la *suite* de un hotel y vi pasar a Karina rumbo a la audición con Sergio. Correspondí a su saludo y le deseé suerte. Me llamó la atención su forma de vestir, llegó con un mini *short* y el cabello largo, suelto y rizado.

Eran muchas las jóvenes y no tan jóvenes que audicionaban buscando una oportunidad, y la audición de Karina era una de tantas. Pero aparte de su forma de vestir me llamó la atención lo parecida que era a Aline en lo físico y en la actitud desenvuelta, abierta y espontánea. Por un instante tuve un mal presentimiento, pero lo ignoré. "No, no es posible, nadie tropieza dos veces con la misma piedra", pensé.

Sergio había firmado a Lorena Herrera. Marlene estaba por grabar un disco como solista. Mary Boquitas había sido lanzada con su primer disco en Sony. Yo estaba por hacer un nuevo calendario y una nueva película, por lo que había proyectos de sobra para trabajar y esos proyectos, a más de los compromisos contraídos, ocupaban todas mis horas.

Tiempo después alguien (no recuerdo quien) me dijo que Karina estaba estudiando piano, baile y música en Cuernavaca, y cuando me dijeron que tenía 12 años, pensé: "Otra que se ve más grande de lo que es", porque definitivamente se veía mayor. Pero de hecho no la veía. Las veces que llegamos a encontrarnos en 1995, se mostraba cariñosa conmigo como cualquier fan. Entusiasmada con sus estudios, expresaba la ilusión de formar parte de mi grupo. Varias de las personas que le daban las clases reportaban que era floja para estudiar y hacía todo lo posible para evitar esfuerzos y no llevar el ritmo de las demás en las clases de aeróbicos y danza. Se hacía la mareada y a la hora de estudiar el piano le daba por ir al baño y allí se entretenía más de 45 minutos, por lo que fue reportada. Por esa época su acné empeoró y le llenó la cara. Decía que en su familia padecían mucho esa enfermedad y un tío tenía la cara llena de granos y cicatrices del acné. Supe que alguien, no recuerdo quien, Sonia o Gaby, le procuró un remedio naturista hecho especialmente para ella.

Me enteraba de esas cosas por pláticas, ya que no vivía con ella, no estaba a cargo de ella ni estaba a mi cuidado ni era mi responsabilidad. Por lo que a mí concernía podía quedarse o irse cuando le diera la gana. Pero no iba a ser tan fácil que se fuera.

Mary me contó un día que Karina era de armas tomar (otra vez recordé a Aline y sacudí la cabeza para apartar la idea). Una vez, después de que Sergio recibió los reportes de lo que Karina hacía para no cumplir con sus estudios, la mandó llamar y le pidió las piezas de piano que para esas fechas tenía que saberse. Karina no las tenía ni medianamente listas. Sergio podía aceptar que no tuvieras aprendidas las piezas si tu maestra reportaba que habías puesto ganas, incluso aceptaba que no hubieras sido tan disciplinada si tenías las piezas bien montadas. Karina no cubría ninguno de los dos requisitos y Sergio la corrió, le pidió a May que la llevara a México, hablara con los papás a Chihuahua y se pusieran de acuerdo para que la recogieran o Mary la fuera a entregar.

Mary me dijo que Karina empezó a llorar como histérica, a rogar, a suplicar que no la corrieran, que le dieran otra oportunidad. Prometió estudiar con ganas y bla, bla, bla. Pero Sergio se mostró inflexible y había sido un circo hacerla subir al coche. Por fin Mary se puso en camino a México, pero Karina le movía el volante en plena carretera y le pedía que regresara. Mary, ante el peligro de un accidente, le habló a Sergio y éste accedió a que regresaran. Karina se bajó corriendo del carro y se metió en la casa. Mary escuchó que empezó a tocar el piano. Y posiblemente Sergio pensó que Karina había entendido y estudiaría con ganas.

Mary volvió al auto y se fue a México, donde tenía cosas que hacer. Karina era complicada, fantoche y floja, según dijo Edith, la chilena que reportaba si Karina estudiaba o se hacía tonta. Mas a partir de ese día Karina iba al baño sólo el tiempo necesario y tan pronto acababa de comer se ponía a estudiar, pero no quería ponerse los tratamientos de la cara ni lavársela cuando menos tres veces al día, como lo tenía indicado, porque, en su afán de llamar la atención y mostrar que ahora sí no dilapidaba ni un minuto, decía que "no quería perder tiempo". Por esto también fue reprendida y tuvieron que marcarle horarios para que no fuera tan exagerada. Tenía que dedicar a su cara treinta minutos tres veces al día, mañana, tarde y noche, y se le determinaron también tiempos para ir al baño y para comer. Pero sé que hubo épocas en que hacía de cuatro a seis comidas bien servidas al día.

¡Que no diga ahora que no comía porque miente! Estaba en edad de crecer y era muy alta, y si crecía más y cuidaba la figura podría sacar ventaja en su carrera artística. Y efectivamente, Karina llegó midiendo aproximadamente 1.67 y en menos de un año llegó a medir 1.72. Y como el acné no desaparecía, empezaron a quitar de su alimentación cosas como chocolates, grasas, aguacates, nueces y todo aquello que le provocara granos y espinillas. Eso le dolía mucho a Karina, que adoraba comer papas fritas, las que no se le negaron del todo siempre y cuando les secara bien el aceite con una servilleta. Estas cosas me las contaba Mary o Katya u otra de las muchachas, y en ocasiones me tocó verlo, por ejemplo durante la filmación de *Una papa sin catsup*, donde hizo un papelito. A veces íbamos al restaurante y la veía secando con servilletas sus papas fritas, luego la escuchaba rogar por un pastel de chocolate que no le concedían. Como el problema de acné era fuerte, le hacían vaporizaciones, y el mal no cedía. Quienes han padecido la enfermedad saben que no es fácil hallar remedio; en ocasiones parece haber mejoría y de un día para otro la cosa empeora.

En esos días, aprovechando un descanso, Karina me habló de su familia y me mostró un cuento que había escrito en los ratos libres. Indudablemente Karina tenía carácter, era imaginativa y se creía rebelde e independiente. Cuando llamaba a su casa o le hablaban, hacía caras como si le fastidiara hablar con sus papás. En una ocasión me dijo que sus papás hacían lo que ella quería, y sus padres lo confirman en su denuncia, cuando explican que la dejaron ir a los 12 años porque la niña quería.

—Hice llorar a mi papá por como le hablé —me dijo un día.

—¿Por qué hiciste eso, Karina?

—Pues porque no le daba dinero a mi mamá. Y yo quería ir con mis amigas a tomar unas malteadas y como tampoco me quería dar dinero, le dije un montón de cosas. Que era injusto que nos tuviera así. Y le hablé fuerte y le exigí hasta que llorando me dio el dinero y me fui con mis amigas.

—Eso no estuvo bien, Karina, tu papá está enfermo.

—Es que mi mamá me aconseja que lo haga porque sufre mucho. Imagínate, mi abuela, la mamá de mi papá, la odia porque nunca quiso que se casara con mi papá. Por eso, aunque mi abuela tiene dinero, no ayuda a mi papá y todo por fregar a mi mamá. Prefiero mantener y ayudar a sus otros hijos sanos que a mi papá, que está enfermo.

—¿Y eso hace a tu papá merecedor de tus reproches? ¿Qué no sería mejor que lo apoyaras, que le dieras consuelo?

—No, sí. Pero es que también mi mamá sufre mucho. Imagínatela sin dinero, insatisfecha sexualmente, joven y soportando a un marido en silla de ruedas, y que no le da ni lo mínimo.

Escuchándola imaginaba la escena: el papá en una silla de ruedas y sin dinero. El señor era mantenido por su madre, la abuela de Karina, pero la situación económica era muy mala, aunque tenían un taller de reparaciones o algo así. Imaginé a Karina gritándole a su papá y exigiéndole dinero con toda la inconciencia del mundo, instigada por su mamá. Karina tenía conceptos muy distorsionados de la compasión y la justicia.

—¿Eso te dijo tu mamá o te lo imaginas?

—Ella me dijo y yo lo he visto. Además, quien dormía con mi mamá era yo, no mi papá.

En ese momento me cayó gorda su mamá, me la imaginé poniendo a la hija en contra del padre en silla de ruedas y me pareció impropio de una madre hablar con la hija de 12 años de insatisfacción sexual. Yo estoy en favor de la información sexual a los jóvenes en las escuelas, pero eso, lo de Karina y su mamá, me pareció chantaje sentimental e información excesiva y cruel. De modo que me puse a defender a su papá.

—¿Pues qué tu mamá no está sana, gorda y joven?

—Bueno, sí.

—¿Entonces, por qué no trabaja?

—No sé, creo que no sabe en qué. Y es difícil...

—No, Karinita, discúlpame. Cuando uno quiere trabajar trabaja, vendiendo ropa, haciendo dulces o lo que sea. No lo hace porque no quiere (mi mamá, cuando se necesitó, trabajó y bien duro, aun estando embarazada y con todos nosotros chiquitos). No, Karina, tu mamá si quisiera podría hacerlo, se casó con tu papá y prometió estar con él en las buenas y en las malas, amarlo y respetarlo. En vez de meterte ideas contra tu papá y tu abuela, debería dejar de ser una mantenida y ayudar con algo a la familia.

No recuerdo qué tantas cosas le dije, y le pedí que recapacitara, ser así no era muestra de carácter ni de rebeldía. Tiempo después me dijo que sentía remordimiento por haberse portado así con su papá (y otra vez me acordé de Aline).

Mientras las invitaciones a comer y a cenar en restaurantes en la casa de Patricia Chapoy eran cada vez más frecuentes. En una de esas ocasiones fue invitado a casa de la Chapoy el señor Ricardo Salinas Pliego, dueño de TV Azteca, para conocerme. Platicamos durante varias horas. En esa ocasión todo fue agradable, excepto que el señor dedicó buen tiempo a echar pestes de Héctor Suárez, diciendo que estaba loco al pedir no sé qué cantidades. Esos comentarios se me hicieron impropios de una persona educada y con tanto poder; además el programa de Héctor era lo único que en aquella época se salvaba en la programación de TV Azteca. Me pareció desleal y chismoso, y por otro lado me sobó el lomo y dijo que no le interesaba ningún artista de Televisa, que en Televisa andaban como loquitos contratando en exclusiva a sus artistas y a él ni le interesaban, con excepción de Luis Miguel, Juan Gabriel y Gloria Trevi.

Esos comentarios no reflejaban la "nueva filosofía" que en apariencia tenía su proyecto de televisión. Paty afirmaba que Televisa era un monopolio que fabricaba artistas de cartón, estupidizaba al público, mantenía un nivel artístico mediocre y hacía la pala a la corrupta política mexicana por lo que ¡TV Azteca era la nueva opción! ¡El fin del monopolio! ¡La libre competencia!

Hablamos de firmar un contrato de exclusividad, pero hicieron la llorona. Pedí varios millones y querían ganarme a base de salivazos. Harían un esfuerzo, aseguraron, pero pedían que bajáramos nuestras pretensiones. Un día nos invitaron a comer a casa de Salinas Pliego, contrataron meseros y asistieron unas cuantas amistades, algunos ejecutivos de la empresa. El ambiente era casi íntimo, y cuando los invitados se fueron, nos pusimos a hablar de negocios, mientras la esposa de Ricardo Salinas daba tumbos por la casa.

Sentados a la mesa después de comer, la señora quería que el postre se sirviera en la sala. Ricardo Salinas dijo que mejor allí, en la mesa y ella insistió que en la sala. Se armó una discusión muy desagradable (yo no le veía caso... ¿por el postre?) y al final se hizo lo que quería la señora. Nos pasaron a la sala y, como grata sorpresa, el postre, traído de mi tierra natal, consistía en piloncillo con nuez Monterrey, que me encanta; olvidé cualquier restricción en la comida y me atasqué de piloncillo con nuez mientras Sergio discutía mi contratación. Luego, con toda la pena del mundo, pedí pasar al baño y me dijeron dónde era. Estaba en una especie de pasillo y entré. Cuando salí, ante la puerta estaba el dueño de la casa. Al verlo primero me asusté, luego me dio pena. Me extrañó, se me ocurrió que también quería pasar al baño, pero me detuvo y quedé entre él y la pared. Me dijo:

—Gloria, siento mucho los desfiguros de mi esposa, es que es alcohólica y no se controla.

Pensé: qué mala onda de decir eso de su esposa, lo mismo tiene sus laberintos o se siente mal o simplemente está cansada o harta. Y contesté restando importancia a los hechos:

—No, hombre, no te apures. Es muy guapa y simpática y cada quien tiene su carácter.

—No sabes lo que es para mí, Gloria. Me siento muy solo, muy mal...

¡Chin!, pensé, está usando la táctica del marido incomprendido. Aparte, me molestaba que hablara mal de su mujer y en su propia casa. Me sentía incómoda y quise volver a donde estaba todo mundo. ¡Caramba!, siempre iba acompañada a cualquier junta para evitar ese tipo de cosas y era increíble, en el más insignificante descuido el señor se ponía a hablar íntimamente conmigo, tratando de verse seductor.

—Ay, Gloria, sería capaz de darle todo lo que quisiera, poder, amor, todo, a la mujer que…

Y no escuché más porque sentí en la ingle el ligero roce de una de sus manos. Pegué un salto, le aventé la mano y crucé la barrera que formaba con el otro brazo y el cuerpo. ¡Con razón se le enojaba la señora!

Retorné a la sala y no dije nada. Sergio estaba allí hablando. Todo había sucedido en menos de 15 minutos. No conté a nadie lo sucedido y tres o cuatro minutos después regresó el señor Ricardo Salinas Pliego con una falsa sonrisa, como si nada, comentando bobadas que no recuerdo. En la primera oportunidad, discretamente le dije a Sergio que quería irme, estaba cansada, y poco después nos fuimos. En esa ocasión no se llegó a acuerdo alguno, pero las negociaciones continuaban. La próxima vez que nos vimos Salinas Pliego y yo, ambos fingimos demencia, como si nada hubiese pasado. Llegué a pensar que quien andaba con copas era él, no la señora, y a lo mejor ni se acordaba. Pero no pude dejar de sentir cierta incomodidad y procuré guardar las distancias. Pero en TV Azteca eran sumamente atentos conmigo y se iniciaron planes para una telenovela.

En esos días llegó de Argentina una muchacha llamada Liliana Soledad Regueiro, de 17 o 18 años, que tres o cuatro años atrás había audicionado con Sergio sin pasar las pruebas y venía a probar suerte de nuevo. Consiguió quedarse a trabajar como coreógrafa. Daba clases de baile a las muchachas, incluida Karina, y montaba coreografías para las canciones de Mary.

Se estaba acabando 1995. Mary fue invitada por TV Azteca a cantar en el concurso Señorita México que organizaron y allí Katya conoció a Guadalupe, una de las participantes, y la invitó a una audición, pues la telenovela exigía hacer *castings* de hombres, mujeres y niños. Guadalupe pasó la prueba no por talentosa sino por su tipo, pues la telenovela requería una mujer tipo indígena y guapa. Pero eso no era cosa de mi incumbencia.

En el ínterin, al aproximarse el final del año 1995 y con el programa especial de mi calendario 95 sin exhibirse, Sergio lo ofreció como producción independiente a Televisa, que no quiso tomarlo y aprovechó para presionar. Me contrataba con ellos en exclusiva o no promovían lo del calendario.

¡Sorpresa! Sergio ofreció el programa de la presentación del calendario a TV Azteca, que inmediatamente lo tomó. Sabían que si me presentaba en TV Azteca o permitía que pasaran mi programa especial sería vetada por Televisa, que pese a todo era el líder, la tradición. TV Azteca casi ni patrocinadores tenía. Pensé que eran el pequeño contra el gigante y decidí correr el riesgo con ellos.

TV Azteca contrató el especial. Consiguieron patrocinadores nuevos y los ojos de México empezaron a ver en TV Azteca algo más. Sin embargo, recordaba ciertos comentarios de Salinas Pliego en torno a Héctor Suárez, diciendo burlón que como estaba vetado por Televisa no le quedaba otra, estaba ahorcado y se tenía que aguantar.

Desgraciadamente no hice caso de mi sexto sentido y dejé pasar las cosas. Exhibieron el programa en TV Azteca y fui vetada por Televisa. Las negociaciones con TV Azteca se empantanaron porque repentinamente ya no tenían presupuesto para contratarme por la cantidad que pedía la empresa que me representaba. Fue una jugada chueca: me hablaban bonito pero no había nada concreto. Suponían que, como a Héctor Suárez, no me quedaba otra.

En Televisa estaba muerta. Aunque no hablaban de mí, no pudieron deshacerse de mi imagen, pues tenían que pasar un comercial de lavaplatos Axión en que yo salía. De ahí en fuera, no existía en Televisa.

Mary, que acababa de lanzar su disco, en acto de solidaridad aceptó trabajar para TV Azteca, en una época en que los artistas temían que Televisa los castigara. Sergio, que deseaba hacer más producciones independientes, quiso llegar a un acuerdo y propuso que hiciéramos una telenovela, cediendo los derechos para exhibirla en México y conservando los derechos de venta en el extranjero.

Se firmó contrato con TV Azteca y comenzaron los preparativos: guiones, *castings*, selección de locaciones, todo. Y aquí hace su aparición Guadalupe. Desde que la conocí me hizo corto circuito. Era hipócrita, estúpida, convenenciera, y además me parecía fea, y más pronto que rápido andaba de resbalosa con Sergio (razón para que me cayera peor). La verdad no era difícil imaginar como había conseguido ser señorita Guerrero —aunque nacida en Chiapas—, pues tenía unas nalgotas que la ayudaban a escalar posiciones. Pero no la tragaba (y miren que para que yo no trague a alguien…), con su actitud de mosca muerta, sin pechos, nariz de guajolote, cejas como carretera de Orizaba y piernas cortas y peludas.

A Sergio le gustaba la india tájuara. Lo de india no lo digo despectivamente, era el papel que representaría en la telenovela, una india bonita. Para lo de india no había problema, ¿pero cómo conseguir que se viera bonita? Encontró el modo. Con unos palitos comprados en la farmacia que se metía en la nariz y se la levantaban, pintándose las cejas con un molde de plástico, con rellenos en el *brassiere* y ropa que le realzaba las nalgas. Daba el golpe, por no decir el gatazo.

Perdón por mi crudeza, pero no soportaba sus pláticas estúpidas sobre físicoculturismo y sus clases y torneos de tae-kwan-do, y la evitaba en lo posible. A diferencia de Karina, Wendy, Sonia y otras, Guadalupe invariablemente estaba donde Sergio se hallaba y era empalagosa como azúcar quemada e igual de pegajosa. Trataba yo de sobrellevarla, pero, ¡Dios!, lo que me costaba. En un estudio montado por Sergio y Mary en la casa de Mary en Cuernavaca, hice un nuevo disco que fue lanzado discretamente, pues no contaba con Televisa y con TV Azteca seguíamos negociando.

En la radio fue un éxito y también en ventas, sólo que un éxito modesto en comparación de los discos anteriores. TV Azteca empezó a poner mi disco completo para abrir y cerrar programación.

A escasas semanas de iniciar la grabación de la novela, Sergio descubrió una trampa en el contrato con TV Azteca. La empresa productora, Conexiones americanas, se comprometía a pagar las repeticiones de la novela a los artistas, y con que la novela fuera repetida sólo una vez en TV Azteca, Conexiones americanas tendría una súper deuda y no obtendríamos más pago de la televisora.

Sergio habló con ellos y consiguió revocar el contrato, así que el proyecto de la novela quedó en *stand by*. Si querían la novela tendrían que ser los productores y pagarme dos millones de dólares. Comenzó un estira y afloja, más invitaciones a comer y a cenar, Patricia Chapoy era la principal intermediaria y eran frecuentes las invitaciones a comer a su casa, a comer en el restaurante Zambezi, y a veces ella y su esposo fueron a comer a casa de Sergio. La Chapoy se colgaría una medalla si lograba firmarme para TV Azteca y se desvivía adulándome, me decía "mi muñequita".

Sergio empezó a sentir un dolor en la espalda y a sufrir extrañas bajas de presión y taquicardias. Se hizo exámenes y le sacaron radiografías en el hospital Ángeles de México. Le detectaron algo que le estaba desviando la columna en la región lumbar, parecía un tumor cancerígeno y para saberlo tendrían que hacerle más exámenes u operar. Mas por el lugar en que el tumor se hallaba, sería difícil extirparlo, pues se corría gran riesgo de que Sergio quedara paralítico. Era indispensable buscar a los mejores especialistas. Me sentía muy angustiada y temía lo peor, y fue cuando hice una promesa a la virgen de Guadalupe.

Cuando hice la promesa aún tenía un compromiso que debía cumplir: unos conciertos en el Auditorio Nacional que serían grabados para un especial, "Concierto en vivo", por TV Azteca. Como no estaba trabajando al ritmo de los últimos años, descansaba algo más y comía normalmente, había aumentado unos 10 o 12 kilos. Aunque no se me veían mal, pues previamente estaba delgada en exceso, no me sentía cómoda y me urgía quitármelos antes de los conciertos. Para bajar de peso materialmente me mataba de hambre; dejé de comer días enteros y hacía ejercicio con trajes de plástico para sudar más. Y aunque no perdí todos aquellos kilos, si disminuí ocho o nueve para el día en que me presenté en el Auditorio Nacional. Allí anuncié que me retiraría. El retiro en parte se debía a la promesa y en parte a las traiciones y los robos. Además, necesitaba un año sabático.

Empecé a desear una vida tranquila, normal, tener hijos, disfrutar más las cosas y no vivir, como hasta entonces, encerrada en hoteles y camerinos, y no tener que salir con cachuchas; en fin, hacer lo que hacían las demás personas. Sabía que extrañaría a mi público, pero eran honestas mis intenciones, sentimientos y acciones.

Patricia Chapoy fue a Los Ángeles a ver a Sergio cuando estaba en tratamiento (¿por qué no lo cuenta ahora?, a ella le consta que Sergio estaba enfermo) y le regaló libros de dianética para que con la mente controlara la enfermedad. No lo acompañé en ese periodo. No quiso, no sé si por dignidad o (lo más seguro) porque otras personas lo atendían. Yo realmente lloraba y rezaba mucho por él, temía que muriera. Yo lo amaba.

Pasaron meses y supe que empezó a recuperarse, a sentirse mejor y a trabajar de nuevo, pero me negué a dar conciertos hasta que estuviera totalmente curado. Al parecer el tumor había disminuido con medicamentos y Sergio estaba en franca recuperación, cosa que atribuí a mi promesa. Y retomamos las negociaciones con TV Azteca.

La actitud de los directores de TV Azteca era prepotente. TV Azteca había conseguido éxitos que la convertían en competencia seria para Televisa. Aparte de los especiales con Gloria Trevi, una telenovela de éxito llamada "Nada personal", y el programa "Ventaneando", así como series de éxito del tamaño de "Los Simpson", "La niñera" y "El rey del rap", que los colocaban en el gusto del público joven, que se sentía defraudado por Televisa dada la forma en que informaba del acontecer político y de la cuestión de Chiapas. Por ese motivo se le subieron los humos a los de TV Azteca y, mientras negociábamos, yo, que siempre traté de analizar las noticias, sin dejarme llevar por lo que dicen para manipular la opinión pública, sino forjando mi punto de vista, empecé a darme cuenta de que algo olía mal, algo apestaba a podrido.

En algún periódico, en notas pequeñas y tímidas, empezó a comentarse una posible investigación por la adquisición ilícita de TV Azteca. Se decía que la licitación había sido una farsa, pues la puso en venta Carlos Salinas de Gortari y para la adquisición prestó dinero su hermano Raúl.

Raúl Salinas de Gortari se hallaba en tremendo problema, acusado de robar dinero del pueblo, y se le creía involucrado en el asesinato de José Francisco Ruiz Massieu. Eso se rumoreaba, pero yo no quería dar crédito y pensé que podía tratarse de una táctica de Televisa para desprestigiar a la competencia. Habría de llevarme una gran sorpresa.

Por otra parte, veía que TV Azteca criticaba en forma muy agresiva a Ana Colchero, a Héctor Suárez y Guy Ecker, y sentí que en la televisora no eran éticos ni agradecidos ni nada. Pero no quería dar mi brazo a torcer con Televisa. No me convenía porque la empresa estaba quemada con el pueblo, que relacionaba a Televisa con el sexenio que acababa de terminar y había dejado el país en crisis. Sin embargo, TV Azteca tenía mayor relación e intimidad con el sexenio de Salinas de Gortari, sólo que el pueblo, el público, no lo sabía. Y yo misma no lo acababa de creer. Mientras tanto, no trabajaba y podía dedicar mis días a disfrutar la vida, aunque por lo general encerrada.

Iba a Cuernavaca y pasaba los días componiendo, cocinando para mis amigas y viendo películas rentadas. A veces iba al cine, pero siempre disfrazada porque a mis amigas les incomodaba que me reconociera la gente y tuviera que dar autógrafos, pues para ellas se acababa la diversión, tenían que apartar a la gente y sacarme del lugar cuando la película o la comida aún no habían terminado. Cuando me quejaba de sobreprotección, Sergio y ellas me expresaban la preocupación de que me secuestraran o un loco me matara, como sucedió con Selena y John Lennon.

Me convencieron de que para salir debía hacerlo de manera que no fuera reconocida fácilmente. Debía ocultar mi cabellera con una gorra, negra de preferencia, y usar lentes de sol, ropa suelta oscura, nada de colores que llamaran la atención. Era la única forma de salir, y para evitar discusiones con mis amigas, acepté.

A veces alguna de las muchachas se disfrazaba como yo, dizque por solidaridad, y bromeaban al respecto. Salir así primero me pareció divertido, pero luego sentí odio hacia la gorra y esas ropas. No se crea que toda mi ropa consistía en medias rotas, ¡para nada! Tenía un vestuario precioso, pero quienes lo aprovechaban eran mis amigas, inclusive un saco de mink y zorro que me regaló mi mamá. Pero el hecho era que, o me vestía así, o ellas no me sacaban ni me acompañaban, que era lo mismo, porque nunca me dejaban andar sola. Si alguien fue cuidada, seguida o vigilada fui yo, no ellas, a quienes nunca vigilé.

Me gustaba cocinar y, si quería escoger ingredientes en el súper, era una historia convencer a mis amigas de que me llevaran. Y cuando al fin salíamos, exageraban. Mientras yo escogía productos, observaban hacia todos lados y trataban de cubrirme para que la gente no me viera y, lógico, esas actitudes llamaban más la atención. Me prohibían hablar porque, según ellas, mi voz era muy característica y me delataría. Con tal de salir aceptaba. Lo único que quería era elegir aguacates, quesos, carnes, verduras y frutas que luego mis amigas se comerían. Pero casi siempre, en mitad de la compra, una de ellas decía "ya te reconocieron" y, en efecto, una o unas personas me señalaban y no faltaba quien se aproximara con papel y lápiz. En ese momento alguna de las muchachas me llevaba caminando rápido al auto y dejábamos en el carrito de compras lo escogido. En general, la persona que iba por el autógrafo no nos seguía, pues no estaba segura; pero a veces nos alcanzaba y en cuanto le firmaba solía gritar: "¡Sí, es Gloria Trevi!", y se empezaba acercar mucha gente. Mis amigas se ponían nerviosas, se molestaban conmigo y le hablaban de mal modo a mis fans.

En una ocasión un chavito nos siguió y me pidió el autógrafo. La amiga que me acompañaba al auto abruptamente, y de mal modo, le dijo al fan:

—¡No es Gloria Trevi!

El muchacho quedó petrificado.

—Espera. Sí soy Gloria Trevi —dije. Me le acerqué y con una sonrisa le di el autógrafo. Y sucedió lo que tenía que suceder, la gente se acercó y repartí autógrafos. Ya en el coche mi amiga me reclamó y me regañó.

—Te encanta que te pidan autógrafos. Nada más andas buscando eso.

—No es que lo busque, sino que tengo un compromiso con mi público.

—Lo que no tienes es conciencia de mi responsabilidad. Así que si digo que no eres, por favor cállate.

—Óyeme, no me hables así.

Y ella, cambiando el tono de voz pero sin cambiar de actitud me dijo:

—Mira, tú serás Gloria Trevi, pero para mí eres como una hermana. Y no te estoy pidiendo algo para tu mal; es más si tanto quieres a tus fans hazlo por ellos. Tú sabes que cuando se amontonan y no hay suficiente seguridad se atropellan y podrían lastimarte. Y si algo te pasa yo seré la responsable.

Otras dos amigas aprobaban lo que decía.

Acepté la lógica del razonamiento, pero en una ocasión en que sucedió algo similar y le dijeron a una fan que yo no era Gloria Trevi y me quedé callada, vi la decepción de la joven y me sentí culpable, hipócrita, y no pude evitar echarme a llorar en el carro.

Me empecé a sentir prisionera. Cuando trabajaba al menos no tenía que andar con una gorra, ni esconderme. En ocasiones me divertía, pero llegaba a desesperarme con tanto "no puedes", "no es conveniente", dizque por mi seguridad. En realidad para que las amigas pudieran divertirse tranquilas. Y todavía se atreven a decir que estaban encerradas. ¡Encerrada yo! Ellas se paseaban, viajaban y tragaban gracias al dinero que yo ganaba.

Entre Sergio y yo no había relación de pareja, pero de cualquier forma las demás se cuidaban de no mostrar la relación que tenían con él. Lo mío no pasaba de ser una sospecha. Veía sus miradas maliciosas, escuchaba sus risitas. Luego supe que me traían de su tonta, se dedicaban a ocultarme, a mí, la gallina de los huevos de oro, lo que tramaban y hacían. Cuando unas accedían a llevarme algún lado, era seguramente porque otras chacoteaban con Sergio. A esas alturas sabían que estaba enamorada de Sergio y por supuesto no deseaban que les fuera a dar el revirón. Luego, ¿de quién vivirían?, ¿de quién tragarían? Bola de...

Así y aunque mis sospechas de su relación con Sergio me parecieran bien fundadas, ¿qué podía reclamar? Entre él y yo no había ese tipo de relación. Pero me dolía la situación, y aunque tratara de arrancarme de cerebro y corazón esos sentimientos, estaban allí arraigados. Me gustaba estar con Sergio, aunque estuvieran siempre por ahí vigilantes las amigas. Me gustaba compartir ratos con él, platicar, comer, escuchar música, ver una película. A su lado me sentía tranquila, aunque no fuera para él lo que él era para mí.

Katya y Karla eran de la absoluta confianza de Sergio y se convirtieron en encargadas —con Susana R, Wendy y Gaby—, de *castings*, negociaciones y la contabilidad de la empresa.

A base de salivazos, TV Azteca continuaba tratando de convencerme de que trabajara con ellos. Por fin un día accedí y dije que lo mínimo que aceptaría por hacer una telenovela sería un millón de dólares. Hubo otro estira y afloja. No me moví de esa cifra aunque ellos argumentaban que no contaban con liquidez. Y un día Ricardo Salinas Pliego me citó para hacerme una propuesta concreta que me iba a gustar. Fui acompañada por Gabriela Olguín. Ricardo Salinas me hizo entrar a su oficina y me pidió hablar a solas, pero como yo no había olvidado lo que pasó en su casa, dije:

—Discúlpeme, señor, pero tengo absoluta confianza en esta persona. Si ella sale, yo también.

—¿Es de absoluta confianza?—dijo con una sonrisa a medio congelar, como diciendo "se me va viva la paloma".

—Absolutamente —respondí con mi mejor sonrisa.

—Pues bien, Gloria, ganaste. Vamos a hacer lo que tú quieres, vamos a pagarte lo que pides —sonreí de nuevo y continuó explicando—. Tenemos tanto interés en que trabajes con nosotros, que vamos a hacer un gran esfuerzo para que quedes contenta. Podemos firmar un contrato en el cual te comprometas a hacer la novela y te pagaremos trescientos mil dólares.

Mi semblante cambió. Me molestaba esa propuesta, puesto que bien sabía que estaba muy por debajo del millón de dólares que pedía. Estaba a punto de agradecer y retirarme cuando dijo.

—Todavía no termino, espérame tantito. Mira, por contrato pondríamos sólo trescientos mil dólares, pero por fuera te daríamos quinientos mil dólares. Yo que soy medio bruta (nada más medio) para ese tipo de cosas, como que no entendí lo que me decía.

—O sea... ¿cómo?

—Pues sí, Gloria. Por contrato te damos trescientos mil dólares y así no se me enojan los demás artistas si se enteran. Y por fuera te doy quinientos mil dólares libres de impuestos. Su actitud era como la del "villano reventón" que ofrecía un tesoro y su confianza.

—Te los podemos depositar donde quieras —continuó—, en las Islas Caimán, donde tú digas.

Al decir Islas Caimán lo decía como pensando que la naca de *Zapatos viejos* se iba a apantallar. Lo veía anonadada mientras me caía un veinte del tamaño del mundo y un gran frío empezaba a apoderarse de mi cuerpo. ¿Con quién diablos estaba tratando? Sin más protección que otra muchacha de mi edad y mis propias uñas. Sonreí y puse cara de me parece interesante. Él seguía explicando y me hacía cuentas.

—Mira, si recibieras por contrato un millón de dólares, tendrías que pagar a Hacienda el treinta por ciento y te quedarían setecientos mil. Lo que te propongo es lo mismo. Trescientos mil dólares por contrato, menos cien mil que entregas a Hacienda, te quedan doscientos mil. Más los quinientos mil por fuera, son los setecientos mil que quieres.

Y mencionando esto me sonreía como si me dijera te sacaste la lotería. Aunque el dinero que me quedaría era exactamente el mismo, lo grave era que Salinas Pliego me estaba proponiendo algo que yo no podía aceptar. Por mi cabeza pasaron ideas terribles. ¡Tenía que salir de ahí!

—Déjeme pensarlo y comentarlo con Sergio para ver cómo le podríamos hacer.

—Entonces, ¿vamos preparando el contrato?

—Sería bueno leerlo e ir definiendo.

—De verdad te queremos con nosotros.

—Y yo quiero estar con ustedes.

—Síguete conservando así de guapa.

—Gracias, es usted muy amable.

—No me hables de usted, dime Ricardo. Ya te dije.

—Bueno, debo irme porque tengo otras citas.

—Sí, yo también. Y no nos hagas esperar mucho.

—Claro que no. Esto ya está resuelto —dije, pero pensando: "resuelto que con ustedes no".

Salí de la oficina y afuera un ejecutivo de la empresa me hizo una seña digamos confidencial, como si supiera lo que me habían propuesto, y respondí igual. Gaby y yo salimos cadáveres, a paso acelerado. Gaby me dijo: "Espérame, casi vas corriendo". Yo quería salir de ahí cuanto antes.

Fuimos con Sergio y le conté todo. Sergio estuvo de acuerdo conmigo: en esas condiciones no aceptaríamos nada. Decidimos alejarnos unas semanitas de las negociaciones. Sergio se quedó en México arreglando unas cosas y yo me fui a Cuernavaca con algunas de las amigas. Acordamos encontrarnos en Playa Blanca Ixtapa, pero prefería quedarme en una suite del Westin que en la propiedad de Playa Blanca que yo suponía que era de Sergio.

Cuando estábamos en aquel puerto solíamos jugar básquetbol todos los días, rentábamos películas y volvía a preparar la comida para todos. Mary y yo competíamos para ver quién cocinaba mejor. Cuando no me quedaba en la casa sino en la *suite* del Westin, con albercas privadas, dos recámaras, sala y comedor enormes, y otra sala y un comedor más pequeño, *servibar* y todo lo demás, invitaba a mis amigas a comer en los distintos restaurantes del hotel.

Solía jugar con ellas juegos de mesa en las terrazas, que tienen una vista espectacular, y pedíamos todo lo que querían, a la carta, para picar si nos daba hambre. Claro, todas mis amigas me querían mucho y de corazón. Bola de muertas de hambre, ¡en su vida habían soñado con vivir y tragar así!, aparte de "noviar" con Sergio. Por supuesto, no se querían ir.

Sergio proponía juegos y concursos con premios y castigos, que consistían en ir a comer nieves o a restaurantes de lujo, o hasta salir de viaje, o, por el contrario, en lavar los platos o limpiar la casa. Muy pronto, mis amigas sugirieron otros premios como ganarse besos de Sergio o salir con él.

Al cabo de unos días, Sergio me dijo que eran ya muchos los recados de TV Azteca y lo mejor era contestar porque ya habían mandado el contrato, que por cierto tenía una cláusula aberrante que usaríamos de pretexto para no firmar. Pretendían que renunciara al pago de las repeticiones de la novela por 20 años. (Empecé a grabar mis conversaciones con ellos por si acaso, y que supieran que existían esas grabaciones quizá podría explicar el vandalismo en mis propiedades, ¿qué buscaban?, ¿quiénes?) Me comuniqué con Jorge Mendoza y me mostré inconforme con esa cláusula.

—Ay, Gloria, no es tan importante. Danos el sí, no te hagas del rogar.

—No me hago del rogar, pero ésa cláusula es un absurdo. Es como pretender que un trabajador renuncie a su jubilación.

—Cómo serás exagerada. Con lo que ganas no vas a necesitar jubilación.

—Con lo que ustedes quieren pagar la voy a necesitar doble.

—Cómo eres, paisanita. Después de la propuesta que te hizo Ricardo.

—Por eso mismo.

—Pues, ¿qué más quieres? Accedió a lo que querías, trescientos mil dólares por contrato y quinientos mil por fuera, en las Islas Caimán.

—Y dale con las Islas Caimán.

—Eres muy llorona, paisanita. Con la propuesta de Ricardo te van a quedar los setecientos mil dólares que quieres.

Me hervía la sangre con su tonito de voz. Yo no era buena en matemáticas, pero me quedaba claro que eran unos tramposos.

—Todo porque te queremos con nosotros. ¡Anda!, no me digas que no.

Estaba de malas y fui seca y cortante.

—Pues si no quitan esa cláusula, digo definitivamente que no.

—Las yeguas de mi corral no me dicen que no tantas veces —dijo con tono prepotente.

—No sé si tienes casa o corral, yeguas o vacas, pero te repito que, así como quieren, ¡no!

Escuché su risa forzada, irónica, molesta.

—Ay, Glorita, ¿no te das cuenta de que no te queda de otra?

Se refería a que estaba yo vetada en Televisa, o al menos eso se suponía.

—Ay, Jorgito. El mundo es muy ancho y prefiero vender quesadillas que aceptar algo que no quiero.

Nos despedimos como marca la educación, pero se percibía incomodidad. Colgamos y apagué la grabadora. Entregué el casete a una de las muchachas, que lo llevó a guardar. Estaba encendida contra ellos, contra su prepotencia, contra ese abusivo comentario de "no te queda otra".

Sergio quería ir a Coatzacoalcos y fuimos por carretera en dos camionetas con las inseparables amigas, puebleando y comiendo platillos regionales. Tres días en el puerto redundaron en tremendas indigestiones por las comilonas de tamales de elote, chicharrón de barriga con tortillas recién hechas, queso de teca, carne de Chinameca, totopos, plátanos fritos, pescados, aguas de horchata y de coco. Entre risas, indigestión y juegos, Sergio me animó.

—Gloria, háblale a Jorge Eduardo Murguía (un directivo de Televisa).

—Cómo crees, ya sabes qué va a decirme.

—Hasta el final dijeron que tenías abiertas las puertas de la empresa, y hace uno o dos meses llamó gente de Televisa a la oficina, sólo para saludarte.

¿Me habían hablado hacía uno o dos meses y hasta ahora me lo decían? ¿Quién había recibido la llamada? ¿Y por qué no me lo dijeron en el momento? Hoy, cada vez reparo más en que de las cosas que pasaban me enteraba mucho tiempo después. ¿Qué interés habría en que no me enterara?

—Está bien, voy a llamarle ahorita.

Y así, impulsivamente, desde el restaurante del hotel en que comíamos fui a la recepción y pedí la llamada a México. El ejecutivo fue muy amable y reiteró: "Las puertas están abiertas".

—¿De verdad?

—Sí, de verdad.

Me sentí como cuando, antes de grabar mi primer disco, regresé a casa de mi mamá y tuvimos un bonito reencuentro. Y pregunté:

—¿Bajo qué condiciones?

—Tú dices.

—Las mismas.

—Gloria, Televisa es tu casa.

Quedamos en vernos la semana siguiente. Y cuando llegué a Televisa causé revuelo. Como si vieran un fantasma. Nunca en Televisa se había levantado alguien de entre los muertos o habían recibido a un hijo pródigo. Aparte de la recontratación, con Jorge Eduardo Murguía hablé de varios temas, entre ellos de Ana Colchero, ex artista de Televisa que se había ido a TV Azteca y tenía broncas con esta empresa. La clase señala la diferencia. Pese a que Ana Colchero había dejado Televisa, Jorge Eduardo se expresó de ella con respeto, mientras que Ricardo Salinas echó pestes de ella y me contó ridículas anécdotas que me parecieron chismes de lavadero.

Al día siguiente los periódicos mencionaron mi visita a Televisa y no tardé en recibir llamada de TV Azteca. Era Jorge Mendoza.

—¿Qué pasó, Gloria? ¿Que fuiste a Televisa?

—Sí, Jorge.

—¿A poco te nos vas?

Lo pensé un instante. Decir que sí significaba afrontar ataques feroces —ya sabía cómo se las gastaban—. Y como nada tenía amarrado con Televisa, decidí representar un papel.

—No, claro que no, ellos me llamaron —no estaba faltando a la verdad.

—¿Para qué?

—Pues para platicar —respondí otra vez con la verdad—. Y para decirme que Televisa es mi casa y tengo las puertas abiertas.

El tono de voz de Mendoza cambió.

—¿Y qué piensas.

Usando la táctica de ellos (el que con lobos anda, a aullar se enseña), agregué:

—Claro que prefiero estar con ustedes, pero no quiero esa cláusula de renuncia a veinte años de repeticiones.

—Pues vamos a ver qué hacemos. ¡Ah qué muchachita! Si no te quisiéramos tanto…

Sorpresivamente se portaban menos prepotentes, menos seguros, más cariñosos y abiertos a la negociación. Y más pronto que inmediatamente Patricia Chapoy habló con Sergio. Ella siempre trataba los asuntos con él y yo nada más era la "muñequita". Sergio manejó las cosas de manera similar a como lo hice. No especulábamos, estábamos decididos a firmar con Televisa, pero abrir el juego en ese momento hubiera sido muy perjudicial, pues con la falta de ética de TV Azteca, en cuanto se enteraran de semejante decisión iniciarían un ataque infernal, dirían que no me querían e incluso podrían provocar una devaluación del trato con Televisa, como ocurrió con ellos al anunciarse que había sido vetada en Televisa. ¡No me volvería a pasar! Por eso, a los medios que cubrían la pequeña guerra entre las dos televisoras, les decía que no estaba decidida. Sin embargo TV Azteca ya cantaba victoria y vendía comerciales asegurando que formaría parte de su elenco (aun sin tenerme firmada).

El contrato con Televisa casi estaba listo y se había fijado fecha para la firma. Jorge Mendoza me llamó para, de parte de Ricardo Salinas Pliego, decirme que yo ganaba, quitarían la cláusula que me incomodaba y estaban listos para firmar. Busqué un pretexto y lo primero que se me ocurrió fue decir que mi papá se había enfermado comiendo camarones en Ciudad Victoria y yo estaría unos tres días por allá.

¿Cómo? ¡No lo sé! Pero consiguieron el teléfono de mi papá y le dijeron que mandarían un avión particular por mí para firmar el contrato y luego me regresarían (ahora sí les urgía). Mi papá se hizo perdedizo, no quería ni hablar con ellos porque odia mentir, y aunque se molestó conmigo tampoco me iba a echar de cabeza.

Al día siguiente estaba yo en Televisa con la crema y nata de los ejecutivos, lista para firmar el contrato. Pedí permiso para pasar al tocador y desde un celular, en el baño de la oficina de Jorge Eduardo Murguía, le llamé a Ricardo Salinas Pliego. Sentía que por mi voz, y no a través de los medios, debía saber que me decidía por Televisa. Ricardo me contestó con voz animada.

—Gloria, te estamos esperando, tenemos todo listo.

—Ricardo, sólo llamé para agradecer las atenciones. Pero me decidí por Televisa y estoy por firmar.

Un silencio sepulcral. Al fin:

—Como quieras.

La voz sonó helada. Colgó sin decir adiós. Salí del baño con mi *look* estrafalario. Me esperaban el contrato, la pluma, un cheque por varios millones de dólares, varias llamadas telefónicas, una de ellas del Tigre, don Emilio Azcárraga, de Sergio, de Jorge Eduardo Murguía, de Max Arteaga. Tomé la pluma, firmé. Muchos periodistas esperaban en el salón de convenciones. Se había anunciado una sorpresa. No sabían que se trataba de mi retorno a Televisa de entre los muertos.

Según algunas publicaciones, Televisa solapaba la corrupción política, encubría al gobierno salinista al ocultar ciertas noticias. El público no recibía sino media información, información ampliamente censurada con el fin de no hacer manifiesta la corrupción. Y el pueblo se sentía engañado y defraudado.

No faltó quien me dijera que mi decisión podría provocarme rechazos, pues en repetidas ocasiones había yo manifestado mi inconformidad con ese tipo de manejos que engañaban al pueblo. Y el pueblo era mi público y Televisa era una etiqueta que en esos momentos políticos y sociales de México podía deteriorar mi imagen de opositora, rebelde, siempre en la vanguardia. Iba a parecer que me había vendido.

Sólo yo conocía la realidad y no quería o no podía hablar de las verdaderas razones para no firmar con TV Azteca. No quería decir que si en Televisa algo andaba mal, en TV Azteca todo era mil veces peor. Y si en Televisa manipulaban la información, en TV Azteca germinaba el engaño.

Mi naturaleza no es destructora sino creativa y presentía que era peligroso dar mis razones. Al entrar al salón lleno de reporteros se hizo un gran silencio y percibí vibraciones desagradables. Empezaron los *flashes* y el murmullo de los reporteros. Televisa había ganado esta batalla. ¡Yo era el trofeo!

—¿Por qué Televisa? ¿Fue poca cosa para ti TV Azteca?

Los periodistas abrieron fuego con agresividad. Lo esperaba.

—No es eso. Las dos empresas son maravillosas y es excelente que en México exista la competencia para incentivar la superación. Sólo que por mis planes y proyectos me pareció mejor quedarme en una empresa con mayor proyección internacional y experiencia.

—¿Ofreció más dinero Televisa?

—Me demostró más amor y deseo (algunos periodistas rieron) de tenerme en su casa.

Y el bombardeo siguió con una fuerte carga agresiva.

—¡Es hora!— me dijeron. Mientras caminaba por los pasillos de Televisa seguida por maquillistas y peinadores que continuaban aliñándome, Sergio me repetía:

—¡Muy lista!

Me esperaban en el programa "24 Horas" de Jacobo Zabludovsky, el más importante programa de noticias con el más importante periodista del país. Me haría una entrevista y la noticia circularía por todo México con bombos y platillos. La entrevista resultó agradable. Ostentaban el triunfo sobre TV Azteca, un triunfo que no disfrutaríamos. Al firmar con ellos, no sabía que firmaba mi desgracia.

## Capítulo doce

# ...y nuevo contrato con Televisa

El compromiso con Televisa me obligaba a realizar programas de televisión como conductora, programas especiales, telenovelas, películas y calendarios. Por consejo de los abogados que Sergio me presentó, para protegerme legalmente el contrato de Televisa fue firmado con una empresa a la que cedí mis derechos llamada Conexiones americanas, que hasta donde sabía pertenecía a Sergio Andrade. Así, firmé el contrato con una confianza total en una empresa sana y que empezaba a cobrar valor.

Planeaba qué hacer con el dinero del contrato de Televisa (el 33% pertenecía a Sergio como mi representante) cuando en una conversación telefónica con mi madre me enteré de que estaba vendiendo una propiedad importante que me gustaba. Acordamos el precio, hablé con Sergio y quedamos en que Conexiones la compraría para mí con mi dinero. La propiedad pasaba a mi nombre y el pago que me hacía Conexiones quedaba garantizado con la propiedad. Casi todo lo que me correspondía del anticipo se invirtió en la adquisición de esa propiedad. Me sentía feliz, pues podría darle a mi mamá algo más que pagarés cobrables en el futuro.

En breve comenzaría a trabajar. Lo primero que propuso Televisa fue un programa diario, una nueva versión de un programa de gran éxito de los años ochenta llamado XETU. La nueva versión se llamaría XETU-Remix. Muchas ideas del programa me encantaban, otras no. Me gustaba la idea de llegar volando colgada por cables y la idea futurista del programa, pero detestaba el lenguaje complicado que deberíamos usar. Por ejemplo, en vez de decir "te ganaste cinco mil pesos", diríamos "te ganaste cinco mil XETU baits". Prefería un lenguaje más coloquial. Los programas según el día de la semana, tenían una temática distinta. Un día tres concursantes trataban de hacer realidad el sueño de salir con su artista favorito. Otro tema era un juicio que siempre me pareció una idea inconclusa. Otro, un concurso de gente del público para ganar dinero, coches. Y así cada día. Los preparativos se hacían con todo el corazón, ganas y presupuesto.

Por esas fechas apareció una hermana de Katya y Karla, una chica llamada Karola, más bonita que sus hermanas, que había venido, según ellas, a pasar unos días de vacaciones. A diferencia de sus hermanas nunca había sido fan mía, y nunca me llevé con ella como me llevaba con sus hermanas. Karola tenía sus desplantes y me lanzaba pequeñas agresiones. Pero pensé que pronto acabarían las vacaciones y regresaría su casa. Sorpresita que me esperaba. Se hinchó como los sapos y ni quien la echara fuera.

En el equipo estaban también Susana, una muchacha de veintitantos años, y Liliana, la argentina de 18. Se compró una casa no supe a nombre de quién. Modesta, pero acogedora y práctica. En ésa época empecé a darme cuenta de que los hombres del equipo, que eran los más, empezaron a ser cada vez menos. Predominaban las mujeres, lo mismo en el grupo musical que en la oficina. No me di cuenta cómo, pero así estaban las cosas. Katya y Karla, que eran de toda la confianza, manejaban las cosas de la oficina: entrevistas, *castings*, contratación y despidos de personal. Nunca fui consultada y si no me corrieron fue porque de qué iban a vivir, tragar y robar. Hacían lo que querían aprovechando que casi no las veía. Pero en ciertas ocasiones nos juntábamos y caí en cuenta de que eran demasiadas mujeres. Mary, Gabriela, Sonia, Marlene, Karla, Katya, Karola, Karina, Wendy, Susana, Guadalupe, Lilian, Edith, y esta última invitó a su hermana Tamara, de la que nunca supe cómo ni cuándo llegó ni qué hacía. La oficina solía estar llena de gente extraña que entraba y salía y supuestamente trabajaba para mí.

Karina era buena pianista gracias a las enseñanzas de Sergio y Sonia hacía percusiones. Karla, Gabriela, Wendy, Susana y Katya ayudaban en las áreas administrativa y de producción y de vez en cuando en cuestiones artísticas. Guadalupe era la querida de Sergio, inútil pegoste que dándoselas de saber tae-kwan-do ayudaba en el renglón de seguridad, pero no hacía casi nada. No se iba pese a que la novela en la que iba a participar en TV Azteca hacía mucho tiempo se había cancelado.

Edith, a la que casi nunca veía, era otro misterio. En un principio, aprovechando que teníamos la misma estatura, complexión física, color y largo de cabello, se hacía pasar por mí para ayudar a que saliera yo de los lugares donde había mucha gente, distrayéndola mientras yo salía por otro lado. Pero hacía mucho tiempo que, como había engordado, ni para eso servía, y entonces comenzó a portarse muy atenta con tal de no irse.

Tamara, la hermana de Edith, esa sí quién sabe qué hacía. Casi nunca conversamos, ni nada. Era feúcha, opaca, acomplejada y envidiaba a su hermana, según la propia Edith. De estas dos chilenas nada me hizo pensar que tuvieran algo que ver con Sergio.

Liliana montaba coreografías y daba clases de baile. Me caía muy bien, era súper alegre, le gustaba dibujar como a mí y era buena para chacharear. Karola no hacía nada, fuera resbalársele a Sergio, hacerle competencia a Karina, intrigar contra todas —incluidas sus hermanas— y tratar de fastidiarme.

Claudia Rosas era excelente baterista desde la época de Boquitas Pintadas. Tenía casa en México y no se quedaba con el grupo.

Como dije antes, percibía que, si no todas, varias tenían o habían tenido relación íntima con Sergio. Aunque luego me decía a mí misma: "Como tú lo quieres ves moros con tranchetes. Celos, Gloria, son celos, no seas mal pensada". Pero luego encontraba cartitas o recaditos de una u otra para Sergio, muy reveladores, que me caían en el hígado, y escuchaba y veía actitudes de que como no queriendo se le resbalaban.

La forma de hablarle a Sergio siempre era respetuosa. Pese a la confianza, la costumbre podía más y nunca faltaba el por favor, el gracias. Así le hablaban todos, incluido el escaso personal masculino que quedaba. De esta manera Sergio mantenía las distancias. Pero era genial a la hora de la diversión y su conversación siempre era interesante.

Las que yo pensaba que nada íntimo tenían con Sergio en esa época, éramos Mary, Susana, Karola, Karina, Edith, Tamara y yo. Me costaba creer que Katya y Karla se metieran con Sergio, pero todo apuntaba a que sí. Todo mundo parecía estar de acuerdo en eso, pero nadie me lo decía. Y ellas hacían como si no pasara nada. Al principio fingí que no me daba cuenta, pero más tarde no fue cosa de que me diera cuenta o no. Por ejemplo, Sergio se recostaba en una hamaca y para pronto dos o tres se acercaban y una le tomaba la mano mientras otra distraídamente le acariciaba la pierna y otra conversaba muerta de risa. Luego desaparecían juntos y reaparecían contentos, riendo y bromeando. Yo, como perrito de carnicería, nada más mirando.

Antes de iniciar los programas en Televisa Sergio citó a todo mundo en la casa de la playa. Unas ya estaban ahí y las otras, no sé de dónde, fueron apareciendo. Llegué no recuerdo si con Mary o con Gabriela, y al entrar a la casa Karina corrió hacia mí y me suplicó que la ayudara. Estaba roja como camarón y era evidente que se había estado asoleando y se había pegado una quemada de grado máximo. Con actitud de niño chiquito pidiendo una paleta, me abrazó efusivamente, me dio un beso en la mejilla y dijo algo así:

—Gracias a Dios que llegaste. Mi salvadora.

—¿Qué quieres? —le dije, y me dejé ganar por la risa.

—Gloria, por favor, préstame ropa.

—¿Qué no traes?

—Sí, pero quiero algo bien sexy, bonito, y no tengo nada así. Ándale, préstame algo, Gloria, ándale, ¿sí?

A Karina no le gustaba su ropa, pues decía que era fea y corriente. Siempre andaba viendo qué se ponía.

—Claro que sí, Karina, toma lo que quieras.

Gritó de gusto y se fue a buscar algo mío. A mí no me extrañó que una joven de 14 años quisiera vestir en la playa algo muy sexy, algo atractivo. A esa edad las mujeres empezamos a descubrirnos como tales.

Karina volvió con lo que había elegido de mi ropa. Un mini vestido rojo hiperentallado, *strecht*, que a mi, que mido 1.66, me quedaba cortito. A ella de casi 1.75, apenas la tapaba y la verdad le resaltaba las curvas. De perfil era medio plana, pero de frente se le veía bonito cuerpo, con piernas largas; aparte se puso unos tacones rojos. No esperaba que escogiera ese vestido, no era lo sexy adecuado para una jovencita de 14 años; parecía más bien mujer fatal, con los cabellos largos sueltos y la boca pintada de rojo. Lucía atractiva, pero rayaba en lo vulgar, en el mal gusto. Roja la piel y vestida de rojo parecía un tomate sexy. Estaba pensando en si le decía algo o no cuando escuché llegar un carro y ante mis azorados ojos Karina corrió por la sala, encendió el aparato de sonido y en tres zancadas llegó al otro extremo de la sala, tomó un libro y se dejó caer en un sofá a "leerlo", justo antes de que Sergio abriera y entrara con su actual y reconocida novia Liliana Regueiro y otra de las muchachas. Trataba de entender qué pasaba y apenas pude responder al saludo de Sergio. Karina, frente a mí, fingió sorpresa.

—Ay, hola, Sergio, no te oí llegar.

¿Qué no lo oyó llegar? Pero si oyó el carro y pegó de brincos y se puso en pose.

—Hola, Karina, ¿adónde vas tan arreglada? —bromeó Sergio.

—Cuál arreglada. Sólo estoy aquí leyendo.

¿Qué farsa era esa? ¿Qué estaba pasando? Recordé algo semejante...

Sergio propuso entonces que fueran a la palapa del jardín, frente al mar, y salió con Wendy, Liliana y no recuerdo quién más, seguidos por Karina. No los acompañé, prefería estar en la casa, con aire acondicionado, que salir al calor con el dichoso gorro. Además, como soy de sangre dulce, eso me convierte en víctima de todo tipo de zancudo, chinche, pulga y cuanto ser chupa sangre. Reconozco por otra parte que soy una comodina, me declaro una pésima hadita (versión femenina de los *boy scouts*), me gustan los días de campo si son en una residencia campestre que tenga inodoro, electricidad, microondas, gas, televisión, etcétera. Una vez, de bebé, cuando mi mamá me llevó a la playa y me metió al mar, le dije: "El agua está fría, caliéntame el mar".

En eso Wendy entró a la casa y se puso a preparar una jarra de agua de limón. La ayudé y mientras partíamos los limones me dijo con una gran sonrisa:

—Karina no trae calzones.

—¿Qué dices? —pregunté para asegurarme de lo que decía.

—Karina no trae calzones —repitió alzando las cejas y con los ojos muy abiertos.

—¿Por qué lo dices?

—Porque se le ve todo.

—¿Y Sergio ya vio?

Dejando de menear, viéndome a la cara, Wendy dijo:

—Por favor, está sentada frente de él con ese mini vestido y a cada rato abre las piernas. Si yo me di cuenta, él, que es hombre y la tiene enfrente, ¿qué crees?

—Dile a Karina que le hablo, que venga tantito por favor. Quiero preguntarle algo.

Poco después que se fue Wendy con el agua y los vasos, entró Karina.

—¿Sí, Gloria?

—Karina, ¿que no traes calzones?

—Pues no, no traigo, es que se marcaban en el vestido, se notaban mucho.

—¡Ah!, y preferiste que se te notaran los pelos.

—¡No se me notan los pelos!

—¿Cómo crees que me enteré?

—¡No sé! —dijo desconcertada, molesta como si le importara un cacahuate o se tratara de un sermón de abuelita.

—Pues porque Wendy me dijo, y ya te vio todo mundo. Anda, ve a ponerte calzones —le dije terminante. Y Karinita me contestó:

—Pues si ya me vio todo mundo, ¡qué más da!

Y salió sin hacerme caso.

—Te va a picar un animal —le grité.

¡Caramba! Cada día se parecía más a Aline, hasta en ciertas actitudes. Vi al grupo desde la ventana y sentí que la historia se repetía. Con la brisa llegaba el rumor de sus risas mezclado con el del mar. En el horizonte el sol se ponía y las aguas y el cielo se teñían de rojo, como si la sangre y la pasión estallaran en el mar. Rojo era el color de esa escena, rojo como el vestido y la piel de Karina. Y yo estaba segura de que Sergio veía otras tonalidades del rojo, con Karina sentada frente a él con las piernas entreabiertas.

Todo esto sucedía en medio de una fuerte actividad laboral que de nuevo distraía mis pensamientos. El programa estaba listo en cuanto a concepto, vestuario y más. Sin chistar acepté cosas del programa que no me convencían mucho, porque reconocí mi inexperiencia y confié en los resultados que obtendrían los expertos. Lo único que pedí fue trabajar sin apuntador y que los programas fueran en vivo. Hicimos un programa de ensayo solamente para la prensa.

Tenía días con televisión Azteca bombardeándome con críticas, y eso que mi programa todavía no salía al aire. El foro estaba lleno de reporteros que llegaron en plan de pelotón de fusilamiento. No me perdonaban la firma con la poderosa Televisa. Llegué con toda el alma y energía, pero debo reconocer que con toda la inexperiencia del mundo y un terrible vicio: estaba acostumbrada a presentarme en estadios, frente a multitudes, y a hablar y a moverme en respuesta a ese tipo de público; no sabía controlar la intimidad que puede dar la televisión. Las entrevistas, siendo yo la entrevistada, eran una cosa, pero la conducción era otra y me cargaba de adrenalina. Al terminar el programa vinieron las preguntas. Un reportero inició la rueda con agresividad.

—¿Por qué gritas tanto? —yo ni sabía que estaba gritando.

—No es que grite. Es emoción, es energía.

—¿Podrías gritar menos? Es que incomodas.

El objetivo era aplastar. Después vinieron preguntas que más parecían reproches porque había firmado con Televisa. Defendí a Televisa. Traía puesta la camiseta y traté de hacerles entender que defendería mi forma de ser. Pero una de las principales críticas fue que yo no era yo con ese vestuario y tal lenguaje. En eso estaba de acuerdo, pero dejaba trabajar a los expertos y al productor.

Como pude me defendí de los periodistas, que al día siguiente publicaron secas notas informativas, una que otra buena y varias criticonas. Siempre había sido juzgada por la prensa y usada como objeto de notas escandalosas debido a mi imagen y mi impacto en el público, pero esta vez sentí la mala leche. Comprendía esa manera de sentir y que, a excepción de los fans de hueso colorado, el gran público debía sentirse traicionado. Pero lucharía por reconquistarlo con trabajo y cariño.

Llegó el día del estreno del programa y todos los del equipo de XETU-Remix pusimos el alma y las ganas. Al final, con ese público tan efusivo y cariñoso en el estudio y la energía positiva del *staff* nos pareció que habíamos tenido gran éxito. Al día siguiente fuimos devorados por la crítica de muchos medios informativos.

Patricia Chapoy, de mi principal aduladora se había convertido en mi principal detractora. Hizo un programa llamado "El ocaso de una estrella. Primer round", suponiendo que me defendería de sus feroces ataques, pero la ignoré. Televisa esperaba un *rating* mínimo de 33 puntos y sólo habíamos alcanzado 18, lo cual no fue considerado bueno tomando en cuenta la inversión y el jalón de *ratings* que yo representaba.

En TV Azteca se solazaron y la crítica fue constante y despiadada. No se les contestaba nada, pues era política de la empresa no rebajarse, pero TV Azteca aprovechaba su condición de "nueva opción" para intentar treparsele a Televisa. Creo que a Patricia y a TV Azteca más les molestó mi actitud indiferente que si les hubiera respondido, pues no me presté para el "round dos". Seguimos trabajando en el programa y traté de apegarme a las instrucciones de los expertos, esperando el despertar del público y su apoyo. Pero el *rating*, en vez de subir, disminuía. En alguna ocasión llegamos a tener sólo cinco en el programita del juicio en el que participaba en el papel de fiscal un reportero que era una basca, llamado Gustavo Infante.

No comprendía qué pasaba. Apenas en la segunda semana del programa me llamaron a la oficina de Jorge Eduardo Murguía para comunicarme que sería la última semana del programa y que inmediatamente iniciaría otro programa con distinto productor y equipo de trabajo. El corazón se me vino abajo. Conocía las ganas que el equipo de XETU-Remix ponía y me parecía que dos semanas eran poco tiempo para revertir la crítica de que éramos objeto y conquistar al público. Todo mundo estaba desolado. Sergio y yo tomamos una decisión: o seguía XETU en el aire o salía yo de Televisa. El equipo de XETU no daba crédito, pensaron que los abandonaría, que dejaría recaer en ellos el fracaso del programa. Eso hubiera sido lo más sencillo, pero con el apoyo de Sergio me solidaricé con el equipo. En una reunión de trabajo, con aire derrotado me dijeron:

—La orden viene de arriba. El Tigre no se retracta y no va a aceptar que te impongas y menos dejará que salgas de Televisa.

—Se equivocan. Seguiremos juntos. Si salen ustedes, salgo yo.

—Tenemos que ofrecer resultados, el programa va en declive.

—Lo levantaremos. Vamos a cambiarlo, a aportar ideas y a realizarlas juntos. Nos bajaremos de la 'nave espacial' e iremos más al pueblo. En lugar de que la gente gane cinco mil XETU baits, va a ganarse cinco mil pesotes, y en los concursos vamos a poner castigos divertidos que emocionen al televidente. El equipo empezó a emocionarse viendo que de verdad estaba con ellos.

—Tengo varias ideas —efectivamente, no había ni dormido pensando qué podíamos hacer.

—Podemos hacer un *sketch* muy chistoso todos los días que se llame "Qué haría Gloria Trevi". Por ejemplo, ¿qué haría Gloria Trevi si un exhibicionista se le mostrara en el camión?: a) ¿Se haría la ciega?, b) ¿Lo asustaría igual?, c) ¿Le tomaría una foto a la miniatura?

El publico en casa votaría por las opciones y al final del programa se revelaría lo que Gloria realmente haría, y de la urna con la respuesta correcta se sacaría un papelito con los datos de alguno de los votantes, que ganaría 10 mil pesos. Otra idea fue cambiar varios conceptos por otros totalmente nuevos, como rey por un día, en el cual escogíamos a alguien del público y realizábamos el cuento de la cenicienta él. Y salvemos al mundo, segmento en el cual haríamos preguntas ecológicas a una persona del público, si acertaba del techo del estudio le caerían regalos, pero si se equivocaba le caerían castigos para todo el público en el estudio. Empezamos a realizar las ideas haciendo caso omiso del ultimátum de la dirección de Televisa, que ordenaba un programa de despedida para el viernes. Era lunes y no estábamos dispuestos a aceptar y y continuamos el programa como si fuera a ser eterno.

Todo el equipo colaboró. Casi no dormimos para preparar y grabar los *sketches*. Y ocurrió el milagro. El programa subió de cinco a siete puntos, al día siguiente ocho, al otro día 10. Era un *rating* bajo pero iba para arriba. El supuesto último día del programa esperábamos la orden de a la calle con todo y chivas. Ese mismo día canté en el programa, cosa que no solía hacer. Canté "Zapatos viejos" y mientras cantaba vi entre el público a un niñito pobre que cantaba emocionado y me mostraba sus zapatos viejos. Lo entrevisté al aire y supimos que no tenía casa. Lloramos emocionados y prometí que lo ayudaría. Antes de que el supuesto último programa terminara nos llegó comunicado de la dirección.

—Gloria, tú ganas. El programa continúa indefinidamente.

Durante unos comerciales el equipo celebró la noticia. Era histórico que el Tigre rectificara. Ni los medios ni el público conocían la batalla que se había librado ni lo significativo que, al terminar el programa, fue decir: "Hasta el próximo lunes".

Fuera del aire, un animador del público se acercó y me dijo que deseaba cuidar de aquel niño pobre de nombre Marcelo.

—No tengo hijos y me gustaría ser su papá.

Emocionado, Marcelo lo abrazó. Le pregunté:

—¿Quieres vivir con él?

—Si, Gloria, y tú vas a ser mi mamá.

Para mí fue maravilloso. Yo no podía llevarme al niño a vivir conmigo porque no podría cuidar de él. Vivía viajando y llena de trabajo y no era ambiente para un niño vivir en hoteles, en distintas casas, sin un verdadero hogar. Pero Gustavo podía darle ese hogar y yo podía darle ayuda y cariño. Gustavo me prometió que no le faltaría nada a Marcelo. Ya había pensado averiguar cuál era la mejor casa hogar y conseguir para él un espacio, pagarle sus estudios y visitarlo, pero con esta nueva opción encontraba una familia. Gustavo me habló de sus hermanas y sus papás. Marcelo sería un nuevo hermanito.

—Y... ¿cuánto quieres que...?

—Ni lo digas, Gloria, me ofendes. No es por dinero, él será de la familia.

—Pero quiero ayudar. Marcelo, ¿quieres ser artista?

—Sí, mamá Gloria.

—Pues vas a ser el tombolero del programa. Vas a mover las tómbolas y a sacar los papelitos de las urnas. Y vas a salir en la tele y a recibir un sueldo.

No me fue difícil conseguirle el puesto.

Todo continuó bien, pero mis amigas me empezaron a expresar que por estar embebida trabajando con el equipo del programa, estaba abandonando a mi propio equipo. Lo expresaron de tal forma que me tocaron el corazón y prometí que no sucedería e incluso haría que el equipo de XETU consultara con ellas lo que quisieran consultar conmigo. Varias personas de mi equipo tenían gafetes de producción de Televisa con los cuales podían circular libremente por los corredores y foros de la empresa. Una de ellas era Guadalupe, que emocionada recorría las instalaciones para conocer artistas, pero pensando en que la "descubrieran". La mujer era insufrible, intragable, insoportable. Su conversación me parecía estúpida e incluso Karina le decía "tupi", combinando Lupita con estúpida.

En mi equipo todas teníamos un apodo para no gritar nuestros nombres en los juegos de básquet, pues solíamos jugar en canchas públicas y a veces teníamos espectadores. Nos parecía mejor no estar gritando ¡Gaby! ¡Karina!, y mucho menos ¡Gloria! Luego llegamos a usar los apodos más que los nombres.

"Salí al escenario y
me puse en posición
de bailar, sentía que
vibraba con tanta
energía, con mis
medias rotas, mis
cabellos parados y
un minivestido."

"Mary era mi mejor amiga, y aunque me di cuenta de que como pareja de Sergio tenía problemas y hablaban de divorcio, también sabía que lo amaba y deseaba rescatar su matrimonio."

“Sergio Andrade compositor de éxitos musicales, hacedor de estrellas. ¿Quién mejor que él para conducir nuestras carreras artísticas? Teníamos suerte”, palabras de Raúl Velasco.

“…la oficina se llenaba de gente que quería ser artista… querían que Sergio les hiciera una nueva producción como a Cristal, con la que hiciera exitosa mancuerna”.

"Yo cantando satisfecha,
poniendo un pie
sobre el machismo,
jugando en el escenario
cuando interpretaba
una de mis canciones
más controvertidas."

"La gente me reconocía en la calle y me pedía autógrafos, yo, sin saberlo, estaba empezando a ser considerada "¡un fenómeno!"

"Me dio gripe, de la gripe, tos y luego andaba afónica, ¿cómo cantar en la noche?... Como no paraba de trabajar empecé a tener accesos de tos después de mis actuaciones."

"Si quería volver a pisar
un programa de Televisa
tenía que peinarme, remendarme
las medias y cuidar que no
se me vieran los calzones. Mi
respuesta fue: 'por los calzones
no hay problema me los quito,
pero el pelo y las medias, ¡eso
no lo voy a modificar!'"

"Para que nadie me reconociera
me convencieron que debía
ocultar mi cabellera con una gorra,
ropas sueltas oscuras y deslavadas,
nada de colores. Primero me
pareció divertido, luego sentí odio
por la gorra y esas ropas."

“Pese a que era considerada una artista controvertida y atrevida, no era para andar mostrando mi cuerpo sin ropa y las pocas veces que me había mostrado en bikini, se justificaba por el mar y la piscina y siempre moría de vergüenza.”

"Karina expresaba su ilusión de formar parte de mi grupo, pero varias de las personas que le daban clases reportaban que era floja, se hacía la mareada y a la hora de estudiar se la pasaba queriendo ir al baño. Por esa época su acné empeoró y se le llenó la cara."

En el programa la situación siguió mejorando. El segmento "¿Que haría Gloria Trevi…? gustó mucho en provincia. XETU se posicionó muy bien en audiencia y los jóvenes empezaban a comentarlo en las escuelas. En el DF el programa iba adquiriendo cada día mayor aceptación: 10, 11, 11, 12, 14, 14, 15 puntos, subía poco a poco el *rating* en la C.D.F., donde era medido. Subía pese a la lluvia de críticas encabezadas por Patricia Chapoy en TV Azteca, que no sólo atacaba el programa y a mi persona en lo profesional, sino que me llamaba sucia, decía que no me bañaba, que no tenía talento. En fin, una cantidad enorme de críticas, y yo, como quien oye llover. Y eso parecía enfurecerla más. Un día, entre las participantes en el programa llegó Dinorah y tras bambalinas me informó que estaba en el Centro de capacitación de Televisa. Dijo que era compañera de Aline, quien me mandaba saludar.

—Salúdamela también —le dije como si nada. Y la verdad era que había olvidado a Aline, me era irrelevante. Dinorah me pidió que la ayudara.

—¿Cómo? —le pregunté.

—Estoy necesitando mucho el dinero del premio. No seas malita, dame las respuestas, por favor.

—Dinorah, discúlpame, aunque quisiera no podría ayudarte. No conozco siquiera las preguntas, y aunque las conociera… No sería justo ni ético.

A la hora del concurso Dinorah perdió estrepitosamente. Fue penoso para mí, pero el concurso era honesto. Poco después también vi a Aline en el estudio, durante la grabación del programa. Paseaba por los corredores de los camerinos como queriendo llamar la atención de Sergio. En cierto momento, durante la grabación, gritó entre el público y la vi. Me sonrió y me saludó discretamente. Yo, igual; no le guardaba rencor.

En el programa y por el programa comí insectos, me mojaba, me desvelaba y pasaba hambres para conservar la imagen. Pero un día Sergio y el productor tuvieron un conflicto al reclamar Sergio porque el segmento "rey por un día" no se estaba haciendo de acuerdo con mi idea. En vez de razonar la idea, todo terminó en pleito y hasta a mí me gritó el productor. Mi equipo entró en guerra con el equipo de XETU (de por sí no se gustaban) y yo me hallaba en medio. Entre apoyar a Sergio o apoyar a Reynaldo, el productor, me incliné por Sergio. Desgraciadamente la relación de trabajo entre los equipos cada vez era peor. Sergio tenía razón, si nuestras ideas estaban dando resultados debíamos perfeccionarlas para lograr el objetivo y llegar a ser número uno. Con 16 puntos de *rating* íbamos para arriba. No descendíamos, pero no volví a ver los *ratings*. El programa era diario y mi equipo y Sergio no querían tratar con el equipo de Reynaldo. Hablé con Jorge Eduardo. Me dolió el corazón, pero se había roto el encanto.

—Si la prensa está de acuerdo quiero acabar el programa en diciembre.

—No hay problema, Gloria —me dijo después de consultarlo—. Pero… ¿por qué, si van subiendo?

—Porque sin equipo y colaboración no va a subir más.

—De acuerdo. Pero viene otro programa o la telenovela, ¿no? Con lo que pides nos resuelves un dilema.

—¿Cuál?

—No sabíamos si continuar con el programa, pues hemos visto que el público está siendo conquistado sólidamente, o terminar con él. Tú sabes que la idea era que no durara mucho, a menos que fuera un gran éxito, porque queremos que hagas telenovela. Pero también tenemos que dejar descansar tu imagen unos meses.

Así, el programa se dio por concluido el 31 de diciembre, no supe con qué *rating* ni nada. En junta con don Emilio, nos dijo a mí y a Sergio que en lo particular prefería otro programa, pues veía en mi un gran potencial como conductora y él no se equivocaba y quería sacarse la espina con un gran éxito, un programa en el que yo pudiera ser más yo. La gente no quería que Gloria Trevi fuera una conductora, añadió, sino que la conductora fuera Gloria Trevi. Ese había sido un error que no se volvería a cometer.

Sergio y don Emilio ahora se trataban cordialmente e incluso la imagen que yo tenía de un Tigre prepotente y grosero cambió totalmente el día en que me buscó en maquillaje y, frente a artistas, peinadores y maquillistas, se disculpó conmigo y con Sergio por aquella discusión desagradable que propiciara el rompimiento del primer contrato. Todo mundo quedó con la boca abierta y a partir de ese momento el señor me pareció verdaderamente poderoso, pues nadie es tan poderoso como el que sabe ser humilde, aun teniéndolo todo.

Jamás hubiera imaginado que ese hombre de imagen recia, considerado entre los más ricos del mundo, no pudiese evitar lo inevitable. Estaba enfermo, padecía un cáncer maligno y ni todo el oro del mundo podría arrancarlo de la muerte.

## Capítulo trece

# TV Azteca al ataque

Sergio se fue a Ixtapa. No sé con quiénes exactamente, pues no sabía siquiera quién estaba en Cuernavaca, quién en Ixtapa, quiénes en sus casas. Ellas se manejaban como querían y a mí no me consultaban ni me tomaban parecer. Si yo hubiera tenido voz o voto seguramente ninguna habría estado cerca de Sergio o de mí, pero jamás tuve opinión.

Me quedé en México asistiendo a juntas con Mary o con Karla, o con las dos, a veces con Gaby o Susana. Poco después fuimos a alcanzar a Sergio y a las allegadas a Ixtapa. Ocupé la súper *suite* de lujo que solía rentar en el Westin Ixtapa. Tenía una recámara y la sala de juntas contigua y Sergio rentó una *junior suite* comunicada por las terrazas, pero independiente. Empecé a notar un poco más la presencia de Karina en salidas y en visitas, acompañando a Sergio, nada extraordinario, pero su presencia era más constante y sus actitudes eran como de más confianza, de autosuficiencia y seguridad. No me parecieron anormales esos desplantes en una adolescente rebelde; inclusive conmigo la noté respondona y grosera. Pero preferí pensar que ella estaba en la edad de la punzada.

En cierta ocasión descansaba en el hotel y bajé a la tienda a comprar dulces y revistas. Ese día estaban de visita (gorreando) las tres hermanas De la Cuesta, Wendy y no recuerdo quién o quiénes más, ni recuerdo con quiénes salí, pero no fui sola. Nunca iba sola a ningún lado. Sergio estaba en la *junior suite* y avisé que iría a hacer unas compras, pero no dije a dónde. Supongo que pensaron que me tardaría, pero sólo fui a la tienda del hotel, así que no demoré mucho. Al regresar, ¡sorpresa! Encontré a las tres hermanas De la Cuesta, Katya, Karla y Karola, totalmente desnudas, tomando el sol en el área de las albercas privadas, en las terrazas conectadas a la suite de Sergio. Me sorprendió verlas así. Con los cuerpos morenos expuestos al sol en su totalidad, saltaba a la vista que las tres son muy velludas. Me impactó la escena y eso que no me doy baños de pureza. He hecho calendarios y exhibido mi cuerpo, pero siempre me sentí medio apenada durante las sesiones fotográficas, por lo que encontrarlas así en mi *suite*, en mi terraza, sin importarles que Sergio pudiera verlas en cualquier momento me dejó contrariada. (Si bien Katya y Karla ya se habían "chacoteado" con Sergio, ¿qué? ¿No les importaba exhibir a su hermanita o lo hacían adrede? ¿Pues no que en Puebla son muy mochos y puritanos?)

Si queríamos ir al cine teníamos que desplazarnos a Acapulco. Regularmente nos acompañaban Karina y las De la Cuesta, casi siempre las tres. Íbamos al cine, al Tony Roma's o a restaurantes de mariscos y pescados y nos divertíamos. Eso sí, nunca íbamos a centros nocturnos ni a discotecas (excepto cuando "me llevaban"), ni andábamos fuera del hotel a altas horas de la noche. Solíamos ir a varias funciones de cine, realizar compras, pasear en auto, descansar en el hotel y comer en buenos restaurantes (y muchísimos testigos habrá de esto que digo, pues no pasaba inadvertida y mucha gente vio cómo estas "amigas" paseaban, compraban, se divertían y tragaban a sus anchas). Los del hotel no pueden haberlo olvidado, no fue una vez la que estuvimos ahí, o un día o dos, fueron muchas veces y días y más días en *suite* de súper lujo, con enormes cuentas de alimentos, y ni modo que diga que me comía yo todo sola. Mentirosas.

Luego iba a México y me acompañaban algunas, pero las que se quedaban... Sólo ellas sabían lo que hacían y a lo que se dedicaban. Yo estaba trabajando.

En una ocasión Sergio tuvo la idea de viajar por la costa del Pacífico, de Ixtapa a Sinaloa, luego ir a Chihuahua, después a Monterrey y de allí a Veracruz y visitar a nuestras familias. El viaje sería por carretera, puebleando, y se aprovecharía para tomar nota de los mejores lugares y luego presentarlos en mi programa cuando se realizara. La verdad, nos encantó la idea. Nos subimos a una camioneta del año equipadísima y nos fuimos a la aventura. Sergio, Katya, Karina, Marlene y yo, no recuerdo si Wendy y supongo que también Karola, porque donde andaba Katya andaba Karola. Yo, en serio, vivía en mi mundo sin darle importancia a esas cosas, y fueron tantos los viajes en ese tiempo de mi vida, a veces con una persona, a veces con otra, que no recuerdo con exactitud ni con quiénes ni en qué fechas. (Reconozco que a veces me confundo. Jamás pensé o imaginé que alguna vez necesitaría llevar una agenda y que me sellaran alguna especie de cuaderno o constancia en restaurantes, cines, diversiones, hoteles, aviones, con nombres de mis "amigas", y testimonios de quienes nos veían o nos atendían cuando comíamos, reíamos, nos divertíamos, viajábamos. ¿Quiénes de los que leen estas líneas lo habrán hecho así alguna vez? Ojalá que jamás lo necesiten.)

En Sinaloa, llegamos a Los Mochis y Marlene nos contaba que ella sabía mucho de su ciudad. Fuimos a un hotel, el mejor de la ciudad, y allí se quedaron descansando algunas de las muchachas, viendo televisión, conociendo el lugar que contaba con grandes jardines, albercas y una especie de parque de diversiones fuera de funcionamiento. Sergio y yo fuimos con Marlene a su casa. Su papá nos invitó a comer unos tacos deliciosos. Marlene se quedó ahí y nosotros en el hotel. Días después, junto con Marlene, todos fuimos a Chihuahua y lo mismo. Nos hospedamos en el mejor hotel, y no sé cómo ni cuándo ni con quién (pues a mí no me avisaron que se iba), Karina se fue a visitar a sus papás. Sólo recuerdo que fueron a tocar a mi cuarto para decirme que Sergio y yo estábamos invitados a comer a casa de la abuelita de Karina. A mí me daba una flojera espantosa y la verdad no tenía ganas de ir a casa de esa señora de la cual Karina siempre se había expresado tan mal y de quien decía que, sólo porque no era del mismo nivel social, odiaba a su mamá por haberse casado con su papá (algo más le habrá sabido, algo que conoce —ahora lo sé— todo Chihuahua), y que era injusta porque ayudaba con más dinero a sus hijos sanos que a su hijo enfermo (el papá de Karina); además la describía como una avara racista que hacía menos a sus nietos morenitos. Pero Karina nos insistió, decía que la reunión sería familiar: abuela, hermano y papás, y que ellos querían tener esa atención con nosotros, ya habían preparado la comida y si no aceptábamos se iban a sentir despreciados. Total, que fuimos. Claro que no todos, para no ser encajosos. Y en la reunión "familiar" estaban abuela, hermano, papá, mamá, tíos, tías, primos, primas, amigos, pastores, locutores de radio... No daba crédito ante tal exhibicionismo.

Luego de la comida se cobraron con creces lo que me sirvieron, pues me pusieron a cantar. ¡Y me tenían ahí divirtiendo a sus amigos! Y Karina se lució tocando el piano como Sergio le había enseñado y todos nos aplaudían y nos pedían otra y nos tomaban fotos y video. Para mí era una pesadilla en medio de mi descanso. Claro que trataba de ser amable, pero había sido invitada a una reunión familiar, no a un evento promocional. La mamá insistía que nos quedáramos en su casa. Le explicamos que ya teníamos hotel y por fin nos fuimos a descansar. Sólo Katya aceptó la invitación, porque era mucha la insistencia, y Karina, al punto de la lágrima, se unió a ella, pues al parecer no quiso desairarlos. Resulta que la casa de los papás de Karina era austera, y no fueran a pensar que por eso no se aceptaba la invitación, según dijo después Katya.

La mamá de Karina me dijo varias veces que quería trabajar conmigo aunque fuera cargando maletas (y dale con pedirme trabajo, yo no daba trabajo a nadie, yo no contrataba), y por su lado Karina me decía que no le hiciera caso, que su mamá sólo quería desentenderse de su papá ¡inválido! Salí de esa casa queriendo correr y harta. Hija y madre estaban igual. Salimos a poco de Chihuahua y continuamos el viaje.

El viaje terminó en Cuernavaca, donde nos encontramos con las chilenas, de las cuales había olvidado hasta que existían pues casi nunca las veía. Hacía tiempo que nada tenían que hacer en México. Se acordó que regresaran a Chile y se les llamaría cuando hubiera algo. Las dos estaban de moscas pegadas al panal, pero de las dos Tamara era un chicle peor, muy empalagosa, por suerte casi nunca la traté. Se le había advertido a Edith que si pretendía oportunidades en lo artístico tenía que bajar como 15 kilos, y también Tamara estaba gordita en esa época.

Edith, sin quitar el dedo del renglón y tratando de no separarse, nos invitaba a ir a Chile. Nos habló de la comida, de Los Andes, la Patagonia, las catedrales, y como estábamos encantados con eso de andar viajando pensamos que no era mala idea ir y conocer. Tal vez podríamos grabar allá la primera cápsula para el programa. Otra idea para el programa era una sección de "chismes de la farándula", que Marlene tendría a su cargo. Tendría que ser muy chistosa y nunca, nunca con afán de perjudicar a los artistas. Marlene iría en una camioneta con un grupo de amigas, saltando baches y contando novedades. Era súper divertido. Ya lo habíamos probado y ella lo hacía genial. La idea surgió porque en varias ocasiones que salimos de la casa de Playa Blanca para ir a jugar, una parte del camino era de tierra y con las lluvias se llenaba de baches, y aunque se pasara a una velocidad normal la camioneta se convertía en una especie de montaña rusa. Era divertido y Marlene solía ir contando cosas porque era muy platicadora y moríamos de risa tan sólo de verla. Por otro lado, Marlene ya había grabado como solista un disco que fue contratado por BMG. Las canciones eran muy buenas, ni hablar del talento, y con lo bonita que es, pensaba que le iría muy bien. En fin, había mil proyectos e ideas, mil planes para el futuro.

Mary se fue a Chile con las hermanas Zúñiga, Edith y Tamara. La invitaron a su casa, Mary ya conocía a la familia y el hermano de aquellas "desbarraba de amor" por Mary y las hermanas le hacían "la pala" al hermano y ponían a cantar a Mary todo el día. La llevaron a conocer catedrales, una montaña y probó comidas típicas, pero sólo estuvo unos días y regresó a México dejando a las Zúñiga en su casa. Sergio, que siempre estaba dispuesto a viajar, se motivó y decidió ir, en parte porque ya tenía planeado visitar Argentina. Y se fue con otra persona.

Al principio no fui porque estaba atendiendo compromisos, pero días o semanas después los alcancé con Gabriela. En el hotel, Sergio estaba algo decepcionado de las "bellezas de la ciudad" que la familia Zúñiga le había mostrado, pero encantado con la comida. Los Zúñiga los habían invitado a él y a Mary a quedarse en su casa, cosa que Sergio no aceptó porque una cosa era que Mary a veces lo hubiera hecho para no quedarse sola en un hotel y otra que Sergio lo hiciera. Pero sí aceptó alguna invitación a comer a casa de ellos. Yo, pese a la insistencia, decliné las invitaciones. En realidad no me llevaba con las hermanas Zúñiga y menos con la familia, y después de mi experiencia con las reuniones familiares de los Yapor, estaba escamada.

Me sentía feliz de hallarme de incógnita en ese país donde era tan popular. En los pocos días que estuvimos allí casi no salí, pero aún así el viaje fue agradable. Me hallaba "engentada" por el programa de XETU-Remix y el encierrito ¡me encantó!

La despedida fue cordial y en plan de hasta luego más que de adiós definitivo. Me alegré de que nos fuéramos y que las hermanas Zúñiga se quedaran en su casa, pues ya nada tenían que hacer con nosotros. Fuimos a Argentina, en donde pasamos poquísimos días, y no sé a ciencia cierta ni a qué fuimos.

De ahí viajamos, si mal no recuerdo, a España, pues desde el principio Sergio quería conocer bien ese país para ver si hacía ahí la cápsula del programa. Llegamos a España y empezamos a pasear y conocer: el Museo del Prado, El Escorial; comimos paellas, lechones, las tradicionales tapas.

La mayoría de las muchachas no viajaron con nosotros. Tenían cosas que hacer en México y en esa ocasión el viaje no era de mucho trabajo, aunque se aprovecharía para luego hacer cosas como la grabación de, mínimo, dos temas de mi disco que necesitaba percusiones y sonido flamenco, ¿y qué mejor que grabarlos en la propia España? Pero aún no había fecha para la grabación; por tanto, mientras paseábamos y conocíamos. Poco a poco empezaron a llegar "mis amigas"; pobrecitas, "ellas también querían conocer", y resultaba que si llegábamos a grabar los temas sería bueno que las que sabían música y las coristas estuvieran, participaran y aprendieran, para que a la hora de que yo retomara los conciertos en vivo sonaran lo más parecido a la grabación; y por otra parte, si grabábamos algo las del área de producción también podrían ayudar.

Todo esto era muy bonito, pero parecía cuento de nunca acabar. Apenas habían dejado a las Zúñiga y Argentina, regresado a México, y ya venían todas de vuelta. Yo me daba cuenta de que el principal motivo de la mayoría para ir a España era andar en la chorcha, pasear y estar cerca de Sergio. Recuerdo cuando llegó Karina a España. Había viajado sola (¿dónde están el rapto y el secuestro, pues? ¿Y qué no traía pasaporte con la autorización de sus papás? Si los Yapor no hubieran querido que su retoñito saliera de su casa, pues muy fácil, bastaba con no darle el pasaporte y no hubiese podido viajar. ¡No!, y eso de que la dejaban porque su hijita quería y se les ponía triste y cómo le hacían con una muchacha de sólo 14 años, pues entonces los señores no tienen autoridad moral ni vergüenza). Todo el mundo le hizo burla en buen plan, jugando, pero ella se tomaba todo muy a pecho, no le gustaba quedar como estúpida. Y hablando de Karina y de pechos, los de ella, cuando llegó de México, de la casa de sus papás en Chihuahua, y la vi después de mucho tiempo, eran más grandes, se veía más bustona, en general más gordita y con la cadera más ancha, pero cómo estaba creciendo pensé: "ahora está creciendo para los lados".

Aún hallándose el equipo completo o incompleto en España, cada quien agarró su onda. Nos hospedábamos en distintos hoteles, íbamos a distintos lugares, nos recomendábamos sitios y a veces coincidíamos en alguno tras ponernos de acuerdo. Queríamos pasear antes de empezar a trabajar.

Yo no había alcanzado fama importante en España. Una golondrina no hace verano, ni tres programas de dos años atrás hacen estrellas. Así que feliz de la vida andaba por todos lados, sin disfraz, sin gorra, el pelo suelto. Sólo era reconocida por turistas latinoamericanos y por algunos españoles.

Fuimos, no todas, a la Alhambra, Córdoba, la Costa del Sol, Granada, Toledo, Fuengirola, Burgos, Madrid. Es un país muy bonito. En eso andábamos cuando nos llegó la noticia de la muerte de don Emilio Azcárraga. Ya había escuchado de su enfermedad, pero jamás me imaginé que lo consumiría tan rápido. Pensé que su dinero y los avances de la ciencia podrían lograr algo.

Lloré al saber la triste noticia. Había aprendido a admirar y a respetar a don Emilio. Programé mi regreso para conversar, para ver cuál era la posición de Televisa. La empresa estaba con un lógico descontrol, se venían muchos cambios. Por mutuo acuerdo entre Televisa y nosotros decidimos posponer todavía más el programa, hasta que la situación se normalizara.

Yo no estaba recibiendo pagos de ninguna parte, pero había dinero de todo lo que había trabajado antes. En México me enteré de que en TV Azteca seguían atacándome y echándome mala onda, sobre todo, Patricia Chapoy, quien para cubrir sus mentiras se dice dueña y poseedora de la verdad total y absoluta, y a base de repetirlas pretende convertirlas en verdades. Luego se las cree ella misma, sufre amnesia, se finge asustada y sorprendida.

Que yo estaba embarazada —decía—, luego que estaba en centros de rehabilitación para drogadictos, y también dio la noticia de que había tratado de suicidarme y estaba en un hospital de Los Ángeles, luego que no, que en un hospital de Miami. Me inventaron noviazgos, hijos, romances con quien se les antojó y una sarta de estupideces sólo dignas de ella.

Pero la Chapoy sólo preparaba el terreno para atacarme de lo lindo y con toda saña mediante la publicación del libro de Aline, en el que la Chapoy escribió el prólogo. ¡Qué coincidencia! Se juntaron las dos resentidas, pero no mías, de Sergio: la despechada y la frustrada. Pero aún sigo sin saber yo ¡¡¡qué!!!

Y, coincidentemente, Aline sería contratada por TV Azteca y al mismo tiempo sacaría el libro en que hablaría de sus experiencias a mi lado durante su matrimonio con Sergio (¿¿??).

Lo primero que se me ocurrió fue que diría que no soy tan reventada como algunos que me conocieron superficialmente suponían; que me gustaba cocinar y soñaba con casarme de blanco, con el vestido de novia más hermoso que se pudiera imaginar. Cursilería, si se quiere, pero era mi sueño secreto y ella conocía de la época en que como amigas le confiaba mis deseos y miedos. O tal vez publicaría que le había confesado que estaba enamorada de Sergio. O que en la intimidad y en la privacidad soy tranquila y hasta introvertida, y pensé que eso podría perjudicar mi imagen de rebelde. Pero, ultimadamente, ¡me valía!

Luego me enteré del posible nombre del libro de Aline y me enfurecí: *La Gloria por el Infierno*. ¿Estaba Aline idiota o qué?

Total, tampoco iba a rebajarme con una artista frustrada que después de años de desaparición pública involuntaria migajeaba un contrato para creerse artista en TV Azteca, a cambio lógicamente de escribir un libro diciendo cosas de mí. Pero por mi mente no pasaba siquiera la idea de cómo manejaría la historia, cómo tergiversaría todo, cómo mentiría. Había sido mi amiga. No. Total, acabé sintiendo más lástima por ella que coraje. Sin embargo la historia de la calumnia apenas empezaba. Debía esperar algo más.

Una de mis hermanas estaba por cumplir 15 años y no habíamos podido convivir. La invité a viajar conmigo al viejo continente junto con Katya, Karola, y Mary. De repente coincidíamos con algunas de las otras y rara vez vimos a Sergio. La llevé a conocer los lugares que yo ya conocía, nos tomamos fotos, fuimos a museos, cines, restaurantes. Mi hermana y yo nos queremos mucho y nos llevamos muy bien, pero las vacaciones se acababan y ella regresó a Ciudad Victoria para seguir estudiando.

Yo me quedé en España, y cuando le comenté a Sergio lo del libro de Aline, sólo me dijo que no quería saber nada de esa mujer. Insistir era inútil, terminaba cortando la conversación molesto e incluso se retiraba. Era inútil hablar de eso con él.

Ante el hecho de que se pospondría todavía más lo del programa, con parte de los recursos que teníamos tanto de Sergio como míos y de Marlene, (quien había sido contratada por BMG, que pagó una buena cantidad para el lanzamiento), rentaron una casa donde se instalaron algunas de las muchachas y Sergio.

En España se compraron dos propiedades, una en Toledo y otra en Málaga. Exactamente nunca entendí por qué las propiedades, que eran pagadas con mi dinero, el de Sergio y algo de Marlene, fueron compradas a nombre de Liliana Regueiro. Algo se dijo de que como su papá era de nacionalidad española era más sencillo, facilitaba los trámites, pero el trato se hizo en el entendido de que si no se hacía un grupo musical y devengaba dinero, ella devolvería las propiedades. "Mis amigas" me planteaban las cosas muy lógicas y supuestamente claras y transparentes. Yo las veía hacer meticulosas cuentas sobre gastos diarios de comidas, taxis, boletos, gasolina, estacionamiento y hasta el helado que se compraba. Así tendrían que haberme presentado las cuentas de los cientos de miles de dólares que gané y que ellas se encargaron de administrar. Pero claro, yo confiaba.

Sergio regresó a México y se encontró con Sonia, que no había ido a España, y se casó con ella y reconoció a Sofía como su hija. No pudieron sacarle pasaporte a Sofía porque, según esto, acababa de ser registrada, así que la dejaron con la abuelita y viajaron a España a dar la sorpresa del matrimonio.

Gabriela, supongo que desilusionada ante tal situación, retornó a México y por carta se despidió cariñosamente de Sergio. Susana también se fue en cuanto supo que Sergio se había casado y no había fechas para trabajar.

En cuanto a mí, la noticia me tomó por sorpresa. Me dolió, pero comprendía que Sergio nunca sería mío. Sería de todas o de alguna de ellas, pero nunca mío. Así que creo que hasta me alegré, al menos por Sonia. Hasta ese momento había demostrado que andaba con él por amor y no por interés. Sofía merecía ser reconocida como la hija de Sergio, así como Sonia merecía ser la esposa. Las demás no sé cómo lo tomaron, pero todas se quedaron: Karina, las De la Cuesta, Wendy y Marlene.

Llegó el año nuevo de 1998 y después mi cumpleaños. El día 15 de febrero cumpliría 30 años y consideré que era un buen pretexto para un acercamiento con mi mamá. Sergio me alentó y la llamé. Mi mamá recibió la llamada y me salió con la novedad de que en México traían un escándalo del tamaño del mundo con el estúpido libro de Aline, ampliamente promovido por Patricia Chapoy en TV Azteca. Me instaba mi mamá a volver cuanto antes, así como a decirle a Sergio que viajara a México a aclarar la situación. Mi mamá estaba sumamente molesta y me decía que era apremiante, pero yo pensé que exageraba (aunque nunca suele hacerlo, así lo creí o quise creerlo).

El libro aún no salía, pero Aline era tratada ya como *super star* y daba entrevistas para promover el libro y derramaba lágrimas de cocodrilo. Pero lo más ridículo era que, aparte de contar mentiras y tergiversar las cosas, habían pasado años. Sólo de que se había casado ya iba para ocho años, pues se casó en el 90, más el año y pico que anduvo noviando. Aparte, el divorcio había sido en 1993, y de entonces a la fecha yo no la había vuelto a ver. Además, cuando conoció a Sergio ella vivía en casa de su mamá, y si vivió su infierno habrá sido en casa de ella. Y luego que se casó vivió con el marido, no conmigo. Pero, claro, la "poca cosa" necesitaba de mi nombre (y seguirá necesitándolo) para figurar, primero colgándose y condicionando mis actuaciones para que la contrataran, siempre por una miseria digna de ella. Luego aliándose las dos frustradas para seguir colgando de mí, otra vez a cambio de ser contratada por TV Azteca, pero esta vez por miserable en una telenovela en que no necesitó ser actriz, le salió naturalito, sólo fue ella misma. Todo por miserias...Y así seguirá porque, como ella misma cuenta en su "biografía", siempre fue segundona, del montón, o nada más vean:

"Siempre me escogían para representar angelitos" (los de relleno).

"A los ocho años iba a concursar en el primer festival junto con mi prima, pero no nos resolvieron nada" (así habrán estado de mal para que no las tomaran en cuenta).

"Tomé clases de natación durante un año" (pues mínimo, para que flote).

"Y también de ballet a los once años" (¿Un año muy estricto? ¿Cuántas horas a la semana? En un año cuando mucho aprendió a pararse derecha y se le olvidó).

"A los doce años hice mi primer canción terminada" (¿cuál fue esa?).

"Porque antes hacía puros pedacitos, pero nunca las acababa" (así se proyectaba desde entonces, hacer puros pedacitos).

"Queríamos hacer un grupo musical llamado Jagy, pero nunca hicimos nada" (y se le quedó la costumbre, nunca hará nada).

"A los trece años, un concurso de TV, bailé con otras chicas, pero perdí" (claro, perdedora, ¿y el año de ballet estricto?).

"Canté como solista en la estudiantina" (así habrán estado las otras, si no, nada más óiganla).

Después de buscar ella a Sergio, según escribe, "por cielo, mar y tierra" —¿no que yo la llevé?— por fin graba un disco que por cierto no era para ella: *Chica fea* —el titulito le cayó como anillo al dedo—. ¿Y las ventas? ¿Triunfó del disco? Fracaso.

Se casa con Sergio. Fracaso. Se divorcia porque la cachan de piruja con Chao el cantante.

Novia de El Temerario. Fracaso, al poquito la corrió.

Grabación del disco de onda grupera. Fracaso, no pegó.

Se presenta con Don Francisco con su disco grupero. Fracaso. Don Francisco tuvo que pedir aplauso al público para que no se fuera en blanco.

Y de ahí, como dice la canción, rodar y rodar, rodar y rodar. Fracaso, fracaso, fracaso. Y más fracasos la esperan.

Era absurda su actitud, maquillada, vestida de traje (?). ¿Ella? Como dando la imagen de seriecita, de blanco, con el pelo pintado de rubio y sus nuevos pechos, pero al parecer lo que daba *rating* no era ella, sino lo que hablaba de mí.

Me puse furiosa por lo que me contaba mi madre y hablé con Sergio. Le dije que quería ir a México a contestar las barrabasadas que estaba diciendo su ex mujer, y a demandarla, y que él también debería ir. Sergio no quería ni que le tocara el tema y no estaba de acuerdo ni quería que me rebajara a contestar, pero insistí. Sólo que no regresé a México de inmediato porque gracias a la Navidad, el año nuevo y las tragazones que todas hacíamos, yo me sentía rodar. Me puse a dieta de inmediato y preparé todo para regresar a México en unas semanas más, en abril. A última hora Sergio también se decidió, pues él y Sonia querían ver a su hija y arreglarle el pasaporte.

Durante esos meses me había dedicado a dibujar y había adelantado mucho y perfeccionado mi técnica. Las composiciones para mi siguiente disco estaban listas y seguía (y sigo) componiendo.

Cocinaba para todas cuando estábamos juntas, porque a "mis amigas" les encantaba. El aseo y limpieza del lugar era distribuido entre las que ahí estaban, y no era tanto porque cada quien sólo se ocupaba de lo suyo (nomás habría faltado que las gatitas quisieran sirvienta, bastante se hacía ya con que vivieran a nuestras costillas y yo cocinara para todas las que llegaban a estar en el lugar donde yo vivía), y lo que quedaba, repartido no era tanto, es más, era muy poco. En los tiempos libres íbamos al cine o nos entreteníamos con juegos de mesa. A veces Sergio me invitaba a salir, pero luego mis amigas se apuntaban, pues decían que preferían ir con él que ir ellas por su lado. Total, había que cargar con ellas.

Cuando se hacían juegos se ponían premios como ir de compras, y en una ocasión a una de ellas se le ocurrió decirle a Sergio que le cambiaba la ida de compras (siempre era algo de ropa) por "una hora de pasión". Luego de esa vez, casi siempre querían cambiar sus premios por algo similar, y las que nunca hacíamos ese tipo de trueques éramos Mary, Marlene y yo, que no nos llevábamos así con él. Entre las hermanas De la Cuesta se notaba una continua competencia por Sergio, pero entre Karina y Karola se desarrolló una lucha feroz para quedarse con él, y a todas luces la vencedora fue Karola, a pesar de que Karina hizo y deshizo para no soltar a Sergio (cómo me recordaba Karina a Aline). Claro, a Katya y Karla la victoria de la hermanita no les molestó. Por el contrario. Ahora eran las tres y todo quedaba en familia. Pero si Sonia que era la esposa no les ponía el alto, ¿qué podía hacer yo?

Yo veía que a veces una y a veces otra era la resbalosa del día. O se le amontonaban las hermanitas, pero entre ellas se veían tan contentas, tan en armonía, que yo hubiera dudado de lo que veía de no ser por sus comentarios de que "preferían compartir un hombre a descubrir que las engañaba"(?).

Sergio era celoso y ellas se la daban de fieles. Una cosa sí puedo asegurarles, nunca hubo consumo de drogas, alcohol o cigarros, ni otro tipo de vicio. Lo grueso era la forma en que se llevaban con Sergio, pero era obvio que a ellas les e-n-c-a-n-t-a-b-a.

Sergio estaba escribiendo un libro y Karina, Karla, Karola y Wendy se disputaban el honor de ser las secretarias y ayudarle a escribirlo. Era frecuente que a mitad de dictado se dedicaran "a algo más", pues de repente se dejaba de oír el tecleo de la máquina de escribir y en cambio se escuchaban gemidos y ruidos extraños, después de lo cual ellas aparecían con los ojos brillantes y chica sonrisota y una actitud triunfal, sobre todo si me veían a mí. Por mi parte no me daba por aludida ni por enterada. Si lo que deseaban era molestarme lo conseguían, pero no se los iba a mostrar.

Ellas se habían enfrascado en una especie de competencia en la que cada una quería demostrar a Sergio que era la más capaz, la más bonita, la más ahorrativa, la que más quería gratificarlo, la más noble, la menos interesada, etcétera, y competían hasta el punto en que parecía que se trataba de quién se llevaba el premio a la más idiota.

Sergio decía que le chocaban las mujeres que salían con el novio a comer y pedían lo más caro de la carta, y a veces ni sabían lo que pedían y que cuando llegaba la comida no les gustaba y dejaban todo. La próxima salida a un restaurante todas pedían sopa o ensalada, plato fuerte y algún postre, y no faltaba la de buena memoria que sólo pedía un sándwich, el más barato de la carta. Al final de la comida hacía notar que había pedido lo más barato y él, enternecido, le daba un beso en la frente. Y la siguiente vez competían por ver quién pedía lo más barato y no faltó quien hiciera la estupidez de pedir sólo agua y comerse el pan de la mesa. Él se reía, meneaba la cabeza y ordenaba platillos.

Al bebé de Karina casi nunca lo vi, excepto cuando tenía pocos días de nacido y en algunas veces en que Karina lo llevó a la casa de Málaga, pues la mayor parte del tiempo ella lo pasó en Madrid con alguna De la Cuesta, o al menos eso sabía yo. Karina ya no era como cuando llegó y se mostraba como mi fan. Desde el día en que me pidió en Ixtapa el vestido rojo y yo le dije que se pusiera calzones y no me hizo caso, tomó una actitud agresiva y de autosuficiencia, así que por lo que a mí me tocaba, ¡Dios la bendijera!

Sergio solía ir a Madrid y en ocasiones lo acompañé. Supongo que iba a verla y a ver al niño. Él no me hacía comentario alguno al respecto y yo no le preguntaba. En ocasiones Karina nos acompañaba al cine o a comer, pero nunca supe con quién o quiénes dejaba a su hijo y también fue con nosotros al Cirque du Soleil.

Cuando llegábamos a estar juntos la mayoría, solíamos jugar básquetbol en canchas públicas de España y luego comprábamos refrescos.

En cierta ocasión Karina fue con su hijo a la casa de los Tres Caballos, se le metió que quería enseñar a su hijo a nadar y se metió con él a la alberca y lo hundía, y el niño, que era un bebito de meses, tragaba agua y gritaba despavorido. Karina le decía cariñosa que no fuera exagerado, pero lo seguía hundiendo. Luego lo sacó y lo dejó sobre una toalla expuesto al sol de medio día, porque según esto era bueno que calcificara. Entré a la casa, creo que para hacer algo de comer o dibujar, y ella entró casi enseguida y fue a donde estaba Sergio. Yo me ocupé de lo que estaba haciendo y mucho tiempo después, hora y media quizá, escuché a lo lejos el llanto de un niño. Salí a ver y era el hijo de Karina. Lo habían dejado solo y estaba llorando bajo el sol de la una de la tarde. Fui a buscar a Karina, que estaba encerrada con Sergio en un cuarto, y alcancé a escuchar su risa. Toqué y entré y muy seria le dije:

—Karina, tu hijo está bajo el solazo donde lo dejaste hace mucho. Le va a dar una insolación, y está llora y llora.

Sergio cambió de expresión y le reclamó a Karina: "¿Por qué está el niño en el sol Karina?"

—Para calcificarse, así tiene que ser, es bueno para él. Sí, por eso, porque es bueno para él.

Sergio no sabía de bebés y yo muy poco, pero ni a un animal se le deja bajo el sol de medio día. Yo lo habría metido, pero ella me había dicho que no lo estuviera cargando, que no lo tocara, razón por la cual había entrado a la casa a hacer otra cosa hora y media atrás.

—Pero, como quieras —intervine de nuevo.

—Karina, no sé de dónde sacas eso. Este sol de medio día no le hace bien al niño, y menos por tanto tiempo.

A lo que me contestó casi gritándome: "Es mi hijo, Gloria, no te metas".

Sergio la interrumpió abruptamente. Lógico, estaba molesto y le dijo, como mordiendo las palabras: "¿Por qué está el niño en el sol Karina? ¡Contesta!"

Karina palideció y se le quitó lo altanera.
—Porque… Es que se me olvidó.
—¿Cómo que se te olvidó? ¿A quién se lo encargaste?
—A nadie, yo…
—¿A nadie? ¿Lo dejaste solo? ¿No entiendes?
—Bueno… es que…
—Y querías verme la cara diciendo que el sol es bueno para él, ¿no? Eres una irresponsable. Ve por el niño inmediatamente
Karina fue por el bebé y regresó con él. El niño estaba todo rojo y lleno de popó, con la carita llena de lágrimas, y desesperado se metía las manitas en la boca. Al pasar junto a mí, Karina me echó una mirada que de haber podido me mata.

Yo supe que Karina tendría un problema con Sergio. Él odiaba que le mintieran y que no fueras responsable. Y Karina, desde que estábamos en México, se había ganado a pulso la fama de mentirosa e irresponsable. Por lo que escuché en la discusión entre ellos, que quedaba claro que ya habían tenido problemas por descuidar al bebé.

Karina dijo que había olvidado el niño por estar con él. Entonces Sergio le respondió algo como que al parecer la única forma de que ella atendiera a su hijo era permaneciendo separados para evitarle distracciones, y que a la brevedad volverían ella y el niño a Madrid y el tiempo que el niño estuviera ahí lo cuidaría Wendy. Karina empezó a llorar y a suplicar que no la mandaran a Madrid, ella quería estar cerca de él y prometía cuidar a su hijo, ser buena madre y cuidar bien de ése y "de los otros que tuvieran".

¿Otros? No podía con uno y ¿quería más? Todo esto mientras seguía llorando e insistiendo en quedarse junto a Sergio. Lo que le apuraba no era que Wendy le ayudara con el niño, sino no estar cerca de Sergio, más cuando se daba cuenta que Karola andaba como chicle con Sergio.

Había momentos buenos, momentos malos y regulares. Sergio dudaba del amor que le profesaban. Juraba que temía que sólo tuviesen interés en lograr hacer carreras artísticas (?). Y ellas se desvivían para que él no lo creyera así y decían que renunciarían a todo con tal de no separarse de su lado. Y lo decían de manera tan convincente que hasta yo lo creía. Lo compartían, pero cada una por separado hacía la lucha para quedarse con él. La rebatiña estaba "de a peso", y cuando pensaba en ello me alegraba de no hallarme en esa ¿competencia? En ese tiempo tenía yo el corazón como dormido.

Si Sergio se enojaba con una o con varias, lo primero que les decía era que se fueran. Inmediatamente empezaban ellas con rogaderas y lloraderos, a gritos, como si tuvieran muerto tendido en casa, para ablandarlo y convencerlo de que las dejara seguir con él. Y siempre lo conseguían.

¿Acaso no una vez, tiempo atrás, Sergio me había comentado que no sabía decir no a una mujer? Y lo peor era que no sabía terminar una relación. Si alguna de ellas deseaba hacerlo, hablaba con él y él le daba lo que ella quisiera para seguir. Pero si él decía basta, adiós, seguir con él era cuestión de poner cara de mártir, derramar lágrimas y rogar.

Esas relaciones tempestuosas me parecían repugnantes y supuse que disfrutaban mucho cada reconciliación. Sin embargo todo parecía indicar que existían fuertes lazos de cariño entre todos y ellas no dejaban de decir que éramos una familia y a pesar de todo era maravilloso estar juntos. Y yo lo creí.

Porque aquí viene el asunto. No era yo para convencer a diez de toda esa maravilla. Eran diez para convencerme a mí. ¡Claro, de mí vivían para seguir en su pachanga de maravilla!

De verdad, ¡qué buen trabajo hicieron! De verdad, ¡las creí mis amigas! De verdad, ¡las creí mi familia! Aves de rapiña.

Me necesitaban. Yo era la fuente de ingresos y no les estorbaba en la relación con Sergio. Simple y sencillamente, entre todas controlaban la situación y me mantenían de espectadora de lo que se les antojara. Un día ya no fue así y por un tiempo abandoné su círculo. Me sentí, al menos por corto tiempo, amada por el hombre que yo había amado durante tantos años sin tenerlo, y tuve a mi hija, y durante 35 días fui completamente feliz.

Ese tiempo en que estas aves de rapiña replegaron sus alas, 35 días, fui totalmente feliz. Hasta que el manto del dolor y la desgracia cayó sobre mí. Perdí a mi hija. Perdí mi amor, mi libertad, y en la oscuridad del dolor, lo único que oigo es el graznido y el batir de esas siniestras aves de rapiña.

En abril de 1998 había bajado ya los kilitos que la Navidad me hizo aumentar. Y había arreglado algunas cosas y me fui a México. Me parece que Sonia se fue a recoger a su hija Sofía a casa de la mamá de Sergio. Ella y Sergio me invitaron a celebrar por anticipado el día del niño.

Viajamos a Ixtapa por carretera y en el camino, en un restaurante donde nos detuvimos a comer unos tacos, escuchamos los agresivos comentarios que una señora dirigía a Sergio. La dama se apoyaba únicamente en la promoción que, a todo lo que daban, hacían TV Azteca y Patricia Chapoy del libro de Aline, que para esto aún no salía a la venta.

La señora, repitiendo los promocionales de la Chapoy, atacaba muy feo a Sergio, dando por sentado que lo que decía la Chapoy era cierto, como si el libro de Aline fuese la Biblia. Si bien Sergio no es un santo, Aline no sólo era una que había andado con medio mundo, sino también una mercenaria, convenenciera y malagradecida.

¿Por qué tenía que usarme a mí para escribir un libro de su supuesta vida, y lo que es peor, de lo que vivió a mi lado? ¿Cuándo? Porque, repito, cuando anduvo noviando vivía en su casa con mamá, y cuando se casó con Sergio vivió con su marido, no conmigo. Yo sí trabajaba, no lo que hacían ella y otras "amigas".

Salimos del restaurante y Sergio, que no daba crédito a lo que había escuchado, decía que cómo era posible que Aline dijera tantas mentiras. Se enojó, se deprimió y se sentía triste e indignado. Al fin llegamos a Ixtapa, donde se quedaron Sonia, Sofía y Karla. Sergio, Mary y yo fuimos al aeropuerto para viajar a Cancún. El avión hizo escala en Cozumel y Sergio se quedó allí porque quería estar solo. Mary y yo seguimos el vuelo a Cancún. Era absurdo, pero andábamos sin dinero. Mi tarjeta de crédito había sido cancelada porque la persona encargada de hacer los pagos no los había hecho. Por no pagar mil pesos la habían cancelado, y yo no pude darme cuenta porque no la había usado. No contábamos con mucho efectivo y Mary y yo decidimos quedarnos en un hotel modesto uno o dos días, al cabo de los cuales Sergio nos alcanzaría en Cancún.

## Capítulo catorce

# Las mentiras de Aline y las calumnias de Paty Chapoy

Jamás imaginamos que se haría tal escándalo en torno al lanzamiento del libro de Aline. Sergio se enfureció, no quería ni saber lo que Aline decía en su libro, y me dijo: "Si tú te quieres rebajar a contestarle a ésa, allá tú. Yo no le voy a dar el gusto. Ella quiere entrar en mi vida a toda costa y yo no la quiero de ninguna forma".

Eso dijo Sergio. Yo insistí en la necesidad de ir a México. Pero él no escuchaba razones y dijo que había decidido ir a Argentina, y ante mi repetida insistencia se enojó y me preguntó si no era ya mi representante.

Liliana Regueiro y Sergio se habían comunicado y hablado del asunto. Yo no lo sabía, pero ella "lo esperaba ansiosa y con los brazos abiertos". Logró convencerlo de que lo mejor era que se alejara de todo y se fuera para allá. A fin de que se "desestresara", lo invitaba a pasar unos días en su casa para que conociera a su familia. Y claro, Sergio aceptó pronto la invitación. Se marcharía solo a Argentina, no deseaba que nadie lo acompañara.

¡Yo sí quería saber qué pasaba! Quería ir a México a defenderme de las mentiras, calumnias e infamantes imputaciones de Aline. Cosa que le pedí a Sergio que hiciera, pero fue inútil. Y así, con una tarjeta de crédito de que disponía compró un boleto para Argentina y se fue. Lo vi marcharse.

Mary y yo regresamos al hotel. Esperábamos que Karla depositara dinero en mi cuenta, pues prácticamente estábamos en ceros. En el hotel nos pusimos a ver televisión y pasó un programa llamado "El ojo del huracán", producido por TV Azteca. Trataba del libro de Aline, ponían a supuestos testigos que aseguraban que lo dicho en su libro era cierto: Sergio tenía relaciones con varias muchachas, Mary y yo éramos amantes de Sergio y le conseguíamos jovencitas, como según Aline habíamos hecho con ella. Si bien era sabido que Sergio era un mujeriego, ni Mary ni yo éramos sus amantes ni le conseguíamos a nadie, como no le conseguimos a Aline. Lo fuerte de la "historia" recaía en mí, y vuelvo a hacerme la pregunta mil veces repetida: ¿y yo qué?

Según Aline sufríamos maltratos y golpes de cinturón y ella quedaba marcada, pero su mamá no se daba cuenta porque Sergio le pegaba en "las pompis"(?). En su libro resultaba que su familia era ejemplar; ella era dulce y tierna; siempre había tenido asco de Sergio y de las relaciones sexuales con él, pero que la manejaba sicológicamente. Según ella, cuando conoció a Sergio era más pura que el agua Evian. Y nunca había recibido "ni un centavo de todo lo que había trabajado". Un angelito.

Sus mentiras eran un asco, una serie de incoherencias. Si se analizan con objetividad, cualquiera puede darse cuenta de que mentía y utilizaba mi nombre. Pero sus mentiras eran repetidas y apoyadas por TV Azteca, cuyos reporteros (calumniadores, debería llamarles) concedían total credibilidad a lo que Aline decía.

En realidad, durante la estancia de Aline con Sergio, se la pasó de "gira artística". Su mamá era la que le daba de cuerazos, según ella misma nos contó, y a nosotros nos tocó ver cómo su mamá la emprendió a cuerazos con su hermana Yoyo sólo porque no quería cantar.

Aline continuamente expresaba lo mucho que le gustaba tener sexo con Sergio y era descriptiva contando la manera en que lo hacían, pero las más de las veces ella se lo pedía. Cosas como "te tengo ganas", "no sabes la falta que me hiciste", "yo quería estar contigo", "vida mía, ¿por qué te vas tan de repente y me dejas triste y desolada?", "te amo mucho y te extraño más". Cosas que no sólo decía sino que escribía, y a las pruebas me remito. Ustedes juzgarán.

Cuando conoció a Sergio, según ella misma contaba ya había tenido sus aventuras y le "encantaba" andar poniéndose en "el tocadero"; y disfrutaba contándolo, llegaba a parecer que padecía furor uterino, pues sus conversaciones casi siempre derivaban al sexo; así que "purita", para nada.

Además de dinero en efectivo tuvo tarjetas de crédito pagadas por Sergio. Como su esposo le daba para todos sus gastos, se le pagó todo lo que había trabajado, que no fueron millones porque entonces era una artista barata que no pasaba de la mediocridad y que por méritos propios no logró nada. Sus giras eran de promoción, o sea gratuitas (igual pasa con todos los artistas que empiezan e inclusive me pasó a mí), porque salvo algunas presentaciones raquíticamente pagadas dado su nivel artístico, no hizo más. Así que dinero, lo que se dice dinero, no hizo; sin embargo se le pagó todo lo que había trabajado, no se le cobró comisión de representación ni vestuario ni nada y se le liquidó hasta el último centavo, como lo demuestran recibos y cheques pagados, cobrados y firmados por ella.

Para colmo se le dieron unos 300 mil dólares (860 mil nuevos pesos), como consta en cheque certificado Banamex número 0000775 de la sucursal 515, con fecha 5 de octubre de 1993, firmado por Sergio y recibido y cobrado por ella. Así que ¡mentirosa!, ¡mentirosa!, ¡mentirosa!

En el programa de tele que Mary y yo veíamos salían luego otras ninfas y hermanas de la caridad, del "dominio público", entre ellas Guadalupe. En ese momento Mary y yo nos volteamos a ver, no dábamos crédito a lo que estábamos viendo y oyendo: Guadalupe, con minivestido de tirantes, palitos en la nariz, cejas pintadas y un peinado exótico, relataba su sufrimiento en el grupo, decía que lo que Aline relataba era cierto (cuando ni siquiera estuvo en la época de Aline, ya que cuando llegó Sergio y Aline tenían tiempo divorciados), que a ella le había pasado lo mismo, que yo le había dicho que se acostara con Sergio (y ella, ¡claro!, obediente la niña), como si no hubiera tenido yo otra meta en la vida que andar consiguiendo y convenciendo a putas pirujas para que se metieran con Sergio. ¡Pendejas! ¡Embusteras! ¡Ladinas!

Luego, con fingida pena, decía que por su familia, para sacarlos de la pobreza, había accedido a tener relaciones con Sergio, quien entonces la violó. Le preguntaron "si había sido con violencia". Ella se puso nerviosa y dudó, como que no esperaba esa pregunta o no la había ensayado y contestó: "Bueno, así con violencia, no se puede decir que fuera con violencia". Luego la cortaban y la volvían a poner diciendo: "Pero fueron muchas veces".

Me hubiera carcajeado si no fuera por lo que dijo de mí. Por algo le decían Tupi a la infeliz. Me sentía asqueada, agredida, eso sonaba espantoso, independientemente de que cuando conocí a esa lagartona tenía 19 o 20 años de rodar por el mundo y ahora se las quería dar de jovencita desvalida y manipulada.

¡Dios! Todo lo que se había tragado, lo que había viajado, todo lo que se había paseado y todo el dinero que Sergio le dio para "curar" a su mamá, que no estaba enferma... ¡Era asqueroso! Por un momento me dio gusto que Sergio no estuviera viendo eso.

Luego una prima loca de Wendy que, pese haber hecho audiciones con Sergio en dos o tres ocasiones, no se había quedado, salió diciendo una bola de estupideces y dio a entender que cuando le dije —según ella— que se acostara con Sergio, yo estaba como drogada, como pasada. ¡Háganme el favor!, en mi vida jamás he consumido drogas, ¡mentirosa! Wendy y su prima se habían peleado y Wendy decía que su prima la odiaba y le tenía envidia porque Wendy sí había sido seleccionada y participaba en películas, calendarios, viajes. Pero, ¿yo? ¿Yo qué le había hecho a la loca esa?

A todas se les veía enterísimas, nada traumadas y buscando su mejor ángulo, maquilladas, peinadas de salón, emperifolladas, dejando histriónicamente rodar alguna lágrima, pero sin dejar de recalcar que estaban dispuestas a seguir una carrera artística si se les presentaba la oportunidad. Vivían sus cinco minutos de fama. Salían también otras que no mostraban el rostro pero hacían bulto (probablemente extras contratadas por la Chapoy).

Sin embargo, no existía una sola queja ante las autoridades (cosa que no puede decir el marido de C). Pero los abogados del diablo no dejarían la cosa así. Alguien tuvo la brillante idea de hacer una denuncia de hechos para dar veracidad a la promoción de TV Azteca, sin más pruebas que el libro de Aline. Y, claro, a mí tenían que involucrarme a como diera lugar, pues sin mi nombre no hay noticia, no hay *rating*, no hay ventas, así que inventaron que eran convencidas por mí para que anduvieran de putas... Perdón, anduvieran de... ¿de qué les diré para que suene más suavecito? Bueno... de eso.

Por supuesto, a la denuncia de hechos ya no fueron tantos testigos, sólo Aline y, claro, la Tupi, Guadalupe. Esta denuncia fue hecha después de la aparición del libro, las promociones y programas, y fue anunciada a todo lo que dio por Patricia Chapoy. ¿Por qué no anunció de igual manera las denuncias que existen en contra de su marido, así como las que hay en contra de ella misma? ¿O ya se le olvidó que hasta andaba llorando?

Aparte, la Chapoy hablaba de órdenes de aprehensión, para hacernos aparecer como fugitivos, lo cual no era cierto, y en su programa "Ventaneando", que debería llamarse "Calumniando", se dedicaba a difamarme diciendo que cómo era posible que le hubiera llevado a Sergio niñas de 8, 9, 10 y 11 años para que abusara sexualmente de ellas (mejor debería contar quién le consigue a quiénes edecanes para entretenerlos... ¡No se la acaba!), y que yo había engañado al público —no me explico cómo no se muerde la lengua, porque para engaños los de ella—. No podía creer tanta saña, tanta impune crueldad dirigida a mi persona, porque con el pretexto de denunciar a Sergio quería destruirme a mí.

La noticia del día eran las calumnias y la difamación que sobre mí vertían TV Azteca, Patricia Chapoy y sus secuaces. Y, ¡claro!, los demás medios no podían quedarse sin la noticia, que repitieron. Luego cada uno le fue echando de su cosecha y dejaron de ser medios de información para convertirse en medios de difamación. Los programas tuvieron éxito en el *rating* y los periódicos, revistas y demás cadenas televisoras empezaron un nuevo negocio a mi costa: $$$.

Consideré que lo mejor era buscar a Sergio en Argentina para enterarlo de lo que estábamos pasando en México, pero no fue posible localizarlo. Estaba desesperada. Por fin se comunicó con nosotras y nos vimos en Buenos Aires. Encontré a un Sergio deprimido por lo que sucedía, y eso que él, en ese momento, no tenía idea exacta de cómo y en qué grado estaban las cosas en México.

Aparte, estábamos sin liquidez porque no habíamos recibido ingresos, y habíamos comprado propiedades, y viajado y pagado muchísimos boletos de avión de todas "las amigas", comido en los mejores restaurantes —un grupo de 10 o más personas—, hospedado en los mejores hoteles y cubierto los gastos de las gorronas.

Además, Wendy dio un cheque de 800 mil pesos a Hacienda sin cruzar (?) y "se había perdido el dinero". Y Liliana dijo que le habían "robado ocho mil dólares en el aeropuerto de Madrid por descuido". Total, no había liquidez. El problema se resolvió de momento con la tarjeta American Express de Sergio.

Un día platicábamos en un parque de Buenos Aires y de repente a mi lado cayó un pichón muerto. Unos pasos adelante un pajarito cayó del nido y se estrelló en el suelo. "¡Esto me parece cosa del diablo!", pensé.

Yo trataba de referirle a Sergio todo que sabía sobre el escándalo en México, pero él no quería escuchar y me decía que en los días que había pasado allá se había dado cuenta de lo importante que éramos todas para él, que nos sentía su familia. A mí eso de 'todas' no me gustaba, pero lo dejaba hablar y esperaba la ocasión de ver si lo convencía de ir a México y que arreglara las cosas que a él concernían.

Cómo, cuándo, quién o quiénes se encargaron de hablar y localizar a todas, o cómo se organizaron ellas, ¡no lo sé! Cuando me di cuenta, las "amigas" empezaron a llegar, unas de México, otras de España, cada una por su lado.

Karina había viajado de España a Chihuahua a casa de sus padres y había dejado a su hijo de cuatro meses, más o menos, con Katya y Karola en España. Por entonces Sonia y Mary viajaron de regreso a España para arreglar unos pendientes (pagos de recibos de luz, agua, renta) y encontraron que las De la Cuesta tenían al hijo de Karina echado en el piso, llorando, en unas cobijas todas orinadas, dijo Mary que estaba flaco, sucio y descuidado. Mary le reclamó a Katya, pero ésta contestó que había hecho lo que Karina le pidió que hiciera. El niño no era su responsabilidad ni ella era su mamá. Karina era la que debía cuidarlo en vez de largarse y dejarles el paquete, mucho habían hecho con cuidarlo y ahora que ella (Mary) estaba allí, pues que se hiciera cargo, porque ella y su hermana Karola iban a regresar a México. Pero en vez de eso volaron a Buenos Aires.

Así pues, Katya vendió su carro para comprar los boletos e irse a Argentina con su hermana, dejando al hijo de Karina en España con Mary que tenía que regresar a México y que aun así hizo cuanto pudo por un niño que a ella no le había encargado su madre. Lo aseó, lo llevó a que le pusieran sus vacunas, le compró alimento especial para bebés e inclusive le pidió a una vecina que la orientara. Puso al corriente a Karina de la situación en que se encontraba su hijo y de la apremiante necesidad de que volviese a España a hacerse cargo y arreglar los papeles del pequeño.

Karina regresó a España por el niño, pero no la dejaron entrar al país por problemas con la visa. Mary había ido al aeropuerto con el niño a esperar a Karina y se encontró con esa novedad. Karina no se pudo quedar, pero Mary tuvo la oportunidad de hablar con ella en el aeropuerto y Karina olímpicamente ignoró al niño hasta que Mary le dijo:

—Karina ¿ya viste quién te vino a recibir?

—Ay, sí. A ver, qué lindo.

Y sólo le hizo un cariñito sin tomarlo en brazos. A Karina sólo le preocupaba que iban a regresarla a México, y Mary le dijo:

—Karina, ¿por qué no les dices que tienes que recoger a tu hijo?

—¡Ay, no! Luego qué tal si le hablan a mis papás; después ya no podría ir con Sergio… No, no, mejor encárgate tú.

—Es que yo no puedo cuidarlo, tengo que regresar en unos días a México. Karina, sé consciente.

—Te prometo que regreso antes de que te vayas, nada más arreglo esto. A mí también me urge ir a Argentina.

Y se fue, más preocupada por su situación y la urgencia de reunirse con su amante que por atender a su hijo, del que casi ni se despidió.

Me encontraba en Argentina cuando llegaron juntas Katya y Karola y vi cómo abrazaban a Sergio y lloraban emocionadas de volver a verlo y estar con él. Hasta parecían en competencia para ver quién se mostraba más cariñosa. Todas coincidían que era una porquería lo de Aline, la consideraban una ladrona, piruja, mentirosa y ambiciosa. Sabían que lo que ella estaba haciendo era producto de su afán de ser famosa gracias a un papelucho en TV Azteca y la promesa de la conducción de un programa. De la noche a la mañana Aline por fin era famosa. Y era un asco.

En cuanto a refutar a Aline por lo que decía en su libro, y a pesar de mi insistencia en lo que debía hacerse, Sergio seguía sin querer saber nada de nada, y dijo: "Ustedes decidan". Y mientras ellas llegaban a un acuerdo (porque yo ya tenía mi decisión), él nos esperó en otra habitación.

Yo no quería dejar las cosas así. Deseaba que ese embrollo se aclarara, sobre todo en lo que me involucraba a mí. Me negaba a dejar que en México siguieran con esa farsa Aline, la Chapoy, TV Azteca y compañía, y decidí volver, cosa que por supuesto apoyaron mis "amigas" (claro, les convenía tenerme lejos, para seguir haciendo de las suyas con Sergio, pese a todo).

Sin embargo no pude irme de inmediato porque Sergio me pedía diario que me quedara un día más, pero al fin dejé de posponer el regreso a México. Si Sergio no quería afrontar el problema, yo sí. No era justo que me enredara la tipa esa en algo que, aparte de falso, no era mi problema. Al ver mi determinación, Sergio me llamó y me dijo:

—Gloria, eres muy importante en mi vida, ¡mucho! Tal vez ya no quieras regresar. Pase lo que pase allá, no quiero ni saber, no me llames porque no vamos a estar aquí. Si te preguntan por mí, di que no sabes y estarás diciendo la verdad. Si quieres regresar hazlo dentro de unos seis meses, pues antes no vas a arreglar nada allá y aparte no sé dónde vamos a estar. Luego veré la forma de comunicarme contigo. Si ya tomaste tu decisión, vete ya, porque ahora mismo me cuesta trabajo no pedirte de nuevo que te quedes hasta convencerte. Vete, Gloria.

Se me acercó, me abrazó y me besó en la boca. ¡Mi corazón latía! ¡Cuántos años sin un beso siquiera! Llorando, me despedí de él.

—Nos vemos, Sergio.

—¡Ojalá!

—¡Voy a regresar!

## Capítulo quince

# La indecisión de Sergio

Regresé a México acompañada por Katya. Todo estaba terriblemente de cabeza. Eran tantas las cosas, que era difícil decidir por dónde empezar a arreglar el mundo. Las propiedades abandonadas y saqueadas, los chismes y las calumnias a la orden del día, la falta de personal, la falta de dinero en efectivo, la necesidad de buscar y contratar abogados, responder a las mentiras y la estupidez del libro de Aline, buscar las pruebas que existían y que demostrarían que Aline mentía, ver los asuntos pendientes de mi disquera, atender a la prensa, defenderme de los ataques de TV Azteca y sus secuaces, cobrar lo que se me debía de regalías y derechos de autor. Nunca me había encargado de ese tipo de cosas.

Solía matarme trabajando, como consta a los más de cuatro millones de personas (según los cálculos) que en algún momento asistieron a verme en algún concierto, eso sin contar a los que por televisión vieron mis *shows* y presentaciones.

Aparte el trabajo que no se ve, como el tiempo que dedicaba a componer mis canciones —que como prueba allí están—, los traslados entre concierto y concierto, los ensayos, la actuación en mis películas, la participación en los guiones, la grabación de discos y los programas de televisión y el aporte de ideas para esos programas y para mis calendarios, las sesiones fotográficas y las entrevistas, las juntas de producción, la realización de los dibujos para mi revista y tantas otras cosas que sabía hacer, incluso cocinar súper bien. Pero del área contable administrativa no sabía prácticamente nada.

No obstante, en lo que decidíamos dónde y cómo empezar, tuve que comprar el libro "escrito" por Aline y leerlo para poder responder a todas las barbaridades que se decían. Lo leí en una noche y al final mi sensación era de náusea. ¿Cómo podía alguien exhibirse tan horriblemente y, para colmo, con mentiras, por un mugroso programa o un papel en una novelucha? ¿Cómo se podía caer tan bajo? Pero esto iba más allá, era envidia, venganza de fracasadas, frustradas y despechadas.

El libro, lleno de tergiversaciones y mentiras, abría con una más. Historias fantasiosas de una niñez feliz en un matrimonio perfecto. ¡Por favor! Yo sabía, por boca de Aline y de su propia madre, la señora Joselyne, que el matrimonio de sus padres pasaba por una etapa crítica cuando murió su papá, pues el señor tenía otra mujer y familia con ella. ¿Ya se le olvidó cómo la señora Joselyn sacó a escobazos al hijo del esposo con la amante, quien queriendo despedirse de su papá había corrido a meterse bajo el ataúd mientras familiares de la señora Joselyn detenían afuera a la amante? ¡Y como estas omisiones, muchas!

Lo de la familia feliz era una forma perfectamente planeada de abrir el libro intentando conmover y conseguir la simpatía del público, rodeándose a la vez de un halo de candor y decencia.

Esto me permitió entender desde el principio que alguien le había escrito la historia. Es decir, TV Azteca se valió de la falta de ética y de escrúpulos de la editorial que preparó y publicó las calumnias de Aline ( y luego los libros de las demás comparsas del circo: Karina, etcétera). Bien dice el dicho que "por dinero baila el perro..." ¿Se daban cuenta los que contrataron la mano negra que le escribió a Aline sus infamias y los que editaron ese pasquín lo que iba a desencadenar en nuestras vidas? Si la multinacional dueña de la editorial que sacó esos libros hubiera hecho lo mismo en Estados Unidos, ¿no habrían enfrentado y perdido un juicio millonario por daño moral?

Y en función de las mentiras que se le descubrieron, yo podría suponer que Aline ha mentido toda la vida y probablemente así lo hizo con Sergio y conmigo, para hacerse pasar por víctima de su madre y su padrastro.

Por otra parte, yo había atestiguado la cueriza que la mamá le había propinado a su hermana Yoyo, que no tendría más de nueve años, por negarse a cantar frente a Sergio, Mary y yo (aquí sería bueno preguntarse: ¿quién andaba promoviendo a sus hijas para buscarles oportunidades artísticas?). En fin, los tres sufrimos pena y vergüenza ajena cuando, en plena cena, la mamá de Aline le pidió a su hija menor que cantara y ésta, por típica vergüenza infantil, o bien porque no quería, se negó. No dábamos crédito a la tranquiza que presenciamos azorados, y ni nuestra defensa de la niña ayudó a contener la furia de Joselyn.

Luego están los relatos en que Aline, en el libro, se presenta como una jovencita "pura y virginal" que sufría abusos desagradables de Sergio y con quien no quería tener relaciones por que le daba asco. Y pues, para empezar, ella misma contó muchísimas veces que Sergio no era el primer hombre en su vida y durante la relación de ambos ella siempre era la que andaba de buscona, exteriorizando su apetito sexual y comentando cómo "se comía los calzones". Y ahora decía que su ex marido le daba asco. ¡Pues bien que lo disimulaba!

Decía también que Mary y yo habíamos contribuido a que ella, Aline, anduviera con él. Nada más alejado de la verdad. Y aquí es muy importante señalar: ¡es Aline quien le quita el marido a Mary, quien lo trataba de reconquistar para salvar su matrimonio! Y yo, que lo amaba en secreto, ¡seguramente iba a querer que Aline o cualquiera otra anduviera con él!

En su libro dice Aline que le confesé que estaba enamorada de Sergio. Es cierto, lo hice por confiada e imprudente, pero por ningún motivo para que ella se fijara en él; por el contrario, para ver si así dejaba de andar de resbalosa y nalga pronta con él. Pero no cuenta que yo le advertí que Sergio era celoso y mujeriego y, por lo tanto, que tuviera cuidado y no se enamorara de él. Pero, lejos de hacerme caso, fue ella quien se le declaró. ¡Era indignante tener que contestar tanta estupidez!

Decía que yo la había contactado fuera de la XEW, siendo que su mamá y Sergio habían laborado en la misma empresa como locutores, aunque Aline en su libro hace creer que "ni lo conocían". Su madre, como locutora de radio de los ochentas, ¿no sabía quién era Sergio Andrade? Y Aline, que decía que su disco favorito era *Juguemos a cantar*, ¿no sabía quién era él?

También afirmaba que nunca había recibido un centavo de lo que "trabajó". Eso es no tener vergüenza. Yo sé que su ex marido pagó todos sus impuestos y le entregó todos los pagos de sus escasas actuaciones cobradas, conseguidas como condición para contratarme a mí. Traía tarjetas de crédito que Sergio pagaba y efectivo, aparte del dinero dado por su ex marido y que en ese momento era una cantidad equivalente a 300 mil dólares.

Mentiras y más mentiras y para colmo usaba mi nombre e incluso mi imagen en la portada de su libro para llamar la atención. Para ser famosa, otra vez se colgaba de mí. Era demasiado, mi nombre era utilizado en prácticamente todas las páginas.

Y los comentarios de Patricia Chapoy, inventora de esta infamia en mi contra... ¡Ay, no! El cinismo era tanto, era tan clara la campaña de desprestigio que hacían con programas como "El ojo del huracán" y otros dedicados a promover el libro de Aline, que ahora sí salía vestida como gente decente, pretendiendo parecerlo cuando su gusto era andar vestida de tigresa, como en las fotos que salían de ella en las discotecas enseñando sus pechos de silicón. ¿A quién quería engañar? ¡Al público! ¡Y lo estaba logrando!

Katya estaba extrañamente nerviosa y preocupada y se decía indignada por lo que Aline decía de ella en el libro (siendo que Aline fue quien la invitó a trabajar en la empresa e influyó en Sergio para que se quedara, y con ella llegó luego a tener gran trato y amistad). Katya se lamentaba de haber sido tan confiada y compartido con ella tantas intimidades. Yo, creyendo que me diría algo como lo que Aline me contaba de sus amistades, le pregunté: "¿Qué intimidades?" A lo que Katya me contestó: "¡Yo me entiendo!" Y en seguida empezó a hablar de demandar y hacer que la puta, piruja, traicionera (refiriéndose a Aline) se tragara sus palabras. ¡Qué escándalo! ¡Qué van a decir en Puebla!

Katya y yo fuimos al Distrito Federal. Sergio nos había dicho que en casa de su mamá había guardado cajas con documentación personal, por lo que fuimos a buscar pruebas, a ver si hallábamos los recibos, las actas de matrimonio y de divorcio, las cartas personales.

En casa de la señora, mientras revisaba la documentación me llamó la atención una caja grande que decía "Personales / Sergio Andrade". Al abrirla resultó una caja de sorpresas. Eran cartas de amor y recaditos dirigidos a Sergio por mujeres que yo conocía y también por otras que nunca conocí.

Había recaditos, dibujos, cartas de amor escritas por Katya, Karla, Wendy, Karina, Liliana, Mary e incluso una escrita en *braille* por Cristal. Aline se mostraba en sus escritos como una vil ninfomaníaca, pues no hay una sola en la que de una forma u otra no hable de sexo. Guadalupe se le insinuaba a Sergio como regalito de Navidad. Y muchas otras de muchísimas mujeres, entre ellas alguna mía, pero en ese momento las que me importaban eran las de Aline —las había por docenas— y las de cualquiera que estuviera apoyando el circo.

Katya seleccionó todos los documentos relativos a ella y sus hermanas y se encargó de destruirlos pues podían ponerlas en evidencia no como perpetradoras de un crimen, pero sí como amantes del mismo hombre.

No tuvimos tiempo de revisar y separar todo, era demasiado y teníamos mil cosas que hacer. Regresamos a mi casa en Monterrey y, por horas, durante días, nos pusimos a revisar videos y programas de TV Azteca, señalando cada calumnia y difamación.

Poco a poco las "agraviadas" fueron juntándose, poniéndose de acuerdo para difamar y sostener una las mentiras de la otra, motivada$ y orquestada$ por TV Azteca y Patricia Chapoy, que montaba su venganza, cada quien con su respectiva envidia y frustración. Y otra vez, ¿yo qué?

Desgraciadamente el público no sabía quiénes eran esos testigos ni qué intereses tenían. Es más, ni yo misma conocía a todas las supuestas testigos. Cualquier aspirante a aparecer en la tele podía anotarse y decir babosadas y TV Azteca brindaba el espacio sin que siquiera tuviesen que probar que nos conocían o que era verdad lo que decían. Así aparecieron supuestas representantes mías, y mientras más loca, absurda y amarillista fuese la versión que se diera, más espacio tenían en TV Azteca. ¡Yo tendría que buscar abogados!

Le hablé a Mary a España y le conté lo que pasaba. No lo podía creer, pero más la mortificó lo que decía Aline en su libro. Mary quería regresar cuanto antes porque, como yo, estaba indignada y quería aclarar las cosas y llamar a cuentas a Aline. Pero Mary no me confesó que tenía en España un problema que le impedía regresar a la voz de ya. Karina le había encasquetado a su hijo y estaba esperando que regresara para hacerse cargo de él, pero Karina nada que llegaba.

Fue entonces que Mary le volvió a hablar a Karina y la urgió a regresar a cuidar a su hijo, pues Mary debía volver a México. Karina le dijo a Mary que mientras llegaba a España buscara una guardería e internara ahí al pequeño.

Mary buscó una guardería de tiempo completo. Visitó varias, pero ninguna ofrecía ese servicio. Por fin encontró una, pero al conocer el lugar no le inspiró confianza y no dejó ahí al niño. Mientras tanto, a pesar de los cuidados de Mary el niño no recuperaba el peso perdido durante el tiempo que estuvo a cargo de Katya y Karola. Mary se lo dijo a Karina y ésta respondió que lo solucionara como pudiera.

Mary lo llevó a un hospital particular donde empezaron a tratar la desnutrición y le dieron hierro al niño. Ahí se quedó con él, cuidándolo por las noches durante cinco días. Mary le hablaba a Karina y le pedía que regresara, pues el niño sólo podía ser entregado a ella, la mamá. Sería dado de alta en una semana y Karina debía apresurarse porque Mary tenía que regresar a México. Entonces Karina le dijo que se fuera, ella se pondría en contacto con el hospital (del que Mary le había proporcionado dirección, teléfono, nombre del doctor) y llegaría antes de que dieran de alta al niño.

Mary le pidió a una vecina que visitara al niño en el hospital y sólo entonces regresó a México, sabiendo que el niño estaba bien atendido y confiada en que Karina estaba por llegar y en cualquier caso no le entregaría el niño a nadie más que a ella. Karina no había registrado al niño con los apellidos de Sergio y cuando lo dejó en España no designó tutor alguno, por lo que ella y sólo ella podía recogerlo.

Karina no regresó a España por su hijo, a sabiendas de dónde y cómo estaba y advertida por el hospital de que, si no se presentaba, trasladarían al niño a una casa hogar. Karina se comunicó por fax y por teléfono a esa casa, pero lejos de hacer algo para recuperar a su hijo, eligió ir a Argentina a reunirse con Sergio (y ni modo que diga que no tenía para el pasaje, pues desde México sale más caro ir a Argentina que a España).

Antes de viajar a Argentina, y advertida por Katya, Karina estuvo unos días en México, no sé cuántos, en casa de la señora Justina, la mamá de Sergio, buscando y destruyendo las cartas y recaditos que le había escrito a Sergio diciéndole cómo lo amaba y cuánto lo deseaba (otra que le declaraba su amor).

Karina creyó que había destruido todas las cartas (sólo que no fue así, quedaron muchas que gracias a Dios no estaban ahí).

Por esas fechas y siempre acompañada por Katya de la Cuesta, que no se me despegaba ni un momento, fui a los 15 años de mi hermana Mildred a Ciudad Victoria y a la fiesta de mi prima Jennifer en McAllen. A mi mamá le desagradó que Katya no me dejara sola ni para sentarme en la mesa en que estaba ella y sus amistades, pero yo no podía hacer nada. Ni Katya ni las otras amigas me dejaban sola un instante. Siempre permanecían vigilantes.

Una vez que Katya y yo volvimos de comprar algunas cosas, la muchacha que trabajaba en casa de mi mamá nos recibió con la noticia de que Wendy había hablado de Argentina, y me dio un papelito con un número. Katya y yo salimos corriendo al teléfono público, pues mi mamá me había advertido que tuviera cuidado con lo que hablaba por teléfono de la casa, pues sospechaba que estaba intervenido. Había cosas sólo mencionadas por teléfono que en seguida "ventaneaban" en TV Azteca.

Así pues, llamé a Argentina del teléfono público y me contestó Wendy. Sentí ansiedad en su voz. ¿Qué pasa? Temí que alguien hubiera sufrido un accidente, algo grave tenía que haber ocurrido para que estuvieran tratando de localizarme.

—¿Qué pasó?

Wendy me respondió con voz rara.

—Estamos muy mal, Gloria. Sergio está súper mal.

—¿Por qué, qué pasa? —pregunté cada vez más preocupada ante el angustioso tono de voz de Wendy.

—Por favor, Gloria, ven, te extraña mucho. Todos te extrañamos, te necesitamos. Ven, Gloria, por favor.

Todo dicho con voz llorosa. Y me apremiaba e insistía para que volviera a Argentina. Y me dejé convencer.

—¡Voy para allá!

—¿De veras?

—¡Sí, sí, vamos para allá!

—¿Cuándo?

—Voy a preguntar por los vuelos y me iré en el primero que pueda.

—¿Cómo cuándo?

—Creo que mañana saldremos para allá.

—¿De verdad?

La voz de Wendy comenzaba a sonar esperanzada y alegre.

—¡Sí, claro! ¿Pero a dónde llegamos? —tuve que preguntar pues desconocía el sitio en que se encontraban.

—Aquí, en Buenos Aires. Dinos a qué hora llegan y nosotros las iremos a recoger.

Más tarde hablé de nuevo para dar día y hora y, sin despedirme ni avisar a nadie de mi familia, ni siquiera a mi mamá, que en ese momento no se encontraba en casa, nos fuimos a Argentina.

De regreso en Buenos Aires me encontré con que todo mundo andaba por allá, excepto el hijo de Karina. Pensando que ella quería recuperarlo tuve una idea, ligada al hecho de que yo también había excedido mi plazo de permanencia en España. Dos de las canciones del nuevo disco llevaban cierto sabor flamenco, y ya que antes se había pensado la posibilidad de grabarlas en España, esa era la solución. Mediante la disquera podía conseguir visa de trabajo y pediría que fueran varios de mis músicos, entre ellos, Karina. Incluso fui a la embajada de España para iniciar el trámite de las visas y sólo faltaba entregar un documento.

Le expliqué la idea a Karina y ella, mirándome fijamente y con cara de pocos amigos me dijo con tonito: "Gracias, Gloria, te lo voy a agradecer e-ter-na-men-te", y me dejó hablando sola. ¡El favor se lo estaba haciendo yo a ella, no ella a mí! Y todavía se dio el lujo de decirme: "¡Cuando hagas planes respecto de mí y de mi hijo, primero pregúntame!"

Opté por no comentar ni decir nada más. Karina se molestaba cuando mencionaba el asunto del niño, y desde la vez de Málaga, en que a ella "se le olvidó" su hijo en el sol, le chocaba que yo me metiera en lo que tuviese que ver con su hijo, como una vez en que le pregunté qué hacía por recogerlo.

La respuesta fue tajante, por no decir, grosera. "Gloria, ¿no entiendes? Es mi hijo, mío de mí, y estoy viendo qué hacer y estoy en contacto con quienes lo están cuidando." (Tenía de repente ese tipo de arranques.) Sin embargo, era Mary la que tenía que insistirle en que se comunicara a España para saber qué pasaba con su hijo. Y así llegué a saber que se mantenía en contacto por teléfono y por fax desde Argentina. Pero Karina nunca volvió por su hijo y cumplidos los plazos el hospital mandó al niño a una casa hogar a la cual Karina llamaba por teléfono hasta que un día le dijeron que abandonar a un infante era delito.

Claro que la situación y el estado de salud del niño dieron lugar a pleitos y todas se echaban la culpa. No tenía sentido que me metiera en un asunto que, ultimadamente, era de Sergio y ella y que siempre lo fue.

En Argentina fuimos recibidas con muestras de cariño y emoción por todas. Sólo Mary y Sonia no estaban ahí, pero fue cuestión de días que llegaran de España, pero sin el hijo de Karina.

Le dieron Mary y Sonia teléfono y dirección del hospital donde estaba el niño en Madrid y Karina se comunicó diciendo que pronto iría a recoger a su hijo. Karina se mostraba tranquila y despreocupada respecto de él, y por otra parte yo la veía contenta disfrutando los paseos, participando feliz en los juegos y conociendo los lugares a los que todos íbamos. ¿Preocupada Karina por su hijo? ¡Para nada!

Sergio no quería que yo regresara de nuevo a México, pero después de varios días insistí en volver y Sergio tuvo que acceder.

—¿Cómo vas tú a contestarle a esa mediocre fracasada? ¿Qué no ves que es lo que quieren? ¿Quién es Aline? ¡Y tú eres Gloria Trevi! ¿Qué no ves?

—Sergio, es que no sabes lo que dicen...

—Ni quiero saber.

—Es que dicen muchas mentiras.

—¡No me interesa, a mí no me interesa! Y no quiero saber. Si tú quieres darle importancia a gentes que no la tienen, si quieres exponerte a chismes de lavadero, yo sólo puedo darte mi opinión y expresarte mi inconformidad y al final harás lo que quieras. Pero respeta mi deseo: yo no quiero saber.

¿Por qué no quería saber? ¿Acaso todavía sentía algo por Aline y eso lo lastimaba? ¿Por qué evadía siempre el hecho de tomar conocimiento? ¿Sería sólo por tranquilidad o salud mental?

Por otra parte, ¡qué bueno no quisiera saber nada de nada! Así no tendría que repetirle los comentarios soeces y vulgares de Aline como el que hizo en una entrevista de radio. Hablaba de relaciones sexuales con su ex marido y otras mujeres y, al ser interrogada sobre enfermedades venéreas, entre carcajadas dijo que no tenía. Luego, cuando le preguntaron sobre lo que más asco le había dado tener que hacer con su marido, tras aparentemente pensarlo respondió: "Mmm, ¡ya sé!, lavarle los calzones". Y todos soltaron la carcajada. A mí me parecía vulgar; además, ¡qué incoherencia! Hablar de relaciones sexuales múltiples y decir que lo que más asco le daba era lavar las prendas íntimas de su marido. La tipa proyectaba una vez más su subconsciente, y por otra parte dudo mucho que esa mujer alguna vez haya lavado la ropa de su ex marido. ¡Si se la pasó de gira! No debe de haber lavado ni la de ella.

Me convencí que Sergio tendría sus razones para no querer saber, pero yo no podía ni quería dejar impune tanto comentario bárbaro. Sobre todo lo que decían de mí, la incoherencia y contradicción de las versiones me colocaban como cómplice o víctima, como un ser sumiso y a la vez la más rebelde. ¿Quién las entiende?

Katya sugirió a las muchachas que todo mundo se diera una vuelta por sus casas. Hicieron una junta entre ellas (mi opinión era irrelevante, yo había decidido que regresaba a México) y después de explicada la situación y de que cada una habló, llegaron a la conclusión de que en determinado momento irían todas a sus hogares, y empezaron a preparar el viaje, en el que yo regresaría, pero acompañada por Karla.

—¿Por Karla? Prefiero que me acompañe Katya —le dije a Sergio—. Me llevo mejor con Katya y es más activa.

—Sí, pero Karla conoce mejor los asuntos de la empresa, las cuentas de banco y los asuntos de negocios. Sabe de contabilidad, dice que quiere y tiene que atender asuntos con el contador referentes a impuestos y puede ayudarte a la venta de cosas y a la regularización de otras. Además, puede ser que necesites su firma.

—¿Su firma? ¿Para qué?

—Ella es la accionista mayoritaria de Conexiones americanas.

Me lo dijo de sopetón y quedé muda. Karla era legalmente mi patrona ¿Sería legal? No daba crédito y no pude evitar pensar mal. Las tres hermanas se acostaban con Sergio y ahora una de ellas era mi patrona. Estaban cobrando caro el servicio. ¡Fuera de mí esos malos pensamientos! Ellas no eran capaces de robar. ¿O sí? No, no. Sergio habría tenido sus razones, pero... ¿Karla mi jefa?

Así pues, viajamos a México Karla y yo y retomamos lo que había yo dejado tirado por atender el llamado desesperado de Wendy. Era empezar de cero. Unas amistades me prestaron una casa en México y mi hermano Manuel empezó a acompañarme a todas partes. Empecé a dar entrevistas. El productor del programa "Duro y directo" vio pruebas concretas rebatiendo las mentiras que decían las tipas e inició una investigación imparcial.

Llegar a la casa de la familia en Monterrey era cada día más complicado a causa de los periodistas. TV Azteca se la vivía afuera, prácticamente tenía sitiada la casa; es más, comían en la banqueta y dejaban aquello como un muladar, y orinaban en la barda de la casa como si fueran perros. Era terrible el acoso.

En México, durante horas Karla atendía con el contador asuntos para mí incomprensibles y vendía automóviles y propiedades, pero misteriosamente el dinero no rendía, se iba en "pago de impuestos" y en "actualizar propiedades".

Me enteré de que Wendy había ido a su casa porque la vi perseguida por TV Azteca. Su propia familia avisó a los reporteros para que acosaran a la mujer, que se la pasó negándose a dar entrevistas. El papá era un oportunista y no venía al caso ni lo que hacía ni lo que decía. Wendy era una mujer de 22 años, que se la pasaba yendo a su casa solita y por temporadas largas. Claro que Wendy se sacó de onda con su familia, según nos contó tiempo después.

Supe que Marlene había ido a su casa en Los Mochis, e incluso quedamos de vernos en Monterrey. Ella y su familia estaban indignadas por las barbaridades que decía Aline y querían demandarla. Cuando Marlene llegó a Monterrey y fue a mi casa, no me encontró, y como los medios me andaban persiguiendo por todo Monterrey peliculescamente, eso ayudó a que no la vieran llegar y no supieran que estaba ahí.

Conversamos, entre otras cosas, de la demanda que Marlene quería poner contra Aline por las cochinadas que hablaba de ella en su libro. También de cómo Marlene empezaría a llevar el lanzamiento de su disco contratado hacía tiempo en BMG. Tenía ella que volver a su casa y yo necesitaba ir a Ciudad Victoria a casa de mi papá, pues me urgía hablar con él, dejar algunas cosas y recoger otras, y pensé que, dado el asedio de los reporteros en casa de mi mamá, allá podría estar más tranquila. Le pedí a mi hermano Manuel que llevara a Marlene al aeropuerto y a mí a Ciudad Victoria. Quería salir temprano, pues de Monterrey a Ciudad Victoria se hacen unas tres horas y media de viaje y no quería viajar de noche por carretera.

Pero mi hermano no salía de su cuarto. Dormía, desvelado y cansado de acompañarme en tanto ajetreo. Yo estaba desesperada e incómoda con el asedio, principalmente de TV Azteca, cuyas cámaras podía ver desde las ventanas de la casa.

Ese día estaban en la casa de mi mamá una amiga abogada y su hermana: Reyna y Nelba Navarro, quienes me saludaron cortésmente. Después, cuando supieron de mis apuros y mi urgencia, se ofrecieron a ayudarme.

—¿Pero, cómo?

—Nosotras te llevamos. ¡Claro, si quieres!

Y claro que quise. Después de un "ay, no, ¿cómo creen?, qué pena", ¡vámonos! Nos llevaron y ayudaron a Marlene a salir inadvertida. Marlene iba agachada en el carro de mi hermano y yo en la cajuela. Inmediatamente comenzó la persecución del carro de TV Azteca por la ciudad, pero como no me vieron dentro del carro y tomamos la carretera, desistieron. En una gasolinera Marlene tomó un taxi y yo pude salir de la cajuela y sentarme para seguir a Ciudad Victoria. En el camino me fui haciendo amiga de Reyna y Nelba, pues me cayeron muy bien, eran activas y alegres y les estaba muy agradecida de que me llevaran a Ciudad Victoria.

Gracias a Dios, en casa de mi papá no nos molestaba nadie (eso creí). Desde allí hablé a mi compañía de discos para ver qué había pasado con el pago de un cheque, pues pese a todo el ajetreo no había dejado de trabajar en las canciones para mi disco y tenía listas y pulidas las canciones que formarían la nueva producción.

No estaba el director de la empresa, pero me comunicaron con la abogada, la licenciada Tamara.

—Hay un problema, Gloria.

—¿Un problema? ¿Qué pasa?

—Llegó una solicitud judicial pidiendo la presencia del director para que diera tu dirección y que te manden una orden de presentación, pues existen denuncias referente a secuestro y corrupción de menores y quieren que declares.

Quedé soprendida. ¿Qué tarugada era esa?

—Gracias, Tamara, déjame ver de que se trata. *¿O.k.? Ciao.*

Fui y le conté a mi papá lo que había dicho la licenciada de BMG. Reyna escuchó la conversación y dijo que me ayudaría.

—Vamos juntas a México, allá mis hermanos nos recogen en el aeropuerto, te quedas en mi casa e investigo de qué se trata.

No entendía nada de lo que ocurría ni de términos legales, pero Reyna, al fin abogada, debía saber y confié en ella. Al día siguiente salimos a México, sus hermanos nos recogieron en el aeropuerto y nos llevaron a la casa de la familia Navarro, donde conocí a los papás y demás hermanos y hermanas. Me ofrecieron un cuarto de huéspedes acogedor, me trataron como a un miembro más de la familia y me encariñé con ellos.

Me sentía bien con Reyna, empecé a quererla y a confiar en ella. Aparte, disfrutaba la convivencia del hogar y me encariñaba con los papás y la familia entera mientras se investigaba lo que me habían dicho en BMG. A Karla parecía molestarle sobremanera mi cariño por la familia y el interés de ellos en ayudarme (casi todos son abogados en diferentes ramas).

A Karla le molestaba lo mucho que se preocupaban y decía que no había que involucrarlos. Y cuando Reyna le preguntaba sobre la situación de la empresa Conexiones americanas —que manejaba mis contratos y dinero, y de la que ahora resultaba ella la dueña—, se molestaba más y a me decía que no tenían por qué meterse en eso y mucho menos iba a rendirles cuentas. De modo que evitó dar explicación o información alguna diciendo que "nada más recogería unos documentos y lo explicaría, que todo estaba muy claro". Pero nunca me explicó nada.

Nos quedamos unos días en el departamento de Búfalo, en la colonia del Valle, pero era depresivo estar ahí sin muebles ni nada y con la angustia de ser abordadas por los periodistas en cualquier momento. Sonia también estaba en México "arreglando asuntos" (que por supuesto a mí no me comentaba), acompañada por sus dos hermanos.

Sonia y Karla se pasaban mucho tiempo aparte, hablando entre ellas, poniéndose de acuerdo para sus cosas y viendo todo lo de Conexiones americanas, principalmente lo administrativo y la venta de activos. Por supuesto a mí no me comentaban nada, al cabo yo era solamente la principal fuente de ingresos y ellas las administradoras de todo mi dinero y mis bienes. Todo lo resolvían administrativamente Sonia, la esposa de Sergio, y ahora Karla, sólo Dios sabe desde cuando dueña de Conexiones americanas.

Mientras tanto preparaba varias presentaciones en programas, uno de ellos de Jorge Ortiz de Pinedo, y cantaría en vivo con mariachi. Incluso había grabado un demo con Adrián (de la empresa de discos) sólo para ensayar la canción y acostumbrarme al mariachi, pues tenía meses de no cantar en vivo y sólo una vez en la vida había cantado con mariachi. Como fuera, yo sacaría la canción, pero quería hacerlo bien. Decidí cantar "Monedita de oro" y aprovechar el espacio para hablar del asunto de TV Azteca y de Aline y para desmentir los absurdos que decían. Habían anunciado el programa —que sería grabado— y una larga fila de público esperaba para entrar al estudio donde se haría el programa. En eso recibí una llamada de Luis de Llano, con quien nunca me llevé pero a quien siempre le agradeceré el "pitazo".

—Gloria, estamos aquí con todo listo y con gente esperándote, pero acabo de enterarme de que en cuanto llegues te van a aprehender y te van a llevar a declarar. TV Azteca está afuera esperando para grabar el momento y explotarlo. Te aviso para que te prevengas. Si no quieres venir lo entenderemos, suspendemos y ponemos otra cosa.

—A ver, Luis, déjame consultarlo con mi abogado y te llamo, ¿o.k.? Y muchas gracias.

Se lo comenté a Reyna, quien me recomendó no ir al programa y me explicó que, si había recibido citatorios para presentarme a declarar y no lo había hecho, después del tercero —no había recibido ni uno solo— la autoridad podía girar orden de presentación, lo que le daba derecho a aprehenderme donde fuera y llevarme presa a declarar, aunque luego me soltaran. ¡Ay, si tú! ¡Cómo no! Pensé que eso era justamente lo que buscaba TV Azteca, imágenes para darle credibilidad al libro de Aline. Estaban utilizando autoridades para hacer la campaña publicitaria del libro.

Por consejo de Reyna cancelé la aparición en el programa, y como los de TV Azteca y su "reportera" Laura Suárez no consiguieron hacer de las suyas y tomar las escenas que querían para la telenovela que estaban provocando, se dedicaron a picar a la gente y a hacer que públicamente expresaran su decepción ante mi falta de profesionalismo por haber dejado plantados a mis fans.

En lugar de ir al programa me fui con Reyna y sus hermanos. ¡Y, claro, Karla siempre estaba conmigo! Si habían entregado citatorios en Conexiones americanas, ¿por qué Karla, la jefa, no me lo dijo. Solicité un amparo y acompañada por Reyna, mi hermano Manuel —que me había alcanzado en México— y Karla fui a hablar con los abogados Salvador Ochoa y Guillermo Handam, a quienes conocía pero no sabía cómo contactar. Ellos habían atendido asuntos referentes a mi contrato con Televisa y el divorcio de Aline y Sergio. Fue una coincidencia que mi papá me recomendara a Salvador Ochoa, especialista en daño moral y me dio el teléfono y la dirección del despacho.

Al poco tiempo, y sin avisar a nadie, llegué sorpresivamente a la delegación en dónde habían puesto la denuncia de hechos de Aline que provocó que me pidieran declaración. Llegué amparada, evitando así que TV Azteca hiciera su agosto, conversé con el funcionario a cargo, que me mostró las denuncias. Eran dos, una de Aline y otra de Guadalupe Carrasco, una más absurda que la otra. Por consejo de mis abogados, respondería por escrito. Fui tratada con respeto y cordialidad en la delegación e inclusive secretarias y funcionarios me pidieron autógrafos.

Me llevé copia de las dos denuncias, pero tuve que hacer un gran esfuerzo para no declarar en ese momento. Lo que decían esas denuncias era ¡increíble!

Aline, en su denuncia de hechos "extemporánea" (pues denunciaba cosas que según ella habían sucedido hacía más de cuatro años, si no era que cinco), entre otras estupideces decía que había sufrido "abuso sexual" por parte de Sergio Andrade a los 15 años, pero nunca aclaraba que estuvo casada con él. Decía que era obligada a usar ropa sexy para hacer mis coros, entre otras mil mentiras.

En mi respuesta se presentarían las actas del matrimonio civil y eclesiástico, acompañadas del acta de divorcio. Recibos de honorarios con ella firmando de "recibido", copias de cheques por ella recibidos, tarjetas de crédito. Sus cartitas eróticas y de ofrecida que le escribía a su ex marido. Así como fotografías que ponían en evidencia que se inclinaba a los atuendos poco recatados desde antes de conocer a Sergio o hacerme coros. Y que luego continuó usando. También Sergio y Mary tendrían que presentarse en la delegación.

Le avisé a Mary de la gravedad del caso y dijo que ella atendería la denuncia e iría a presentarse, pero Sergio no quería ni oír hablar de aquello.

Me enteré de que Sonia estaba embarazada y se le empezaba a notar. Se veía contenta con su embarazo y en cierta ocasión comentó que su mamá le daba besitos en el estómago. La vi tan contenta y tan ilusionada que me alegré por ella. Pero también por esos días empecé a notar que Karla se hallaba más panzoncita que de costumbre. Quise creer que sólo se había puesto más gordita, pero empecé a notarla muy sacada de onda.

Una vez, viajando de Monterrey a México por carretera, mi hermano Manuel no podía resistir las ganas de dormir y le pasó el carro a Karla para que manejara. Karla echó el carro en reversa y dio un volantazo terrible, atravesando el vehículo en la carretera al tiempo que pasaba un trailer. Fue un milagro que no sufriéramos en ese momento un accidente mortal. El susto fue enorme y mi hermano no quiso que Karla, por ningún motivo, manejara nunca más su carro, y me lo dio a mí. ¡Pobre! No sabía que yo nunca había manejado verdaderamente. Pero no podíamos detenernos, así que sin decirle nada, con toda precaución y a baja velocidad continuamos el viaje, yo manejando. En el camino nos detuvimos en una tiendita y, aprovechando que mi hermano fue a comprar y al baño, interrogué a Karla.

—¿Qué pasa, Karla? —ella estaba con cara de puchero.

—¡Nada! —dijo al borde de las lágrimas.

—¿Estás embarazada? —le pregunté de sopetón.

—Sí —y entonces echó a llorar.

—¿De quién es tu hijo?

—De mi novio de Puebla.

—¿Y tus papás ya lo saben?

—No, y no sé cómo decirles.

—Pues hablen tú y tu novio con ellos. Total, eres mayor de edad.

—Gloria, lo que pasa es que él no quiere cumplirme y no sé qué hacer. Mis papás no van a entender y corro peligro de que me corran.

Allí tendría que haberme caído el veinte. ¿Qué la corrieran? ¡Pero si no vivía con ellos! ¿Y no me había contado tiempo atrás que sus papás eran muy *open mind* y que incluso su mamá había sabido cuando ella había tenido dos novios al mismo tiempo y los recibía en su casa a diferentes horas y a su mamá hasta en gracia le caía la situación? Pero en ese momento yo sólo pensaba en ella.

—¡Cálmate, Karla! No llores, te hace daño a ti y a tu bebé, además sabes que puedes contar con nosotros.

—Es que yo quiero ayudar y ahora no voy a poder, me siento muy inútil. Voy a ser un estorbo.

—No digas eso, Karla, no eres ningún estorbo y te agradezco todo lo que haces. No sigas llorando, piensa en tu bebé. Ya verás que todo se arregla —le dije tratando de consolarla y darle ánimos, y antes de que mi hermano regresara, nos dimos un abrazo y traté de trasmitirle fuerza y ánimo, pero ella seguía negativa y extraña. Qué diferentes actitudes, y con razón: Sonia feliz con su embarazo y Karla llorando por el suyo, pensé.

Días después me confesó que estaba preocupada de que el bebé estuviera mal, pues había seguido tomando sus pastillas de Roaccutan, que según esto eran altamente peligrosas para el embarazo. ¡Dios!, todo estaba complicándose. Sergio en Argentina; las denuncias en México; yo viajando de un lado a otro en busca de las pruebas de mi inocencia y viendo abogados; TV Azteca como perros acosándome y calumniándome; Sonia, a sus 26 o 27 años, con todo el derecho del mundo, embarazada de su marido; y Karla, con sus 22 o 23 años, embarazada de un novio que no le quería cumplir y a quien le preocupaba ¡qué dirían en Puebla! Claro que lo de Sonia y Karla era asunto de ellas, pero no dejaba de ser complicado para mí. ¿Cómo iban a ayudarme dos mujeres embarazadas, una gozosa con su embarazo y la otra preocupadísima de que se le notara y negándose a ver al médico aunque le insistí en que lo hiciera?

No se lo quise decir a Karla para que no se sintiera inútil, como lo planteó, pero la verdad no era ninguna ayuda, no podía llevar el paso en lo que teníamos que hacer y no me parecía bien que pasara por las presiones que soportábamos. Tampoco podía ni debía cargar cosas pesadas. Un día que la vi cargando unas cajas la regañé, le dije que no hiciera eso, que tomara conciencia, eso no era bueno para el bebé. Pero en cuanto me distraía seguía haciéndolo. Definitivamente Karla no debía seguir acompañándome, era demasiado ajetreo y no se cuidaba.

En esos días hablé con Héctor Suárez, quien me invitó a cenar. Como siempre, fui acompañada por Karla, siempre atenta y vigilando todo lo que hablaba o me decían. En esa ocasión nos acompañó mi hermano Manuel. Cenamos en un restaurante muy bueno de Plaza Loreto y durante la conversación descubrí en Héctor Suárez a un hombre inteligente y sensible y quedé encantada con su manera de ser franca y brillante. Pero noté que Karla lo detestó, pues Héctor Suárez ignoró olímpicamente sus comentarios. Parecía que le dijera: "Te perdono, pero no lo vuelvas a hacer", pues apenas se volvía hacia ella, no le respondía nada y seguía conversando de otras cosas, por lo que a la mitad de la cena Karla estaba de malas, cosa común en ella (claro que frente a quien le convenía, disimulaba) y no dejaba de ver su reloj como apresurándonos.

Héctor Suárez fue muy buena onda conmigo, y cuando tocamos el asunto de TV Azteca y Salinas Pliego, algo dijo de sus problemas con esa gente, que había seguido explotando los programas que hizo en la televisora sin tener los derechos (o algo así); aparte hablaban mal de él en esos programas de chismes del espectáculo "archicorrientes, difamantes y calumniadores" conducidos por Patricia Chapoy.

En fin, Héctor Suárez me dijo que había ganado un pleito legal que le prohibió a TV Azteca seguir explotando sus programas y condenó a la emisora a pagar una multa o indemnización de aproximadamente cuatro millones de dólares. Al menos lo dejaron en paz y a su imagen, nombre y programas, pero del dinero, nada. Que Ricardo Salinas Pliego personalmente, vía telefónica, le había dicho "que si le cobraba aunque fuera un centavo no tendría familia para gastarlo", por lo que Héctor Suárez prefirió no involucrarse más con esa mafia. Total, lo que más le interesaba era que lo dejaran en paz y lo había logrado. Su consejo fue que no me metiera con ellos. "Son gente peligrosa", dijo.

Al acabar la cena me invitó a ir a su casa. Era tarde y Karla protestó, pero Héctor dijo que quería mostrarme algo muy especial y mi hermano me animó.

—Vente en mi carro, que ellos nos sigan —indicó Héctor, refiriéndose a Karla y a mi hermano. Karla protestó y se quiso pegar, y si bien desde aquella desagradable experiencia con Ricardo Salinas Pliego siempre trataba de no quedarme sola con productores, directores o dueños de empresas relacionadas con mi trabajo.

Llegamos a la casa de Héctor y entramos a una salita pequeña, acogedora y de buen gusto. Después de una corta y trivial conversación, Héctor se dispuso a mostrarme aquello que me había despertado la curiosidad. ¡Claro!, Karla también quería ver de qué se trataba.

—¡No! —dijo Héctor tajante—. Sólo a Gloria le voy a mostrar mi santuario... Pero no es aquí. ¿Vamos? —dijo dirigiéndose a mí.

Por un instante dudé. Notaba a Karla molesta, sacada de onda, y sabía que se sentiría fatal, pero era evidente que Héctor Suárez no quería mostrar ese lugar a nadie que no fuera yo.

—¿Un santuario? —pregunté, esperando que sucediera algo que lograra distender el ambiente que la actitud de Karla tornaba pesado y denso. Ese día me sentí realmente vigilada. Si bien los últimos años había sido continua y constantemente acompañada por una de ellas.

Todo eso llegué a considerarlo normal, parte de mi seguridad, pero en esta ocasión sentía rara a Karla. Sabía que entre ellas solían espiarse y chismearle a Sergio lo que unas u otras hacían o decían, como para ganar favores poniéndose en mal mutuamente. Era el único rastro de celos que les había notado. Pero, ¿y yo qué? ¿Acaso le chismearía a Sergio que había estado a solas con Héctor Suárez? Independientemente de que se comportaba como un caballero, yo estaba en mi derecho de hacer lo que se me viniera en gana, pues Sergio y yo no teníamos ningún compromiso, ninguna relación amorosa, ninguna declaración de amor ni nada parecido.

En eso, viendo la situación, mi hermano se me acercó y, dándome un empujoncito, me dijo: "Anda, ve y nos cuentas". Me decidí y pese a la evidente contrariedad de Karla, salí con Héctor Suárez y uno de sus guardaespaldas. Muy cerca, prácticamente al lado, estaba el santuario. Vi que Héctor se quitó los zapatos e hice lo mismo. Entramos solamente los dos a un cuarto amplio y bien iluminado, de ambiente agradable, de paz, con varios altares de deidades hindúes, y permanecimos reverentes unos minutos. Me contó que allí solía meditar.

Salimos y entre risas me dijo que también era devoto de la virgen de Guadalupe. Tal vez pensó que me había asustado o algo así, pues no comenté nada. La verdad es que el lugar me había trasmitido mucha paz, por eso estaba tan callada; fue mi forma de disfrutar su santuario. También me dijo que no había querido que viniera Karla porque no tenía buena energía, y además no invitaba a cualquiera a su santuario. Le dije que Karla era buena onda, y sin embargo dentro de mí sabía que él tenía razón: Karla siempre era negativa. Me llamó la atención la percepción de Héctor.

Nos despedimos y al día siguiente Héctor Suárez llamó a mi celular y me dijo que estaba preocupado por mí, que era yo una persona de mucha luz, pero percibía una amenaza rodeándome. Que tuviera mucho cuidado y meditara y reforzara mi luz interior. Por breves segundos vinieron a mi memoria los pájaros que cayeron muertos de sus nidos cerca de donde pasaba y otros presagios funestos.

Pensé que una energía negativa estaba queriéndome hacer daño, detenerme, y mi energía positiva formaba una especie de escudo que hacía que rebotaran las malas vibraciones, pero perjudicaban al más débil cercano a mí.

¿De dónde me vino esa idea, esa sensación? ¡No lo sé! Recordé que Aline era asidua, fanática y creyente en brujerías, y lo mismo había escuchado de la mamá de L..., incluso por eso la señora siempre vestía de negro. No creo en brujerías (bueno, no creía), pero sí en la energía positiva y negativa, en el bien y el mal, en la luz y la oscuridad, en Dios y el demonio.

Mas me hallaba tan atareada con todo, viendo abogados, analizando presupuestos, consiguiendo dinero, que pronto olvidé mis aprehensiones y con ello la meditación.

Karla estaba vendiendo cosas y con eso salíamos de apuros. Las cosas eran de la empresa o de Sergio y a mi sólo me liquidaban pequeñas deudas, y digo pequeñas pues me debían millones, y aunque parte estaba garantizada con el terreno de Monterrey —del que aún se debía algo y para colmo había un pequeño problema con un inquilino— y con unos pagarés que no me liquidaban por falta de fondos ¡uf, todo eran líos! Pero si le preguntaba a Karla por mi dinero o mis pagos me decía que luego lo arreglara con Sergio y me daba mientras cualquier cosa.

No sé cuando partieron otra vez de México las muchachas, no supe si juntas o por separado, ni quién compró los boletos, ni hacia dónde se dirigían. No tenía contacto con ellas. Sólo recuerdo que un día alguien se comunicó con Karla y ella me dijo que tendríamos que viajar inmediatamente de regreso a Argentina. Y aunque había muchas cosas por resolver en México, le agradecí al cielo que regresáramos a Buenos Aires, sería la oportunidad de relevar a Karla; aparte, no era buen momento para entrevistas, estábamos en pleno Mundial de Futbol, en junio de 1998.

Pensé en la posibilidad de convencer a Sergio de que viajara a México y cuanto antes procurara aclarar la situación y desde luego se presentara a declarar en la delegación. (¡Vana esperanza la mía!)

Al llegar a Argentina me di cuenta de que no existía razón para que fuésemos llamadas con tanta urgencia, según había dicho Karla. Sergio, es cierto, estaba preocupado sabiendo que en México me la pasaba yendo y viniendo de México a Monterrey y Ciudad Victoria, por carretera y sin seguridad, pero ahora pienso que también ponían nerviosa a Karla las preguntas que le hacían los abogados sobre mi dinero y la administración de Conexiones americanas, o el hecho de que le pidieran el acta constitutiva de la empresa. Cuando Ticket-Master me hizo una propuesta interesante, a ella le entró la urgencia de que regresáramos a Argentina.

Claro que Sergio quería vernos, y cuando llegué toda apresurada a Argentina los encontré a todos felices y contentos y con la novedad que Sergio, Katya y Karola habían viajado a Brasil y habían pasado allá unos días "maravillosos", disfrutando de hermosos paisajes y suculentas comidas. Y de allí Katya y Karola habían viajado de ida y vuelta a México.

Cuando Katya y Karola dejaron a Sergio solo en Brasil, Liliana Regueiro se apresuró a alcanzarlo para relevar a las hermanas De la Cuesta. Viajó ella de Córdoba, Argentina (pues estaba en su casa con su familia), a Brasil para encontrarse con su amante. Liliana hablaba de ese viaje con alegría y felicidad, platicaba que uno de esos días Sergio había tocado el piano con un grupo que tocaba música sudamericana en la calle, y contaba que en las iglesias oraban por los futbolistas para que ganaran la copa del mundo. Me contaban ("o me presumían") de todas las maravillosas experiencias de su viaje a Brasil, de cómo se habían divertido (éstos paseándose y yo, mientras, "acompañada" por Karla, en friega en México, viendo abogados, respondiendo denuncias, buscando pruebas, tratando de conseguir y cobrar dinero). Pero, bueno, en ese tiempo todo ocurría muy rápido y eran tantas dorándome la píldora que yo me la tragaba. Decían, en fin, que Brasil era un país que deberíamos conocer mejor, sería fabuloso pasar una temporada allá y hasta le iban al equipo de Brasil.

Los escuchaba a todos, pero lo que en ese momento ocupaba mis pensamientos era el problema de México. Le trataba de detallar a Sergio la situación que su ex mujer había provocado, las denuncias y todo lo demás, pero en cuanto tocaba el punto él insistía en que no deseaba saber nada de nada. No lograba convencerlo de que viajara a México, y menos siete u ocho mujeres repitiéndole que no debía rebajarse, allá yo si quería hacerlo. A mi tal cosa me molestaba y preocupaba sobremanera, más tratándose de responder a las mentiras de su ex mujer y a las calumnias de su ex amante.

Me sentía sola, pero no podía quedarme callada y hacer como si nada pasara, porque ¡claro que estaba pasando! Y pronto retorné a México para seguir mi lucha. No sirvió de gran cosa mi opinión de que Karla no debía acompañarme, mejor que se quedara allí y estuviera tranquila, pero fue Karla quien insistió en continuar, alegaba que se sentía muy bien, que casi no se le notaba el embarazo y tenía muchas cosas pendientes con el contador. Más aún, lloraba ante la posibilidad de no "ayudar" más. Así, Sergio y ella decidieron que me acompañara.

En cuanto regresamos a México, lo primero que hicimos fue buscar ayuda legal. La persecución de los reporteros era cada vez peor y había que hacer algo definitivo. Tendríamos que demandar a esos calumniadores. Hubo un momento en que debíamos ir a Monterrey y de buenas a primeras Karla me dijo que no viajaría conmigo y se sacó de la manga a Wendy para que me acompañara. Así pues, viajé a Monterrey en compañía de Wendy. Estábamos viendo en qué estados se pondrían las demandas, y en Monterrey conversé con el gobernador de Nuevo León, que muy amable exteriorizó su preocupación de que llevara a la entidad un pleito con TV Azteca.

En Ciudad Victoria el gobernador tamaulipeco Garza García y el procurador se mostraron más abiertos. Si el caso era de competencia del estado, allí podría hacerse un juicio imparcial. Además, Marlene colocaría una demanda en Los Mochis y yo otra en el DF.

Wendy se fue, no recuerdo cuándo ni a dónde. A mí no me preguntaban, sólo aparecían y desaparecían, relevándose unas a otras con cualquier pretexto. ¿Qué hacían o a dónde iban? Sólo ellas, y quiero pensar que, Dios, lo sabían.

Necesitaba volver a Monterrey y traté de hablar con uno de mis hermanos, pero sólo localicé a su futuro cuñado, Felipe, que ofreció ir por mí. Acepté el ofrecimiento y al llegar a Monterrey me presentó al abogado Gerardo Cantú, a quien le pedí un presupuesto. En el DF hablé también con un abogado que había visto un caso relacionado con Luis Miguel. Tenía citas con otros abogados a los que también deseaba consultar, pero tuve que cancelarlas porque Karla dijo que esta vez si era urgentísimo que viajáramos a Argentina, y aunque suspender las cosas significaba retrasar las demandas, dos cuestiones me impulsaron a aceptar.

A Karla se le empezaba a notar el embarazo y en algunos medios comenzaron a circular rumores, a lo que Karla decía: "¡Qué noticia tan importante!" Que estuviera o no embarazada era algo que a nadie le importaba, pero era evidente que a ella sí le importaba que se le notara. En los últimos días trató de comer menos y se puso una dieta de sopas, frutas y jugos, dizque para que no se le notara, pero su barriga no era cosa de dietas.

De otra parte, tenía la esperanza de persuadir esta vez a Sergio de que viajara a México a resolver la situación creada por Aline. Pero que lo iban a dejar "las amigas". Por el contrario, le daban cuerda a su idea de no saber nada.

Y así, aunque no del todo convencida de dejar las cosas inconclusas, pero presionada por la nueva urgencia, nos dispusimos a viajar a Argentina por cuarta vez en los últimos meses. Sólo que ahora Karla me salió con la novedad de que iríamos a Córdoba, ciudad donde vivía la familia de Liliana.

Al llegar a Córdoba Sergio me dijo que estaba arrepentido de permitir que me rebajara y exteriorizó su disgusto e incomodidad. Le dije que no tenía por qué sentirse mal, pues no estaba en su mano resolverlas las cosas, a menos que se decidiera a atender su demanda. En lo que a mí concernía, contestar a las estúpidas demandas de Aline y Guadalupe era asunto mío y quería hacerlo; en cuanto a su asunto, él podía manejarlo como quisiera. De nuevo traté de explicarle la gravedad del asunto legal, lo de la orden de presentación y todo eso, pero Sergio estaba cerrado a tal asunto y no quiso escuchar. No obstante, le dije que Mary y yo regresaríamos a México, pues teníamos fecha para responder a las autoridades.

Karla, que en todo estaba y en todo metía la cuchara, aunque sabía perfectamente cuanto estaba pasando en México, en vez de apoyarme o apoyar a Mary, le daba por su lado a Sergio, pese a su conocimiento de la gravedad del caso y de la urgencia de que Sergio se presentara en México. En vez de apoyarnos, pues, Karla se molestó con nosotras y nos trató de exageradas y aceleradas. Protestó, lloriqueó que quería quedarse con Sergio (claro, porque se estaba perdiendo las francachelas que se traían todas en Argentina). Yo fui terminante. Volvería a México a arreglar mis asuntos sola o acompañada. Y Karla me acompañó de nuevo.

Mis "amigas" eran incansables inventando cosas. Cada vez que las veía tenían "nuevas ondas" (se notaba que no tenían más cosa que hacer que asediar a Sergio y competir por él). Ahora la novedad era que todos los días hacían ejercicio con una especie de juego que llamaban "se sientan rápido" y que consistía en caminar alrededor de la sala, haciendo distintos movimientos, brincando en una pierna, saltando como ranas, caminando, corriendo, cambiando de dirección, sentándose en el suelo sin usar las manos. Una de ellas, generalmente Karola o Karina, dirigía el juego y decía cuáles eran los movimientos que se tenían que hacer. La que se retrasara o se equivocara en la ejecución, salía de la fila y seguía ejercitándose, pero ya sin jugar. Las finalistas siempre ganaban premios y, por supuesto, el premio mayor era Sergio. Los premios eran salir con Sergio, ir al cine con Sergio, ir a comer pizzas con Sergio, en fin, todo lo que fuera con Sergio era premio, y podían hacer los famosos trueques inventados por Karola. Las perdedoras podían ver películas en la video o ir al cine, pero a una sala distinta; o iban a comer pizzas, pero sentadas en otra mesa; y así por el estilo, lo cual según ellas era gran castigo, pues todas querían estar cerca de Sergio.

Uno de esos días vi a las tres hermanas De la Cuesta (Katya, Karla y Karola) en una escena muy parecida a la que presencié en Ixtapa, esta vez en el jardincito de la familia de Liliana. Salí de repente al jardín y allí estaban las tres, tomando sol tendidas en toallas y totalmente desnudas, y en esta ocasión las acompañaba Wendy, que también se asoleaba desnuda. Sergio salió en ese momento a ver algo del asador y no les prestó atención; al parecer era un hecho común, mediante el cual ellas mantenían su bronceado.

Yo sólo moví la cabeza, entré a la casa y no comenté nada. Además, ¿qué podía comentar? Yo estaba de visita y eran ellas quienes vivían ahí. Total, era su onda, y hasta Karola, que tendría 16 años, hacía lo mismo que sus hermanas mayores y éstas sabían bien lo que hacían, igual que Wendy. Además, cualquier comentario mío podría ser cruelmente refutado por Karola, que me tacharía de vieja celosa o envidiosa. Si ellas lo disfrutaban, pues muy su onda. Se veían felices y no se cansaban de decir que eran una familia unida, que todas se querían y (mientras no me metiera con ellas y su estilo de vida) a mí también me querían mucho.

Antes de volver a México, mi amiga Karla me acusó con Sergio de que había entrado sola (es decir, sin ella), al santuario de Héctor Suárez. Sergio no dijo nada, pues nada podía reclamarme ni tenía por qué hacerlo. Pero observé que le incomodó, pues le preguntó a Karla de qué habíamos hablado Héctor y yo. Karla también me acusó de llevarme súper bien con los hermanos y el papá de Reyna. Y se quejó de que mi hermano no le hacía caso y me hacía a mí "la pala" (faltaba que mi hermano fuera a obedecerla a ella; él me acompañaba a mí, no era su empleado). Y mientras yo "la rebanaba" con todos ellos (los hermanos y el papá de Reyna y mi hermano), ella sacrificadamente revisaba toneladas de papeles. No me aguanté y ahí mismo, frente a Sergio, dije que era mentira que tuviera toneladas de papeles por revisar, y si alguna vez revisaba alguna carpeta era por su gusto y yo la ayudaba. Era yo quien contestaba las denuncias de la ex esposa y la ex amiga de Sergio, Aline y Guadalupe, y reunía y preparaba las pruebas que debían presentarse y me quedaba trabajando hasta las cuatro o las cinco de la mañana. Dije además que ella se fingía inútil para manejar y por poco provoca un accidente que pudo costarnos la vida. Y en cuanto a mi hermano, que recordara que no era su empleado. Y para terminar, que si entre ellas se echaban ponzoña para provocarle celos a Sergio y ganarse sus favores, a mí que me dejaran en paz y no se metieran conmigo. Y yo podía no sólo tener amigos sino andar con quien se me pegara la gana, pues era libre y no tenía la relación que ellas tenían con Sergio, por lo que dejé bien claro que no éramos iguales. Sergio no dijo nada y Karla parecía a punto de llorar de rabia. Yo no podía entender por qué les gustaba echarse leña.

Uno de esos días Karola acusó a Karina con Sergio por unas broncas que traían entre ellas. Karina, delante de Sergio, reviró sacándole a Karola trapitos sucios. Sergio, cuya relación con Karina era cada día más distante y se mantenía apenas gracias a los ruegos de esta mujer para que le diera una nueva oportunidad de demostrarle su amor y gracias también al hijo de ambos que se hallaba en España, en vez de recriminar a Karola por lo que Karina revelaba, se enojó doblemente y le dijo a Karina que era una persona horrible, que se guardaba cosas para luego usarlas a su conveniencia y no veía en su acusación un acto de lealtad como el de Karola sino un acto de venganza. Humillada, Karina lloraba de rabia y Karola a duras penas lograba disimular el gusto de ver cómo Sergio la apoyaba. Yo nada más veía, oía y llevaba la cuenta. Ni quién quisiera meterse con ellas, parecían gatas en celo.

Karina, desplazada en los sentimientos de Sergio por Karola, detestaba a ésta de manera evidente, por más que trataba de ocultarlo. A la vez, se daba sus mañas para tratar de recuperar a Sergio. Le escribía cartitas y recaditos manifestándole su amor y diciéndole que quería tener más hijos con él.

En ese tiempo era Karola la más unida sentimentalmente a Sergio y contaba con todo su apoyo. Tenía gran influencia sobre él y era obvio que no perdía oportunidad de fregar y minimizar a Karina ante Sergio. La verdad, no se le escapaba nadie, ni siquiera sus hermanas, en especial Katya, y no desaprovechaba la ocasión de hacer ver su superioridad.

Solamente conmigo no podía. Y pese a que yo no era amante de Sergio, me tenía celos y detestaba la forma en que él me trataba. Para más, se aferraba a cualquier motivo para, como no queriendo, hacer comentarios hirientes sobre mí. Yo no me daba por aludida.

Cierta vez que fuimos todos al cine, Karola se puso unos pantalones a la cadera de Liliana, no sé si con su permiso. Y sin mi permiso tomó una de mis blusas, una roja, de tirantes. Bronceada como estaba, de verdad se veía bien. Segura de su apariencia, Karola abrazaba a Sergio y lo manoseaba frente a todas. Era su forma de decir: "yo soy la mera mera". Yo hacía como que no me importaba, pero, ¡diablos!, la verdad es que me importaba y me dolía, pero no iba a darle el gusto de que se notara.

Me enteré de que la BMG le dio a Marlene su carta de retiro por lo que Aline decía de ella en el libro. Aline estaba logrando lo que quería, pues luego de llevar a Marlene con Sergio, se arrepintió al descubrir que no sólo era más bonita que ella, sino más joven, más alta, con más clase, tenía mejor voz y era mejor bailarina. Todo en Marlene era mejor que en Aline. Artísticamente, Marlene era superior.

Entre los objetivos de Aline se hallaba evitar que Marlene brillara más que ella, y con las calumnias y mentiras del libro lo estaba logrando. Marlene, entonces, ya no iba a ser lanzada como solista por BMG debido al escándalo en que la envolvió Aline. No quisieron invertir en su carrera, pues no era lo mismo que arrostrara un escándalo una persona consagrada, como yo, a que tuviera que enfrentarlo una chica que comenzaba y debía mantener un perfil juvenil y una imagen impecable. Valiéndose de mentiras Aline había desgraciado años de esfuerzo, trabajo y preparación de Marlene. Y aun si hubiesen sido ciertas, ningún derecho tenía a exhibirla públicamente.

Claro que Aline siempre envidió el talento y la belleza de Marlene. Y ahora, cínicamente, se atrevía a decir que deseaba salvar a Marlene. De ser esto verdad, ¿por qué se empeñaba en manchar la reputación y honra de la chica?

Aline fue varias veces a la casa de Marlene, sabía dónde vivía, conoció a su familia. ¿Por qué no buscar a sus padres? ¿Por qué no hablar con ellos y decirles lo que pasaba? ¿Por qué no buscar una forma de ayudarla sin ensuciarla? Tanto más cuanto que conocía la manera de pensar y sentir en esas sociedades cerradas de muchos lugares de provincia. ¿Por qué? La respuesta es sólo una: no quería ayudarla sino usarla, calumniarla, mancharla, humillarla, exhibirla. Marlene recibió su carta de retiro, pero no como Aline recibió la suya de la disquera americana, que se la dio por su fracaso como cantante, la exigua venta de sus discos y escasa o ninguna aceptación por parte del público. Marlene recibió la carta de retiro por las intrigas, la envidia, las calumnias y los escándalos de Aline.

¿Cuál sería hoy la trayectoria de Marlene si Aline no la hubiera involucrado en un escándalo? Seguramente muy diferente de la pesadilla que luego le tocó vivir.

En Córdoba llegamos a una casa modesta y otra vez… ¡sorpresa! Todas estaban allí encantadas alrededor de Sergio, y la novedad y la urgencia consistían en que Sergio estaba cocinando y hacía unas carnes asadas increíbles, con las que mis amigas se atragantaban. Inmediatamente después de nuestra llegada a Córdoba, Sergio dispuso que Sonia y Karla, que tenían más o menos el mismo tiempo de embarazo, fueran a revisión con el médico. Pero el día en que Liliana, que había hecho la cita, iba a llevarlas, Karla se encerró en el baño. Como pasaba mucho tiempo y no salía, Sonia y Liliana empezaron a preocuparse y le tocaron la puerta. Karla decía: un momentito, ya voy, ahorita salgo, cosas por el estilo. Y como no salía le avisaron a Sergio, quien tocó y preguntó qué pasaba. Karla dijo una vez más que no tardaría y al fin abrió la puerta. Se veía agitada y con ojos llorosos.

Sergio le preguntó qué le pasaba, si acaso se sentía mal, por qué estaba así. Karla se negó a responder. Solía ser muy complicada y ya estaban con retraso, por lo que sin mayor discusión Liliana las llevó con el médico, donde les harían una ecografía y algunos análisis. Y regresaron con una triste noticia: el bebé de Karla estaba muerto. Era una niña de casi seis meses de gestación, ya sin signos vitales, y tendrían que inducirle labor de parto. Sergio se alarmó y mandó que Karla volviera al hospital para que la atendieran.

¿Qué ocurrió? Karla varias veces había manifestado su miedo de que el bebé tuviera alguna malformación por las pastillas de Roaccutan que ella seguía tomando. Pero ¿llegar al grado de que la criatura muriera? Sergio quería saber qué había pasado. Karla dijo que tal vez se debía a tanto viaje (viajes que ella había insistido en hacer), a que algo de la comida le había caído mal, o a saber qué, pero evitaba mencionar las pastillas de Roaccutan.

Sergio le dijo a Liliana que pidiera una autopsia del bebé para conocer la razón de su muerte y Liliana salió de la casa con Karla. ¡Pobre Karla!, pensé al verla irse. En ese momento Sergio se volvió hacia mí y dijo:

—¿Qué hizo Karla tanto tiempo encerrada en el baño? No quiero pensar mal, pero es muy extraño.

—Tal vez se dio cuenta de que el bebé no se movía y tuvo un presentimiento.

—¿Justo en ese momento? Bueno, ya se verá en la autopsia.

Nunca conocimos los resultados de tal autopsia, pues siempre hubo pretextos de Katya, Liliana y Karla para no recogerlos. Toda clase de pretextos. No tenían carro ese día, no era día de recogerlos, tenían otra cosa que hacer, mejor la próxima semana. Así, por una u otra cosa, fueron dejando el asunto para después. Lo importante era ayudar a Karla a no caer en la depresión. Sin embargo tomó muy bien lo sucedido, incluso la noté de mejor humor que cuando embarazada. Dejamos pasar unos días más para que reposara y se recuperara, y en ese lapso pudimos probar los asados deliciosos de Sergio y otras recetas que él preparaba.

Wendy y Liliana trabajaban en una heladería llamada Bariloche y Liliana estuvo animando a Sergio a invertir en ese negocio. Katya, al poco tiempo, sugirió análisis de mercado, y Sergio empezó a preparar nieves que vendían con la finalidad de examinar la reacción de los clientes a los sabores y texturas. Todas las muchachas parecían divertidas y animadas con el proyecto. Las nieves que sobraban nos las comíamos y las comparábamos con otras. A mí me gustaban más las de Sergio, y la verdad todas le hacían fiestas.

Aunque la casa en la que estábamos no tenía ni de lejos el lujo de los hoteles o las casas a que todas se habían acostumbrado desde que empezaron a trabajar y viajar con Sergio o con la empresa, no parecía importarles. La comida seguía siendo de lujo, todos los días rentaban películas, se entretenían y seguramente seguían satisfaciendo *todo tipo* de necesidades y deseos.

La convivencia de las muchachas en Argentina semejaba la de una familia. Se ayudaban para cocinar y hacer el aseo; tomaban en grupo ciertas decisiones; jugaban cartas, caras y gestos, básquetbol, inventaban juegos. Cuando yo llegaba era tratada casi como de la familia, con algunas diferencias. Yo no compartía *todo,* sobre todo, lo de asediar al mismo hombre, y era recibida como "visita de hermana".

Sergio conversaba mucho más conmigo que con cualquiera de ellas, y en ocasiones, cuando decía mi opinión sobre alguna película, libro, música o cualquier tema, entrábamos en amenos debates por la diferencia de puntos de vista. Esto provocaba que Sergio se sintiera bien hablando conmigo, y con ellas no tanto, pues sólo parecían competir para ser la chica sí-sí-sí. Frente a él jamás externaban opiniones diferentes; en su afán de agradarle, y en competencia disfrazada, absurdamente se esforzaban en mostrarse como almas gemelas de Sergio. Por ejemplo, si él decía que una película le había gustado, se desvivían alabando la película y llegaban a verla varias veces. Lo mismo sucedía con la música, las comidas, lo que fuera. Si él decía que algo le gustaba, a ellas les encantaba.

De cualquier forma, mis amigas trataban de evitar que me diera cuenta del tipo de relaciones que sostenían con Sergio, pero a esas alturas, por despistada que fuera, aunque nunca las vi en actividad sexual con Sergio, eran relaciones obvias en los chismes entre ellas, en las cartitas y recaditos amorosos dirigidos a Sergio que andaban regados por todos lados, en las actitudes y manoseo. Y los resultados ponían de manifiesto la francachela y la putería que se traían con él. Otra vez, ¿y yo qué? A mí ni me tomaba en cuenta y yo me mantenía distante. A ellas eso les caía mal y me llegaron a criticar en forma irónica, hiriente y tendenciosa una vez que, hallándonos todas juntas, comenté que sentía la falta de una pareja, de sentirme amada. Inmediatamente una de ellas dijo: "Pues no la tienes porque no quieres"; y otra me reprochó "no apreciar lo que tenía". Una más la apoyó diciendo que en mi lugar se sentiría agradecida por las deferencias que me tenían. Y todavía una más indicó que daría todo por contar con la amistad, confianza y cariño que Sergio me profesaba. De repente, las amigas que en ese momento no eran tan amigas, me reprochaban que no supiera valorar lo que tenía, de hecho me tildaban de malagradecida. Envalentonadas por el hecho de estar juntas, seguían: "Lo que pasa, Gloria, es que te sientes más y te gusta hacerte la interesante".

—Oigan, ¿qué les pasa?

—La pregunta es qué te pasa a ti, Gloria. Deberías reconocer todo lo que le debes a Sergio.

—Un momento. Nunca he dejado de reconocer nada.

—Pues deberías demostrárselo y ser más comprensiva con él.

—¿A qué le llaman ustedes ser comprensiva? ¿A ser como ustedes con él? ¿Creen que no me he dado cuenta? Pues entérense de que no revuelvo el trabajo con otra cosa. Para ustedes es muy fácil criticarme porque todas a su modo viven un romance con Sergio, pero yo no soy tan compartida.

—Pues prefiero compartir al hombre que quiero, a saber que me pone los cuernos a escondidas.

—Yo no podría tener ese tipo de intimidad.

—¿Entonces es un problema de sexo? —inquirió Karola, la más aventada.

—No. Es un problema de relación entre un hombre y una mujer. De sentirse amada y deseada.

—Lo que pasa es que te sientes vieja, ¿no? —repuso Karola mirando a las otras con una sonrisita.

—No, Karola, fíjate que no. Por el contrario, me siento joven y por eso quiero disfrutar todo lo que cualquier joven o no tan joven tiene derecho a disfrutar.

—A ver, sé sincera, ¿cambiarías conmigo? —Karola era joven, bonita, la favorita de Sergio y la que dominaba a las demás. Pero...

—No, Karola. No cambiaría contigo —le contesté sinceramente.

De cara bonita, pero de movimientos torpes y sin gracia, voz vulgar y quebrada, con timbre chillón, sin talento musical alguno, Karola tiene mal carácter y es pesada y abusiva cuando se siente apoyada, pero sola, es cobarde e insegura. Su actitud fría y calculadora no me inspiraba el menor deseo de cambiarme por ella. Y si bien se daba las cogidas del siglo con Sergio, tal como lo hacían sus hermanas, no era ese mi concepto de romance ni de la relación que quería.

La pregunta "¿te cambiarías por mí?", fue repetida por Wendy, Karla, Katya, Karina, y en todos los casos respondí igual. No. En efecto, no me hubiera cambiado por ninguna, pues aunque cada una tenía sus "cualidades", ninguna me infundía respeto ni admiración, ninguna era completa. Tal vez por eso varias hacían una, pensé sin quererlo, y ni por la una que formaban todas me cambiaría. No podía ser hipócrita conmigo misma ni malagradecida con Dios: ni todas juntas hubiesen podido, jamás, componer la más simple de mis canciones, ni trasmitir mi energía y mis sentimientos. Les faltaba dignidad, originalidad, individualidad. No era cuestión de superioridad, sino de esencia y profundidad.

Sentí pena de mis pensamientos y sentí pena por mí, pues la realidad era que Sergio prefería a la una que entre todas formaban, que a mí. Para él era yo su amiga, su hermana, pero ellas eran sus mujeres, sus amantes, sus incondicionales almas gemelas. Yo la eterna rebelde, pero a fin de cuentas solitaria, eterna solterona, aferrada a ser fiel a un amor platónico.

Y de golpe ya no me sentí tan segura de no querer cambiarme por alguna. ¿Quién es superior, el infeliz o el feliz?

Muchas veces se presentaron situaciones semejantes. Ellas seguían aportando razones que, si al principio me parecieron estúpidas, empezaron luego a parecerme razonables, pero no podía aceptarlo. Aunque creía tener la razón, no pocas veces, pese a mis esfuerzos, terminaba llorando y me chocaba ver la mirada de triunfo de Karola y Karina seguras de que me daban donde más me dolía. (Hoy pienso que ellas querían que me involucrara con Sergio como una más, pues de otro modo les molestaba tener que guardar apariencias, no poder actuar libremente conmigo ahí).

Sonia no participaba en ese tipo de agresiones, lo mismo que Marlene. Mary, cuando se daba cuenta y veía cómo me afectaban esas discusiones, me decía que no les hiciera caso, que las ignorara.

A pesar de este tipo de situaciones, había momentos gratos. Sergio hacía con frecuencia carnes asadas y todas, incluida yo, ayudábamos. Unas haciendo la salsa para marinar las carnes o picando ajo y cebolla; otras preparaban las salsas para acompañar las carnes ya asadas, como chimichurri y pico de gallo; y entre todas encendíamos el carbón, cuidábamos las carnes que junto con papas, cebollas y elotes se asaban. A veces Sergio preparaba frijoles charros y queso fundido, y entre conversaciones y risas, los cortes argentinos de carne de cerdo y de res eran devorados por todos y disfrutábamos mucho de aquellos momentos. Al menos eso me parecía a mí y eso decían ellas, que comentaban emocionadas y alegres lo genial que era su forma de vivir. Parecían querer convencerme de las ventajas de su estilo de vida. Hacían hincapié en el hecho de que no tenían vicios, no se sentían engañadas por su hombre y entre ellas se llevaban bien y se ayudaban. Las hermanas De la Cuesta comentaban orgullosas que peleaban mucho menos ahora que compartían el mismo hombre, que cuando se trataban como hermanas en su casa. Cada vez disimulaban menos su relación y su forma de vida.

Debido a mis giras, y porque no vivía con ellas, no me había dado cuenta real de lo que hacían y cómo vivían, pero ahora que pasaba temporadas más largas con ellas entre viaje y viaje, maquillaban la situación y la envolvían en un halo de maravillosa unidad; resultaba que todo era normal. ¡La anormal era yo!

Entonces sí, ni modo de que me dijera a mí misma que era una mal pensada. Todas eran amantes de Sergio y las De la Cuesta se vanagloriaban de ello. Y ni manera de correrlas, antes ellas me hubieran corrido a mí, pues había resultado que Karla era mi patrona y sus hermanitas sus asistentes. ¡Bonita situación la mía!

A diferencia de ellas —como decían: a quién le importaba lo que hicieran—, yo sí tenía compromisos. Tenía responsabilidades y un nombre que cuidar y limpiar. Era la que menos tenía por qué ser embarrada y sin embargo era el centro de los ataques. No era yo quien había vivido torrenciales pasiones; era la que se la había pasado trabajando en giras y encontraba novedades al regreso de cada viaje, como esta vez. Era una locura, todo me daba vueltas en la cabeza. Pensamientos y sentimientos se me agolpaban en la mente y en el corazón. Necesitaba tiempo para pensar. Ya habría tiempo para eso.

Por el momento tenía que hacer acto de presencia en México para responder a una sarta de estupideces que en última instancia incumbían más a Sergio y a ellas que a mí. Ultimadamente, como ellas decían, a nadie le importaban sus ondas y sus vidas privadas, y en cierta forma, entendí por sus comentarios, me culpaban de la intromisión de la prensa que en sus vidas. Total, si eres Juana Pérez o Karla de la Cuesta a nadie le importa, pero si colocan tu nombre junto al de Gloria Trevi, todo el mundo quiere el chisme completo ¡y más!

Precisamente por eso les dije que era importante no dejar las cosas así. "Quien calla otorga, y yo no quiero ni tengo por qué otorgar." Ante tantas mentiras era necesario que me defendiera. cuando externé esta postura, Sergio y varias de sus amigas, sobre todo Karola y Karina, almas gemelas de Sergio que llevaban la voz cantante, me criticaron por elegir rebajarme contestándole a personas mediocres y arriesgarme a un sinfín de peligros (pues Sergio pensaba que cierta gente relacionada con Ricardo Salinas Pliego y por consiguiente con Patricia Chapoy y Aline podría mandarme hacer daño o mínimo darme un susto si continuaba respondiéndoles e insistía en demandarlos) en vez de quedarme con amigos queridos como todos ellos.

Como insistí en volver a México, hicieron otra dichosa junta promovida, como casi siempre, por Karola, en la que, como siempre, Sergio no participó. Yo detestaba esas juntas, pues no me consideraba realmente parte de su grupo, y entonces menos que nunca. Pero traté de que no se notara mi incomodidad y desagrado, porque aparte de que eran muchas contra mí, resultaba que hasta mi dinero tenía que dármelo Karla, dueña de Conexiones americanas. La patrona, que por otro lado, con mil pretextos, no me entregaba cuentas de mi dinero y me daba apenas algo para que yo no sintiera que andaba sin nada. Situación de la que nunca, hasta entonces, me había dado cuenta. Todo el dinero lo manejaban ellas: cobros, cheques, depósitos, chequeras, efectivo; hasta mi tarjeta de crédito la conservaban ellas.

Nunca, en toda mi carrera, había sentido la necesidad de dinero. Los boletos de avión, hoteles y comidas eran cubiertos por los empresarios como parte de mis honorarios. Yo sólo pagaba restaurantes extras y cosas personales; lo demás salía de mi dinero mediante Conexiones americanas. Pero ahora necesitaba el dinero que había ganado para pagar abogados y viajar por mi cuenta. ¿Dónde estaba mi dinero? La respuesta de Karla era pronta, despreocupada y siempre la misma: "No te preocupes, todo esta bien invertido".

Volviendo a lo de las juntas, me molestaba que Karola, Wendy, Karina, Katya, Karla y Liliana se expresaran a favor y de acuerdo con todo lo que quisiera Sergio, y a la hora de las juntas, cuando no las escuchaba, cambiaban de opinión. Estas y otras actitudes mostraban su hipocresía. ¡No podía ser como ellas!

En la junta se llegó a la conclusión de que debíamos regresar a México, aclarar ciertas cosas, poner orden en otras, para lo que era necesario que no sólo yo regresara a México. Por mayoría de votos se decidió que retornáramos Marlene, Mary, Sonia, Karla y yo. Pero las De la Cuesta insistieron en que debíamos ser "excesivamente discretas" y cuidar mucho que no nos siguieran reporteros de TV Azteca, para que no fueran incomodadas ni "ventaneadas". Por tanto el viaje no deberíamos hacerlo desde Córdoba sino desde Buenos Aires. ¿Y cómo ir a Buenos Aires?

Fue cuestión de días para que las que íbamos a México abordáramos un autobús Córdoba-Buenos Aires. Era un trayecto largo que haríamos de noche, según sugirió Liliana, para no sentir tan pesado el viaje. Aunque yo era conocida en Argentina, no lo era tanto como en México, por lo que emprendí el viaje discretamente camuflada para evitar que me reconocieran. El autobús no iba lleno y cada una se acomodó en dos asientos para dormir más cómodas.

Me dormí. Sólo de vez en cuando despertaba al sentir algún ruido o movimiento. Me di cuenta de que estaba lloviendo, pero me volví a dormir. De repente abrí los ojos y pensé ¡vamos a chocar! En ese momento, instintivamente puse mi cuerpo en posición fetal y sentí que el camión comenzaba a patinar. No me dio tiempo de gritar a las muchachas para prevenirlas. Sentí incredulidad, estaba sucediendo algo que había presentido antes de que pasara. Tal vez estaba sugestionada, pero la sugestión no retuerce metales. El golpe, más que seco, fue como un movimiento de acordeón. El autobús se clavó en un camión de carga de materiales y los materiales entraron al autobús. Choqué con el asiento de enfrente y caí al piso. Todo en fracción de segundos. El impacto fue tan fuerte que me extrañó verme ilesa. Inmediatamente grité: "¡Sonia!", mientras algunas pronunciaban mi nombre. No sé quiénes, no presté atención, sólo escuchaba mi nombre. Pero me preocupaba Sonia, que estaba embarazada.

—¡Sonia! —la busqué en su lugar y vi que se revisaba. Dijo que se encontraba bien.

—¿Cómo estás? —pregunté.

—Sólo me pegué en la cara —en un ojo tenía un golpe que de seguro se pondría peor, pero al parecer ella y el bebé estaban bien. Entonces vi a las demás. Marlene tenía un golpe en el brazo; Mary se había lastimado una pierna; Karla, sentada en el piso entre dos asientos, escupía sangre, Me asusté.

—¿Qué te pasa, qué tienes?

—Nada —me contestó más molesta que asustada—. Creo que se me va a caer un diente —descubrí entonces que uno de los dos dientes delanteros estaba chueco y suelto, y los labios se le empezaban a hinchar.

Otros pasajeros tenían también heridas leves y al cabo comenzaron a ayudarnos y finalmente llegó la ambulancia. No podíamos salir por la puerta, estaba aplastada. Algunos pasajeros comentaron que el chofer había muerto, y si no, sería difícil que se salvara porque estaba ensartado entre los fierros retorcidos del frente del autobús. Yo no vi. Unos pasajeros empezaron a romper los vidrios de las ventanas para salir, pero sólo conseguían estrellarlos. Alguien, al parecer un empleado de la línea, cobrador, chofer sustituto o sabrá Dios qué, dijo que si rompían los vidrios tendrían que pagar los daños a la empresa. A mí todo me parecía surrealista. Al fin, tras un tiempo que nos pareció eterno, llegó ayuda por el frente del autobús. Personal de ambulancias o de bomberos, no estoy segura, pero sin duda empleados públicos, hicieron una abertura, quitaron el otro camión y los vidrios rotos y rápidamente empezamos a salir. La última cosa que quería era ser reconocida, y aunque me dolía una pierna, cuando los paramédicos me preguntaron respondí que estaba bien.

Pedí que atendieran a Karla y a Sonia, y luego de una revisión superficial y de que las dieran por sanas tomamos otro autobús lo más pronto que pudimos con el temor de perder el avión a México.

Gracias a Dios llegamos a tiempo al aeropuerto y ya en México empezamos a percibir los estragos del accidente. Yo, que me había considerado ilesa, tenía una de las piernas hinchada y con un moretón enorme. De las demás no supe, pues cada quién partió a lo suyo.

Fui a BMG y el director, Jorge Negrete, me presentó al nuevo productor, un argentino que se portó muy bien conmigo y cuando escuchó mis canciones nuevas quedó encantado e inmediatamente empezó a planear la nueva producción. Escuché sus propuestas con amplitud de criterio. Una que llamó mi atención y me gustó mucho fue la de grabar el nuevo disco en español y portugués, pues habló de las oportunidades de mercado que representaba Brasil y señaló que Talía tenía éxito por allá, lo cual hacía suponer que yo sería una bomba, un trancazo. Era buen momento para internacionalizarme en otro idioma.

Me pareció una extraña coincidencia que mencionara a Brasil luego de las maravillas que Sergio, Katya, Karola y Liliana me habían contado. Sentía cada vez más curiosidad por conocer ese país y hablé de la posibilidad de ir allá dos o tres meses antes del lanzamiento del disco para conocer al público, la cultura, los medios. Al productor también le pareció buena idea. Podría ir y, en lo que aprendía portugués y se grababa el disco en ese idioma, rentar una casa o departamento que pagaría la empresa. Nada era formal, sólo hacíamos planes.

Lo que urgía era que me ayudaran a sacar las visas a España para ayudar a Karina a recoger a su hijo. Yo no quitaba el dedo del renglón. ¡Claro que sí! Estaban por mandar una carta de trabajo que la embajada de España había solicitado.

—¿Y el dinero del otro cheque? —pregunté.

—Tiene que firmarlo el contador. Está fuera de la ciudad, pero vuelve la próxima semana.

Salí de la empresa acompañada por Karla, que no se me separaba ni un momento. Todo parecía ir bien. Por esos días, solía quedarme en una casa, a cargo solamente de una sirvienta, que tenía en la ciudad de México la familia de la novia de mi hermano Ramiro.

Por esos días fui a hablar con Ana Colchero. Ella también había tenido problemas con TV Azteca y yo buscaba consejo. Quería conocer mejor al enemigo, pues aunque Aline era la que daba la cara, constituía sólo una cortina de humo, el pretexto para que TV Azteca realizara sus planes de venganza, difamación y destrucción.

Ana Colchero es muy buena actriz, guapa y simpática, y sobre todo muy humana, comprometida entonces en la solidaridad con los indígenas. Karla y yo fuimos a desayunar a su departamento y ella invitó a varios periodistas. Conversamos de manera amena y simple, pero con los periodistas, pese a que algunos eran cordiales, sentí un ambiente pesado, nebuloso, desagradable.

Ana me comentó en privado sus problemas con TV Azteca. Había sido y seguía siendo atacada por esos malagradecidos. Si a alguien le debía TV Azteca que el público comenzara a prestarle atención y conseguir sus primeros patrocinadores importantes, era a Héctor Suárez con "La cosa", a Ana Colchero con la telenovela "Nada personal", y a mí con "Cómo se hizo el calendario de la Trevi 94".

No obstante, TV Azteca se burlaba de todos. Por ejemplo, en palabras de Ricardo Salinas Pliego, de las "peticiones dementes" de Héctor Suárez, que pedía aumento en el presupuesto de su programa. Enderezaban críticas contra Ana Colchero y a la vez explotaban su imagen, pretendiendo no pagarle. Y lanzaban ataques, calumnias y difamaciones en mi contra, pero seguían explotando mi nombre y mi imagen. Cada vez que daban una falsa noticia sobre mí, la anunciaban al principio, en el conocido tiro noticioso, pero dejaban al final la supuesta noticia para mantener al público interesado, mientras soportaba estupideces y a seudo locutores y comediantillos de quinta.

Total, TV Azteca explotaba a los artistas y luego los arrojaba como pañuelos desechables. TV Azteca no significó el fin del monopolio de Televisa sino un hoyo negro en el espacio artístico. No había el compromiso de hacer mejores programas, sino la gana de hacer las cosas más corrientes, baratas y comerciales.

TV Azteca seguía la política de Elektra, queriendo contratar a los artistas a plazos, sin intereses y en calidad de desechables, como tostadoras viejas. A quienes no aceptaban sus raquíticas propuestas, decidían destruirlos artísticamente antes que fueran utilizados por la competencia.

Cierto, esa es quizá la visión típica de las empresas. Pero no la aplican en forma tan cínica y desproporcionada como TV Azteca. Se sentían omnipotentes, indispensables y dispensadores. Con Ana Colchero me enteré de cómo, aparte de criticarla y no agradecerle el valor de haber sido de las primeras artistas en cambiar Televisa por TV Azteca, en una época en que nadie se atrevía a desafiar a Televisa, seguían explotando su imagen, pues colocaron una foto de Ana en la portada de un disco sin su autorización y negándose a pagarle como se debía. ¡Increíble! Con tanto dinero y aún así Ricardo Salinas Pliego y TV Azteca "transan" a sus artistas.

Hablamos de muchas cosas mientras dábamos cuenta de un riquísimo desayuno que consistió, si no recuerdo mal, en chilaquiles verdes muy sabrosos, frijolitos, huevos, frutas varias como papaya, toronjas, sandía, jugo de naranja, leche, café y hasta Diet Coke, ¡mi preferida!

En el DF recibí llamada de Karina, que estaba en Chihuahua en casa de sus papás. No sabía que ella se encontraba allá y por teléfono se portó toda mona y buena onda conmigo. Alcancé a escuchar a su mamá que estaba junto a ella y mandaba saludos. Karina me dijo que había hablado con sus papás del asunto de los chismes de Aline y querían apoyarme, y si necesitaba que testificaran en mi favor vendrían a la capital. Eso significaba que tendría que pagar boletos de avión, hotel y viáticos a Karina y sus papás, pues según ellos nunca tenían dinero. Pero lo complicado era el viaje del papá medio inválido y me dio "cosita", aunque no me pareció mala idea.

Lo comenté con Reyna Navarro y me sugirió algo menos complicado y molesto para el señor. Que los papás fueran con un notario, hicieran una carta declaratoria, la certificara el notario y la enviaran a México. Se lo comuniqué a Karina.

—¿Pero qué debe decir o cómo se hace?

—Dijo la licenciada que tus papás tienen que ir con su notario de confianza y le digan que desean hacer una carta declaratoria donde pongan las cosas como fueron, los permisos que te dieron, la autorización para hacer el calendario de las chicas; en fin, lo que fue.

—O.k. Si quieres podrían decir que mi mamá quería que participara en tu calendario del 94.

—¿Cómo crees? Nada más lo que es.

—¡En serio, Gloria! Cuando mi mamá vio que las otras muchachas participaron me preguntó que por qué yo no había participado, ¡de veras!

—¿En serio? Pero no, Karina, no viene al caso. Basta que digan lo que fue, con sus propias palabras y frente al notario.

—O.k. Recuerda que cuentas conmigo y con toda mi familia.

—Gracias, saludos a todos.

—Gloria, dice mi mamá que por qué no vienes a visitarnos. Si vas a la casa de Marlene, por qué no a la nuestra —escuchaba la voz de la mamá que le insistía en que fuera y me dio pena.

—Dile a tu mamá que voy a ir.

—¿En serio? ¿Cuándo? Yo voy a estar pocos días.

—Te aviso.

Se me hizo extraño, pero muy buena onda, que Karina se ofreciera a ayudar, pues la relación entre nosotras no era lo que se dice maravillosa. Pero se lo agradecí. Claro que con quien ella quería congraciarse no era conmigo sino con Sergio. Y tal vez pensó que esta era la forma de recuperar sus bonos en el afecto y la preferencia de Sergio. Aparte, andaba con la cola entre las patas por haber dejado al niño en España. Pero en ese momento agradecí su espontaneidad y cooperación y decidí que sería positivo ir a Chihuahua a dar las gracias personalmente y quitarles la idea de que no me gustaba ir a su casa (aunque en realidad no se equivocaban).

Así, antes de arrepentirme fui a ver a Karla el 15 de septiembre de 1998, de entrada por salida. Avisamos que iríamos allá y nos recogieron en el aeropuerto. Fuimos a comer a un buen restaurante de comida mexicana y pagué la cuenta. Nos acompañaron Karina, sus papás y su hermano. Firmé algunos autógrafos y luego fuimos a casa de una tía de Karina, donde comentamos el asunto de Aline e incluso Karla mostró cartas de Aline que probaban que era una mentirosa. Ese mismo día debíamos regresar a México, pues tenía compromisos que cumplir y viajes por hacer. Y a pesar de que los papás de Karina insistieron en que nos quedáramos unos días en su casa, decliné.

—No, gracias, tengo urgencia de volver a México y muchos compromisos.

Camino del aeropuerto la mamá de Karina externó su pesar porque Karinita no había tenido fiesta de 15 años, a lo que Karina contestó que eso era cosa de nacas.

—¡Párale tantito! —le dije, y tanto porque así lo pensaba como por apoyar a su mamá, agregué—: Yo tuve fiesta de 15 años y fue muy bonito, es un recuerdo para toda la vida. ¿Me estás diciendo naca?

—¡No, Gloria! Disculpa, es que eran otros tiempos.

—¡Peor! ¿Me estás llamando vieja? ¿No pierdes la ocasión, verdad? —le dije entre en broma y en serio. Y sin esperar respuesta, dije a la señora que aunque Karinita no quisiera tendríamos que organizarle su fiesta de 15 años, y me comprometí a pagar el vestido. A la señora le pareció perfecto y quedó encantada. Llegamos al aeropuerto y nos despedimos.

Karina enseguida me habló al DF y "amablemente" me reclamó y pidió que "no cuchileara" a su mamá con esa cursilería de una fiesta de inditas. Prefería seguir viajando que andar en preparativos de quinceañera, era ya muy mujer y se sentiría ridícula con esa idiotez del vestido, pastel y vals. Eso no era para ella. Me lo agradecía, pero suplicaba que no me metiera en eso.

—Como tú quieras —respondí.

En la actitud de la señora y de Karina había algo que no puedo precisar, algo que no encajaba. Casi podría jurar que la mamá de Karina sabía lo de Karina con Sergio e incluso lo del niño (la señora no es ninguna inocente, por el contrario, podría decirse que es colmilluda, y si no que le pregunten a la gente de Chihuahua que la conoce y conoce su historia). Y Karina, ¿por qué fingía que su mamá no sabía? Tal vez estaba yo mal pensando, pero algo no cuadraba.

Para empezar, me había enterado por Marlene que cuando Karina tenía unos cuatro meses de embarazo y se le notaban los pechos grandes y el estómago crecido, habían estado en casa de los papás de Karina durante una semana y Karina había dormido con su mamá, en la misma cama. ¿Sería posible que la mamá no se hubiera dado cuenta? Una madre desinteresada tal vez, pero una señora colmilluda que se las daba de preocupada y amorosa, ¡está por verse y no creerse! Además, yo había escuchado a Karina comentarle a Sergio que su mamá la había visto desnuda bañándose y le había notado las estrías que le quedaron del embarazo en el estómago, los pechos y las piernas. ¡Algo andaba mal! Pero, bueno, no tenía tiempo para perderlo pensando en eso.

Tan pronto como llegamos a la ciudad de México salimos a Estados Unidos, pues tenía el compromiso de una entrevista para el *show* de Cristina en Miami. También el de asistir a una pelea de campeonato de Julio César Chávez en Las Vegas. Aparte de los pendientes en México.

Pocos días después se recibió en México la carta notarial de los Yapor y, después de revisarla, los abogados la anexaron a las pruebas de descargo que habrían de presentar en la delegación donde estaba la denuncia de Aline.

Después de reunir las pruebas de que Aline y Guadalupe eran y son unas mentirosas, las anexamos a las declaraciones de ellas, junto con las respuestas mías y de Mary a cada acusación, subrayado lo más importante. Así, las acusaciones de Aline y Guadalupe Carrasco, las respuestas de Mary y mías a esas acusaciones y los documentos que demostraban que aquellas mujeres habían mentido, fueron entregados por el licenciado Salvador Ochoa a las autoridades en la delegación en que se encontraban las acusaciones. Después de que el abogado de la delegación vio todo se sintió molesto y ofendido de que Aline y Guadalupe estuvieran usando a las autoridades como gancho de ventas, y dijo que si llegaban con otra cosa así él mismo las procesaría por mentir ante las autoridades y las metería a la cárcel. De hecho podía poner queja legal y demandarlas, pero eso pensaba decidirlo con calma.

El licenciado Salvador Ochoa me explicó que en caso de demandar contra el libro de Aline para que fuera embargado, tendría que depositar una garantía, y en caso de ganar ese dinero me sería devuelto, y si no, lo perdería. Era una suma considerable, sobre todo tomando en cuenta mi situación, sin liquidez, con todo invertido en propiedades y sin estar ganando nada. Aparte, con el antecedente de que Luis Miguel había perdido un pleito por el estilo. Tendría que pensarlo, y además mi naturaleza es productiva y constructora, no destructora.

Asimismo, supe que el abogado de Aline era de muy baja calidad moral, falto de ética y que el papá de éste también tenía muy mala fama.

Por otra parte, el director de BMG me informó que no me darían la otra parte del dinero, los 50 mil dólares que iban a cambiarme por moneda nacional, hasta que "se aclarara mi situación legal". No era posible. En vez de contar con el apoyo de la empresa a la que hice ganar millones de dólares, recibía actitudes cobardes, mezquinas y mercenarias.

Había firmado un recibo por 100 mil dólares y la secretaria me firmó un recibo por la devolución de los 50 mil dólares a fin de cambiarlos por moneda nacional. Me enojé con el director e hice saber que con la mitad del anticipo haría sólo la mitad del disco. Así que había dos opciones: o me daban la otra mitad del anticipo o tendrían que esperar que el señor Negrete cambiara de opinión o en BMG cambiaran director.

Mi situación legal respecto de las denuncias de Aline y compañía había quedado aclarada. Según me informaron mis abogados, "el asunto de Aline estaba muerto" y dependía de mí si levantaba o no demandas contra ella. Incluso Aline no se presentó a algunas citaciones, entre ellas una para realizarle un examen psicológico, lo cual la ponía aún más en evidencia como una verdadera oportunista.

Por otra parte, Salvador Ochoa me informó que la Chapoy tenía dos demandas por calumnia y difamación, y si llegaba a tener una tercera iría a dar a la cárcel. Con todo lo que había dicho de mí, y con los videos y las pruebas de que mentía, que estaban en mi poder, podía yo interponer esa tercera demanda con graves consecuencias para ella. Saboreé la idea, pero a la mera hora me tenté el corazón. ¿No aconseja Jesús dar bien por mal? Además, TV Azteca y las testigos habían dejado de atacarme en cuanto supieron que estaba viendo abogados y, con ellos, contestando por la vía legal las denuncias y presentando en mi apoyo pruebas, no salivazos, donde las que salían mal paradas eran ellas.

En esos días tuve una cita con Max Arteaga, ejecutivo de Televisa, para hablar de proyectos. Le comenté la posibilidad de entablar demandas, pues me interesaban sus comentarios. Me dijo que consideraba que sería una pérdida de tiempo y dinero, y me recomendó no dar importancia ni promover a mis detractores. Aconsejó además que dejara pasar un año a fin de que se olvidara el escándalo, pues realizar algún proyecto en ese momento, sería usado por mis enemigos, y los periodistas, en vez de preguntar por la novela, el programa o el disco, inquirirían sobre la página tal o cual del libro de Aline. Me pareció un razonamiento coherente, sobre todo porque yo quería que me lo pareciera.

Mientras, las cosas se enfriarían y examinaríamos la posibilidad de demandar. Tal vez no me cayera mal un año sabático. La idea me agradó. Tendría oportunidad de preparar nuevo material, aprender portugués y estar lista para cuando las cosas se arreglaran en BMG.

Se había resuelto el problema de las denuncias de Aline y Guadalupe gracias a las pruebas de que todo eran calumnias, pero el hecho de que BMG hubiera suspendido el pago del 50% del anticipo significaba que, al menos en los próximos meses, el disco no se grabaría. Lo cual quería decir que BMG no mandaría la carta de trabajo a la embajada de España. Y no podría obtenerse la visa de Karina para entrar a España. Y sin visa Karina no podría recoger a su hijo.

Había hecho cuanto podía por ayudar a Karina, aun sin que me lo pidiera, pero Aline y TV Azteca, con sus mentiras, provocaron la suspensión de la grabación del disco y, en consecuencia, la anulación de la posibilidad de sacar la visa de Karina que me acompañaría a grabar en España. Hice lo que pude por buena gente y compadecida y nadie me lo agradecía. En realidad el asunto no era mío sino de Karina y Sergio, de nadie más. Karina, aparte de que era la madre, había registrado el niño sólo a su nombre; era ella quien sabía dónde estaba el niño y se mantenía en contacto con quienes lo cuidaban, según luego me enteré.

Yo, en México, trataba de resolver mis cosas hasta dónde podía, siempre custodiada (perdón, acompañada) por Karla, sin saber mucho de los demás, incluido Sergio. Ni siquiera sabía a ciencia cierta dónde estaban y si Karla sabía dónde localizarlos, nunca me lo dijo.

Cuando se preparaba el programa de "Duro y directo" el productor y el conductor hablaron conmigo. Le advertí a Fernando del Rincón que se cuidara de Aline, pues era capaz de echarle los perros con tal de ganarse su simpatía y sus comentarios favorables. Fernando se rió y dijo que su programa era serio y sólo querían la verdad. Así, entrevistaron a varias personas. Karla de la Cuesta habló maravillas de Sergio, Mary se defendió, Marlene también, negando las calumnias.

Aline, resbaló en todas las preguntas y llegó a proyectar su subconsciente al decir, orgullosa, que llevaba vendidos "más de 100 mil discos... perdón, libros". Y reía estúpidamente del tropezón (eso hubiera querido, vender discos; tuvo que conformarse con vender libros con mi imagen en la portada y utilizando mi nombre; ¡siempre será una colgada!).

Guadalupe se negó a ser entrevistada para un programa de Televisa, temiendo que le faltara la cobertura que daba TV Azteca a sus tonterías. Más bien, su abogado no le permitió dar la entrevista, pues si en TV Azteca la Tupi

Guadalupe dijo haber sido violada "sin violencia y varias veces", ¡sabría Dios que estupideces podría decir en un canal que tuviera una actitud imparcial y no parcial contra mí.

El programa fue bueno y, como lo dice su nombre, "duro y directo". Aline afirmó que no había recibido un solo centavo. Y el programa presentaba cheques, cuentas de banco, tarjetas de crédito, recibos de honorarios, todo con su firma. Que ella había sufrido asqueroso abuso sexual por parte de Sergio Andrade y nunca le había gustado. Y el programa mostraba cartas de ella a Sergio, insinuantes, instándolo a que tuvieran sexo. Decía ella que quería estar con su mamá. Y entonces mostraban cartas de su mano diciendo que su mamá era odiosa, no la soportaba y sería capaz de matarla.

En el programa quedó claro que Aline era una farsante. Tristemente, no contaba yo con el apoyo de Televisa. El *Tigre*, don Emilio Azcárraga, había muerto y "Duro y directo" pasaba en el canal 9 y ese día ni siquiera salió en su horario normal a causa del futbol. Además, una hora de programa, por bueno que fuera, no podía contrarrestar las horas y horas de programas en horarios estelares matutinos, vespertinos y nocturnos que TV Azteca destinaba a divulgar el asunto y perjudicarme. Con todo, este único programa, hecho con gran esfuerzo y sin recursos, provocó al poco tiempo, junto con mi respuesta a la autoridad y mis visitas a los abogados, el silencio de mis detractores. Inocentemente, creí que me dejarían en paz. ¡Sólo se habían agazapado para volver a atacar!

Mediante un amigo que conocía bien a Julio César Chávez, recibí una insistente invitación para cantar el himno nacional antes de una pelea de Julio César en Las Vegas. Decliné cantar el himno, pero acepté ir a la pelea si me colocaban a tiempo en Miami, donde tendría un programa con Cristina Saralegui.

Las cosas se acomodaron para que pudiera presentarme en el *show* de Cristina e ir a Las Vegas. Acompañada por la omnipresente Karla y por Reyna Navarro, volé para asistir a la pelea. Los hermanos de Reyna volaron de México a Las Vegas, no sólo para ver la pelea sino también para acompañarnos y que no anduviéramos solas.

En Las Vegas comimos hamburguesas con chile y jugamos un poco a las maquinitas. Luego, en el cuarto del hotel vimos una película de pago por evento, recuerdo que fue *Impacto profundo*.

Julio fue a visitarme a la habitación con un amplio séquito, y salvo uno que otro, los acompañantes me parecieron una bola de aduladores y barberos que aprovecharon para tomarse fotos conmigo. Julio me preguntó si podría verme luego de la pelea y dije que si no era muy tarde sí, pues tenía que tomar el primer avión al día siguiente.

Julio me cayó muy bien, pero casi todo el séquito me pareció una nube de mosquitos, parásitos que casi podía ver cómo le chupaban la sangre al peleador y él no se daba cuenta. No era el único. Yo tampoco me daba cuenta de que mis amigas hacían lo mismo conmigo.

Le deseé suerte y vi cómo el pobre de Julio se iba muy animado a prepararse para la pelea. Antes, me invitó a acompañarlo al casino a hacer unas apuestas. Agradecí la invitación y le dije que estaba cansadísima, que mejor descansaba y le iría a echar porras en la pelea. Por cierto, la pelea duró poquísimo. A Julio César le dieron una madriza que me dio pena.

Recordaba que Julio había dicho que quería verme después de la pelea (era muy lanzado), pero como ya era tarde y no había hecho acto de presencia, y dado el resultado de la pelea, pensé que a lo mejor no había podido. Me fui a dormir y de repente me despertaron Karla y Reyna. Julio César estaba en la puerta.

Si hubiera sido la misma hora y Julio hubiese ganado, cuernos que lo recibía, pero después de la madriza que le acababan de dar no tuve corazón para negarme.

—Ándale pues, que me espere en la sala de la *suite*. Ya voy.

Me lavé la cara para despertar bien y me vestí para recibirlo. Estaba con dos personas y estuvimos platicando de la pelea y de lo poco que pudo entrenar en esa ocasión. Luego me dijo que le tocara un chichón en la cabeza y se lo toqué, y luego que un golpe en la pierna y rehusé, pero tomó mi mano para que sintiera yo la hinchazón. Lo veía entre desconfiada y divertida. El señor quería quedarse a solas conmigo. Claro que no acepté y me invitó a su casa en Ciudad Juárez. Al cabo tanteó bien los límites y se dio cuenta de que lo mejor que podía tener conmigo era amistad sincera, y que tratar de seguir poniendo mi mano en sus contusiones podría resultar peligroso.

Me dio un presente, un anillo de oro con un zafiro y un dije que hacía juego, de muy buen gusto. No quería aceptarlos, pero insistió, ¡y vaya que es insistente! Lo hizo durante horas, así como para que aceptara su invitación de ir a su casa, "aunque sea una semana", para que descansara. Al final entendió que no iría a su casa ni acompañada por Karla, Reyna y sus hermanos. Tuvo el tacto de invitarlos a todos, pero no entendía que realmente no podía ir.

Mas no permitió que siguiera negándome a recibir el regalo. Insistió y dijo que, de no aceptarlo, se sentiría. Era un regalo que sellaría nuestra amistad y lo había comprado pensando en mí. Se ofendería si no lo tomaba. Así que acepté el regalo, muy hermoso, aunque más valiosa era su amistad. Pese a que no nos veíamos y solamente hablamos por teléfono esporádicamente, pues ni siquiera sabía dónde localizarme, lo valoro, lo considero una persona directa, sencilla y de gran corazón.

Percibí que estaba rodeado de oportunistas que se aprovechaban de él y pensé: "¡Qué suerte tengo! Las personas que están cerca de mí tendrán su carácter, pero al final son amigas de verdad".

¡Pobre de mí!

## Capítulo dieciséis

# Antes de la tempestad...

En Miami, Cristina Saralegui habló conmigo antes de la grabación del programa. Karla, como siempre, estaba en el camerino y daba su opinión y hacía comentarios, como si con ella se tratara el asunto.

Cristina me dijo que le parecía una canallada lo que había hecho Aline y dijo que ella también había sido joven y sabía lo que era pertenecer a un grupo de amigos y tener cada quien sus ondas, y que leía entre líneas la traición de Aline y las ventajas que ésta quería obtener a mi costa.

Claro que Cristina no podía tomar partido en su programa, pero me expresaba en privado su muy personal opinión respecto del asunto. Le agradecí sus palabras, luego hice el programa y sentí el calor y el cariño del público de Miami. Canté "Un día más de vida", contesté preguntas, e incluso soporté la humillación de que colocaran a cuadro a Aline diciendo ya no recuerdo qué tarugada (digna de ella) a la que respondí pacientemente.

Aline no estaba en vivo, afortunadamente (para ella), de modo que no podía contestarle cara a cara a esa mujer. Mínimo ella (Aline) tendría que trabajar honradamente 10 años y saber lo que es ganarse la vida con su trabajo y no con el de otros ni usando a los demás. Esto Aline no lo podría hacer ni volviendo a nacer, pues haga lo que haga será siempre la ex de Sergio y la que usó el nombre de Gloria Trevi para hacer su libro. Solita se etiquetó con "La chica fea". Primero, a falta de talento se acostó con el productor, lo engatusó y se casó con él, y como el matrimonio no da talento ni quita lo puta, cuando la pescaron en la movida y le pidieron el divorcio volcó su despecho hablando del ex marido y manifestó su envidia diciendo perradas de mí. Reconozco que a mí, en algún momento, me dolió lo que Aline hizo, con todo y que ya no éramos amigas.

En fin, ella jamás podrá dejar de ser lo que es: una mentirosa, una envidiosa. Y el tiempo dará la razón.

El programa con Cristina Saralegui fue un éxito, también lo fueron uno con Joaquín López Dóriga y otro con César Costa. Los ratings fueron altos y los resultados positivos. El calor y el cariño del público eran los mismos de siempre y eso me conmovía.

El asunto de Aline, según me dijeron los abogados, estaba resuelto, podía vivir tranquila. Y la grabación del próximo disco tendría que esperar. Era indispensable que se enfriara el escándalo y yo necesitaba descansar. Lo había decidido y el consejo de Max reforzó la decisión. Me retiraría un año de los escenarios y me prepararía para volver mejor y con más ganas.

Era el mes de noviembre y Sergio cumpliría años el día 26. El 16 de noviembre de 1998 viajé de México a Argentina, vía Miami, sin imaginar que iba a un exilio involuntario y feliz, que se tornaría doloroso, trágico, lleno de injusticia y traición.

Me fui sola (cosa rarísima). Karla, mi amiga custodio, me dejó en el aeropuerto y en Argentina me esperaban. Karla se quedó en México con Mary para atender no sé qué cosas de la empresa y ciertos asuntos familiares. Estuve sola, lo que se dice sola, únicamente durante el vuelo.

A unos días de mi llegada Sonia dio a luz a una preciosa bebita. Sin embargo Sonia estaba triste, me contó que su relación con Sergio andaba mal, él le había hablado de divorcio. Algo relacionado con Karina los había distanciado. Pero que Sergio quería estar cerca de su hija.

Sonia me preguntó si me había dado cuenta de lo mucho que se parecían Karina y Aline, no sólo en lo físico y los moditos, pues Karina también era experta en mentir, intrigar y causar problemas. ¿Por qué contra Sonia? Sin duda ser esposa legítima de Sergio era motivación suficiente para las aspirantes al título. Le jorobaron la existencia, pero yo no estaba para implicarme en sus asuntos personales. Planeaba pasar el cumpleaños de Sergio con él, hacer proyectos para aprovechar el año de descanso y luego viajar de incógnito a Monterrey para las fiestas decembrinas.

Ese noviembre pasó todo en mi vida. Celebramos el nacimiento de la pequeña Antonia (así llamaron a la bebita) y parecieron mejorar las cosas entre Sonia y Sergio.

Uno de esos días, Wendy refirió que había ido a la playa y recibido, en uno de los celulares viejos, una llamada de Edith Zúñiga diciendo que mandaba saludos y nos extrañaba. Aprovechaba para avisar que su hermana Tamara estaba inventando una bola de cosas y no sabía cómo detenerla. Pedía que alguien hablara con ella.

Recordé, y lo dije, que en el avión había visto un periódico chileno donde anunciaban el programa "El ojo del huracán", con Aline y sus cómplices. Me dio mala espina, no sólo porque pudiera perjudicar mi imagen en Chile, sino por las chilenas. Aunque las traté poco —y a Tamara casi nada— me di cuenta de que eran personas de escasa educación, bajo nivel social y con mucha necesidad económica. Supe que Sonia había tenido problemas con Edith porque ésta le había enseñado a Sofía a mentir, y Tamara tuvo broncas con medio mundo por ladrona. Edith había acabado siendo la sirvienta de las otras porque, como había engordado mucho (así tragaba), no había podido continuar haciéndola de mi doble. Para no regresar a Chile, terminó ofreciéndose a hacer la limpieza donde las muchachas estudiaban, pero no había mucho que limpiar, pues cada quien limpiaba su espacio y sus cosas. Lo de Edith Zúñiga era más bien un pretexto para permanecer en un ambiente que le gustaba. De otra parte supe que se la pasaba vigilando gente para chismear, como sin querer, sobre lo que hacían o dejaban de hacer. Varias veces metió en problemas a Karina por instarla a que no cumpliera sus tareas en materia de piano. Entonces, cuando le pedían las piezas y no las tenía, Karina decía que había estudiado todo el tiempo y Edith la echaba de cabeza, la ponía en evidencia. Karina, que tenía fama de mentirosa, quedaba peor.

En México la farsa de Aline llegó a su fin. Mis abogados me dijeron que podía ir tranquila adonde quisiera y en enero o febrero les hablara para ver si había algo y comunicarles lo que decidiera sobre la demanda. A nadie le confié a dónde iba, ni siquiera a mi familia; además, pensaba regresar pronto para pasar con ella la Navidad.

Después del cumpleaños de Sergio me puse hipersensible y melancólica. La bebita de Sonia dormía dulcemente en una cama, la contemplé y empecé a llorar. Desde hacía años anhelaba tener un hijo. Pensé en el cuarto de bebés que monté en mi casa del Pedregal, la cuna italiana, los muñecos, los cuadros. Y tenía frente a mí a esa bebita preciosa.

No sentí llegar a Sergio. Me di cuenta que estaba ahí cuando me preguntó:

—¿Qué te pasa, Gloria?

—Quiero tener un hijo —le dije llorando.

—¿Y por qué lloras?

—No sé... Es que creo que nunca voy a poder tenerlo.

—¿Por qué?

—Pues tengo casi 31 años... Y siempre he tenido mucho que hacer... Y tú...

—¿Quieres tener un hijo conmigo? —inquirió. Y, Dios mío, sentí que el aire me ahogaba, el corazón me subía a la garganta.

—Yo sí quiero —continuó.

Me tragué el aire, el corazón, el miedo, el orgullo y hasta la cordura.

—Yo también quiero —dije.

Me abrazó, nos besamos. Me sentía feliz y confundida. No quería preguntar qué pasaría con las otras. Sentí vergüenza, pero también ganas y fuerza.

Sergio empezó a evitar el contacto físico con ellas poco a poco. Sabía, aun sin yo decírselo, que no lo compartiría. Fue su decisión ir cortando las relaciones.

En diciembre pasamos días difíciles. Sergio buscaba pretextos para terminar con una o con otra. Aunque no era fácil, ellas insistían, lloraban, ofrecían disculpas, aceptaban todo. Llegué a sentirme culpable y egoísta, pero en mano de Sergio estaba decidirse por ellas o por mí. Decisión difícil porque ellas eran su debilidad. Mas yo abrigaba esperanzas. Y la situación se puso tensa. Ya era yo el enemigo.

Los días pasaban. Karla y Mary llegaron de México en diciembre. En vísperas de Navidad hubo una tregua. Había decidido no ir a la casa de mi familia, pues mi relación de pareja (pareja de dos) con Sergio apenas comenzaba. Yo quería ser feliz, tener un hijo, ser normal.

Fui con Karla a comprar ingredientes para la cena de Navidad y regalos para todos. En la tienda me dijo inesperadamente:

—Creo que de nuevo estoy embarazada.

—¿Crees?

La miré. Sentía que se me congelaba el corazón.

—Pues sí, creo.

—¿De cuánto tiempo?

—No sé. Fue en México, tengo apenas unos días de retraso, pero creo que sí estoy embarazada.

No quise preguntarle más. Si tenía poco tiempo y se había embarazado en México, no era de Sergio. ¿Pero y si fuera? No. Karla estaba regresando de México y yo sabía que era ligera de cascos. Existía la posibilidad de que en México se hubiera echado una cana al aire. Yo realmente no quería saber y me decía que el tiempo que debería importarme contaba a partir del momento en que iniciamos nuestra relación. El pasado no importaba.

Karla me dijo que estaba preocupada pues, luego de fracasar su embarazo meses atrás, había vuelto a tomar las pastillas de Roaccutan, y aunque ahora, cuando notó el retraso, dejó de tomarlas, ¿podría pasar lo que con la otra bebé? ¿Podría tener malformaciones? A Karla le preocupaba tener que cargar con un hijo deforme, retardado o enfermo, pero ni siquiera estaba segura de hallarse embarazada, no se había hecho pruebas de embarazo, nada. Quedé en el entendido de que el embarazo se había producido en México y Sergio no había ido a México.

Esos días los dediqué a arreglar la casa para Navidad, a poner arbolito y nacimiento. Era una costumbre muy arraigada en mi casa, con mi familia, y la mantuve cada vez que pude. Para mí la Navidad es motivo de alegría y el nacimiento de Jesús tiene que celebrarse en grande, lo mejor posible. Así que yo misma arreglé el arbolito, puse el nacimiento y coloqué los regalos bajo del árbol. Celebramos la Navidad de forma familiar, aunque no éramos una familia. Cantamos canciones y villancicos, hicimos oración y agradecimos a Dios por las bendiciones recibidas: estar vivos, saludables y juntos.

El 30 de diciembre de 1998 Sergio me sorprendió con la noticia de que iríamos a Brasil. Había sacado las visas el 21 de ese mes y nos iríamos a recibir allá el nuevo año. Sergio quería que yo conociera. Sería una especie de luna de miel y tal vez nos quedáramos hasta el carnaval. Me alegré muchísimo, sobre todo porque iríamos los dos solos.

En el último momento resultó que Mary también iría. Era una amiga de confianza y podría ser buena ayuda. Pero en caso de que Mary tuviera que salir, por ejemplo de compras, sería bueno que alguien la acompañara, lo mismo cuando Sergio y yo saliéramos. Acopló entonces a la que sabía manejar el dinero, Karla, que como además era la "accionista mayoritaria" de Conexiones americanas, era positivo que fuera conociendo el mercado brasileño. La idea no me agradó, pero ya era un hecho. ¿Cómo y en qué instante se pegó Karola? Pensé, queriendo ver el lado amable, que Karola estaría principalmente con su hermana Karla, y ésta a su vez con Mary. Aparte, los boletos ya se habían comprado.

Las demás fueron a despedirnos al aeropuerto. Se portaron comprensivas y displicentes y en momentos mis sentimientos se confundieron: sentía vergüenza y a la vez alegría. Mientras nos deseaban buen viaje y feliz año, no me pasaron inadvertidas las miradas que le dirigían a Sergio. Me irritaba esa actitud de ellas hacia Sergio de "somos tu puerto seguro, Sergio, las que te amamos sin exigencias y somos capaces de compartirte, somos las buenas, te esperamos con los brazos abiertos" (y con las piernas igual).

Sentimientos encontrados, porque estaba dispuesta a luchar por ese hombre y jamás a compartirlo. Y ellas parecían decir "te aceptamos, acéptanos tú también, Gloria". Con sonrisas "comprensivas" mostraban su felicidad porque al fin entre Sergio y yo había algo más que una relación de trabajo y amistad. Sus actitudes me desconcertaban. Gracias a Dios subimos al avión y sentí gran alivio.

Llegamos a São Paulo en la madrugada del 31 de diciembre de 1998. Sergio me refirió anécdotas de la primera vez que estuvo en Brasil. Se había hospedado en hoteles baratos, había tocado con músicos de la calle para ganar un dinero extra. Lo oía y no podía creerlo. ¿Músicos de la calle? ¿El genial y exitoso Sergio Andrade, egresado con honores del Conservatorio de música?

En São Paulo nos hospedamos en uno de los hoteles baratos en que había estado (los hoteles estaban llenos a reventar por el fin de año y fue una suerte poder pasar ahí la noche). Luego nos fuimos todos a pasear.

Estuvimos poco tiempo en São Paulo. Sergio quiso que fuésemos a Río de Janeiro por carretera, por la ruta costera, para conocer mejor el país. Viajamos con calma, deteniéndonos casi en cada población. Me gustó especialmente una llamada Marasias, donde Sergio y yo pasamos la noche en la habitación elaborando mil proyectos, lejos de las otras que compartían un cuarto. Karola disimulaba mal su disgusto y lo mismo Karla. La pobre de Mary tenía que soportarlas.

El país me resultó fascinante. Ahí era totalmente desconocida, podía andar con el cabello suelto (que había cortado y traía poco menos que a media espalda), podía maquillarme, andar libremente, como cualquier persona. Me sentía bien, normal. Los primeros días no lo creí, pero fui tomando confianza.

Era yo Gloria de los Ángeles y no la Trevi. Si alguien me saludaba o me sonreía, no se dirigía a la artista sino a la anónima persona que cruzaba su camino. Qué maravilla ir a un mercado, hablar en voz alta y salir como si nada, sin ser sacada a jalones y de ribete reprendida por las amigas que así me cuidaban.

Ahora todo era diferente. En esos días me sentí como hacía años no me sentía, tan bien, tan mujer. De pronto era una mujer como todas y tenía un compañero. ¡Qué valor tienen las cosas simples de la vida que normalmente ni siquiera notamos! Fueron unos pocos días, pero maravillosos.

Llegamos a Río de Janeiro y conocimos Copacabana, Leblón, Tijuca. Nos hospedamos en un buen hotel, pero sin lujos excesivos. En los hoteles, para registrarnos teníamos que presentar pasaportes y visas en regla. Comíamos en restaurantes típicos y, como en cualquier parte del mundo, fuimos al cine. La relación entre Sergio y yo era perfecta. Casi perfecta.

Karola se nos pegaba y seguía siendo la misma resbalosa de siempre con Sergio y la misma grosera conmigo. Para bien, no tenía que soportarla todo el tiempo, pues casi siempre andaba con Karla. No obstante, cada día me incomodaban más la presencia de Karola y sus actitudes desafiantes. Esperaba que cuanto antes regresara a México, ¿qué demonios hacía allí? No había nada que la retuviera a nuestro lado. Ojalá que se fuera pronto. Pero, ¡sorpresa!

A mediados de enero me enteré de que no sólo las hermanitas no se iban sino que todas las amigas venían en camino. No habían soportado la separación y venían en montón, como sardinas enlatadas, en el carro de Liliana. Lo último que deseaba era tenerlas cerca de nosotros, de Sergio y de mí.

Nuevamente los sentimientos encontrados. Eran una amenaza para mi relación con Sergio y sentía yo gran incomodidad. Una cosa era segura: no estaba dispuesta a compartir a Sergio.

Yo, Gloria, semi feminista sin fanatismo, que creía saber manejar situaciones comunes con hombres comunes, me sentía incapaz de encontrar una solución feliz, que no lastimara a nadie, en la que yo ganara y no me sintiese culpable. Detestaba a las amigas quitanovios, pero ¿se lo estaba quitando a ellas? ¿O ellas me lo habían quitado y yo sólo estaba recuperándolo?

¿Sería posible que lo amaran más que yo, en tanto que eran capaces de hacer más cosas por él? O era que tenían menos carácter y dignidad. Sentí que dentro me recorría un temblor helado.

Como Sergio decidió que nos quedaríamos al carnaval y las muchachas estaban llegando, Karla sugirió que rentáramos una casa. Mary, Karla y Karola se echaron a buscarla, lo que esos últimos días nos permitió a Sergio y a mí pasar más tiempo solos. Yo disfrutaba mucho su conversación, como siempre, y tomados de la mano caminábamos por la playa, reíamos, discutíamos bobadas. No duró mucho.

Llegaron las muchachas y se rentó en Guarativa una casa con cinco recámaras, alberca, cocina, sala, sala de juegos con mesa de billar, patio interior, baño en cada cuarto. No era lujosa pero sí una buena casa. Nadábamos, veíamos televisión y videos. Yo cocinaba para todos. Compré unos libros de recetas brasileñas y me deleitaba preparando nuevos platillos, Sergio quedaba fascinado con mis guisos y todos empezaron a subir de peso. Mal que bien, todo se hallaba tranquilo.

El 1° de febrero de 1999 preparé la comida para todos y fue un éxito. Cuando llegamos al postre, un dulce de papaya, Sergio comentó:

—Todo estuvo delicioso, pero el dulce no estuvo a tu altura.

—¿No? Pues seguí la receta tal cual.

Karola, que aparte de resbalársele todo el tiempo a Sergio no perdía oportunidad de fregarme y hacerme quedar mal, dijo:

—No te creo.

El comentario de Karola me repateó el hígado. Bien que se había tragado la comida y seguía con el postre. Ignoré su comentario y continúe dirigiéndome a Sergio.

—A los postres siempre les pongo una pizquita de sal, pero esta vez lo hice exacto.

—Creo que Karola tiene razón, no has de haber seguido la receta.

—Claro que la seguí, no tengo por qué mentir.

Karola, sonriente, seguía comiendo el postre. Empecé a sentir que me hervía la sangre. Soy muy paciente y difícilmente me enojo, pero cuando se me enciende la mecha, la explosión es segura y grande. Y la mecha estaba encendida.

—Pues te quedó muy simplón —dijo Sergio. Él y Karola se veían a los ojos riendo.

—Sí, la verdad no es como lo que haces, parece plástico —dijo ella burlona mientras seguía tragándose mi postre.

¡Nada más eso me faltaba! Fue la gota que derramó el vaso. Qué rabia. Semejante inútil, huevona, resbalosa, metiche, cabrona, advenediza, no contenta con resbalársele a Sergio en mis narices, criticaba mi postre como si yo fuera su gata. Mi reacción no se hizo esperar.

—¡Pues no te lo tragues! —le dije a Karola arrebatándole el plato.

—¡Gloria! —exclamó Sergio, sorprendido.

Karola se sintió apoyada por Sergio.

—Yo solamente quería elogiarte porque normalmente cocinas mejor —dijo con su voz aflautada, abriendo los ojos y poniendo cara de inocencia. Pero sonriente.

—¡Víbora, hipócrita!

—Gloria, Karola tiene razón, sólo dije la verdad —apoyó de nuevo Sergio.

Lo miré con los ojos llameantes. Se ponía al lado de Karola en vez del mío. No era el postre, ¡era todo! Me sentí traicionada y apreté los dientes para morder una increíble bola de maldiciones. Karola, detrás de Sergio, me mostró una sonrisa burlona y triunfal.

—Trágatelo, hija de la chingada, y que se te indigeste —le dije arrojando el plato a la mesa.

No me refería al postre sino a Sergio. No iba yo a disputarme a un hombre que no me diera mi lugar y no competiría —y menos compartiría— con ninguna pendeja, fodonga, por más buena puta que fuera. Estaba fuera de mí y corrí llorando a la sala para no agarrar a trancazos a Sergio. Él me siguió y trató de calmarme, de abrazarme, pero lo rechacé. ¡No me prestaría a ese juego!

—Se acabó, no quiero nada más contigo.

—¿Qué?

—Lo que oíste. ¡Se acabó!

—¿Ya no me amas?

—Ya no quiero nada —grité, y corrí a encerrarme en nuestro cuarto.

No fue a buscarme. ¿Para qué? Se hallaba feliz rodeado por todas las amigas que lo comprendían. Pasé días encerrada en el cuarto, mientras ellas, como sapos, se ensanchaban.

Lo tenían nuevamente. Yo había desistido y me llevaban la comida al cuarto porque no quería salir. Por momentos me arrepentía de ser sincera, arrebatada y explosiva, me arrepentía de haber perdido el control. Para luchar contra esa víbora larga e hipócrita hubiese necesitado ser como ella. Pero me faltaban colmillo, malicia, maldad, doblez. Estaba en desventaja, había caído en el juego. Karola se apoderó de mis libros de cocina e hizo unos panes que Sergio alabó. Desechaba yo el arrepentimiento.

Mi periodo tendría que haber llegado el 2 de febrero. Era ya el 5 y nada. Seguramente el coraje me había alterado la menstruación, pensé, pero siguieron pasando los días y nada. Mi humor mejoró ante la posibilidad de estar embarazada y salí de mi encierro, pero resultó que Sergio estaba sentido conmigo y en muy buen plan con las muchachas, que se habían encargado de apoyarlo y consolarlo. Sentí ganas de contarle que empezaba a sospechar que estaba embarazada, sin embargo ellas lo absorbían y no daban oportunidad de nada. Por otra parte, yo pensaba que él debía disculparse, dar el primer paso, pero era pedirle peras al olmo. Nunca sucedería. Era muy orgulloso y ellas lo hacían creer que siempre tenía la razón.

Decidí llevar la fiesta en paz, empecé a tratarlo como antes, como amigos, pero me partía el corazón salir de mi cuarto y tener que detenerme a mitad de la escalera, pues escuchaba los jadeos de placer de alguna que lo consolaba sexualmente. Regresaba a mi cuarto y sólo salía cuando se me pasaba el sentimiento y me decía a mí misma que no debía molestarme. Él y yo habíamos terminado porque yo así lo había querido.

El día de mi cumpleaños pasó de noche. Nadie me felicitó, a excepción de Mary. Eso también me dolió. Todos sabían cuándo cumplía yo años y prefirieron hacerse los occisos. Sergio seguramente seguía sentido y las amigas, claro, lo secundaban y en un descuido hasta lo motivaban.

No obstante, llegaron los días de carnaval y Sergio compró cuatro boletos. Mary, Karina, Sergio yo nos divertimos en grande con el fabuloso desfile de alegorías.

Terminó el carnaval y el plan era viajar a Córdoba, Argentina. Yo cada día estaba más segura de hallarme embarazada. La visa que teníamos era sólo por tres meses que estaban por terminar.

No, no quería ir a Argentina ni a México ni a ninguna parte. Si estaba embarazada no quería que explotaran mi estado los medios, no quería hacer corajes y poner en riesgo a mi bebé.

De repente todo me parecía complicado. Escasos meses antes había estado con Cristina jurando y perjurando que nada tenía que ver con Sergio a nivel íntimo. Dije que no sabía dónde estaba Sergio en ese momento y en verdad no lo sabía. Hablé con sinceridad, hasta cuando me preguntaron mi edad y respondí que tenía 30 años. Pero las circunstancias habían cambiado. Recientemente había iniciado una relación con Sergio y estaba embarazada. Estábamos juntos y podrían usar ese cambio en la situación para darle credibilidad a Aline o quitármela a mí. Aparte, yo quería seguir sintiéndome normal y disfrutar mi embarazo tranquila, sin cámaras, sin chismes. Tampoco me decidí a hablarle a mi mamá; me había prestado un dinero para una casa y yo lo había usado para otra. Mamá me había encargado mucho que le pagara en diciembre y no lo hice. Nunca antes le había fallado, pero como BMG no me dio el dinero acordado, no pude cumplir, me dio vergüenza hablarle y lo dejé para después.

Le dije a Sergio que aún no quería regresar, estuvo de acuerdo conmigo, sin saber que estaba yo embarazada, y renovamos nuestras visas en la policía federal. Liliana y Wendy se fueron a Argentina, pues Liliana había prometido a su familia que regresaría por esas fechas. Se fueron unos días, pero, qué se iban a quedar, retornaron a Brasil. Estaba a punto de decirle a Sergio que me hallaba embarazada cuando percibí algo que me pareció una pesadilla. Karola siempre fue panzoncilla, pero ahora estaba más abultada de lo normal. Esa panza no era de las tragazones que daba, sin duda estaba embarazada. Me sentí confundida e impactada, le pregunté a Katya y me lo confirmó. Con toda desfachatez me dijo:

—Si, ya tiene casi seis meses. No fue planeado.

¿Casi seis meses? Entonces se había embarazado en septiembre. En septiembre estaba yo en México y Karola con la alcahueta de su hermana Katya sabe Dios dónde. Ellas iban juntas a todos lados, y si Karola se embarazó Katya tuvo que saber dónde, cuándo y con quién, y seguramente gracias a su alcahuetería y con su complicidad.

Mi relación con Sergio había comenzado los últimos días de diciembre. Me había prometido a mí misma que cualquier cosa anterior no me importaría, pero era el colmo. Ella, ¡justamente ella! Y que no había sido planeado. ¡Sí, cómo no! Tal vez no por Sergio, pero ¿qué tal por ellas? Era resultado de la lucha entre Karola y Karina, sólo que no contaban con que yo me relacionaría con Sergio. Ahora me explicaba muchas cosas y muchas actitudes de las hermanas. Era de locos y por un tiempo me sentí atrapada.

Katya se encargaba de llevar a su hermana a revisión médica en clínicas públicas, pues según Karla era importante no tirar el dinero, pues habíamos ido a Brasil con recursos para que cuatro personas viviesen con holgura tres meses, y no para mantener a 10 u 11 por tiempo indefinido. Se decidió por tanto que nos mudáramos a un lugar más barato. Liliana, Mary y Sonia se pusieron a buscar la nueva casa y encontraron una a precio razonable en una ciudad a hora y media de Río de Janeiro. Así, nos fuimos a Araruama a una casa con piscina.

Yo cada día me sentía menos a gusto con todas ellas y las trataba poco; aun ahora, viviendo en el mismo lugar, no lograba acostumbrarme a ellas. Nunca antes había vivido con ellas, aunque siempre se apoderaban de mi ropa, pinturas y muchas cosas más, y cada vez me irritaba más que lo hicieran. Antes sólo las había tenido que soportar ocasionalmente unas horas, acaso unos días, rara vez una o dos semanas. Tanto tiempo, jamás.

Las carnes asadas volvieron, pero ya me hacían menos gracia. Con casi cuatro meses de embarazo mi barriga empezaba a notarse, pero lo disimulaba con ropas holgadas hasta que se lo comuniqué a Sergio. Él se alegró y me recriminó no contárselo antes, y ese día lo celebramos con todas y todas me felicitaron. De nuevo afloraron las miradas y sonrisas comprensivas. Y por una vez Karina y Karola coincidieron: se miraron y luego, durante segundos, me miraron con un disgusto que no pudieron disimular. En seguida cambiaron de expresión y se unieron a las felicitaciones. Todo esto me angustiaba y me confundía.

Un día me avisaron que nos cambiaríamos a una casa que quedaba más cerca del hospital donde Katya había decidido que su hermana Karola tuviera el hijo, y adonde Karola iba a exámenes médicos, pláticas y ejercicios prenatales. La nueva casa no tenía alberca, pero sí un jardín grande y un árbol de mangos.

Yo me aislaba cada vez más del grupo y me dedicaba a sentir mi barriga, cuyo movimiento interior me maravillaba, así como la forma que adquiría. Pese a que había subido de peso, me sentía más bonita que nunca, más acompañada que nunca, con todo y lo anormal de la situación, con Karla y Karola embarazadas. A mí mi mundo. Me sentía feliz y trataba de no pensar en nada que no fuera mi embarazo.

Era el mes de mayo, y el día 10, en una de las juntitas plenarias que hacían, decidieron ellas llamar a sus casas cinco minutos cada una, pues las llamadas eran caras y no nadábamos en recursos. Así que todas llamaron a sus casas y hablaron con sus familias, a excepción mía: por más que llamé, nadie contestó. Estaba decidida a contarle a mi madre del embarazo, pero, extrañamente, nadie contestó en casa.

Al terminar las llamadas, cada una nos platicó. Las De la Cuesta dijeron que su mamá les había dicho que qué bueno que no estaban en México, pues seguían los chismes y era mejor que no las molestaran. Por su parte, Karla, que tenía contacto más continuo con sus papás, les informó que estaba embarazada y le recomendaron no regresar a México en ese estado. Yo le pregunté a Katya si sus papás conocían el estado de Karola y dijo que sí.

Wendy dijo que en su casa no le dijeron chismes, sólo le preguntaron si estaba bien y cuándo regresaba a México. Su mamá estaba preocupada, pues hacía rato que Wendy no se comunicaba a su casa.

Mary dijo que su mamá se alegró mucho de escucharla y le dijo que seguían con chismes en TV Azteca y habían colocado un cartel con la foto de Mary y "se busca". Pero que no pudo explicarle bien a Mary, pues a los cinco minutos Karola, que tomaba el tiempo, le colgó el teléfono.

Liliana dijo que en su casa todo estaba tranquilo y nos esperaban encantados y con los brazos abiertos.

Marlene, que su mamá se puso feliz de oírla, pues también tenía tiempo de no comunicarse. Después su mamá la regañó por no haberle dado continuidad a las demandas y dejar al abogado pagado y colgado. Cuando empezó a decirle que había un chisme tremendo respecto de Karina y que dónde estaba, Marlene se despidió, pues Karola la apremió a cortar.

Sergio se volvió hacia Karina y le preguntó:

—¿Qué chisme es ese Karina?

Karina, con cara de asombro, repuso:

—No sé, no tengo idea de qué hablan. Hablé con mi mamá y con mi papá y les dio mucho gusto. Me preguntaron que cuándo iba a la casa. Preguntaron por ti y te mandaron saludos. No me dijeron nada de chismes ni nada fuera de lo usual. Insistieron en que cuándo pensaba ir a verlos, nada más.

Sergio no quiso saber más de las llamadas y yo ya no quise saber de los chismes de TV Azteca. ¿Aline? ¿No está eso terminado? Sacudí la cabeza para alejar esos pensamientos. Quería estar tranquila y no hacer corajes; aparte, con mi pancita ya de cuatro meses no iba a arriesgar mi embarazo exponiéndome a disgustos. Que se pudran y a ver cuándo se cansan, pensé sin saber a ciencia cierta de qué se trataba. Sólo me incomodó que hubieran mencionado a Karina, pero me tranquilicé pensando que si los papás de Karina no le habían dicho nada, no habría nada importante. Guadalupe Carrasco, en su denuncia, había mencionado a Karina como participante en el calendario de las chicas, tal vez era alguna estupidez al respecto. Por un momento deseé tener más información, pero luego pensé que escuchar chismes e intrigas no sería productivo para mí y para mi embarazo. Además, Karina dijo que sus papás no le habían comentado nada, que estaban en buena onda.

Traté de seguir disfrutando mi embarazo, sintiendo cada día más los movimientos de la vida que bullía dentro de mí. Me sentía maravillada, mágica, y no quería que nada enturbiara mi alegría.

Sin lujos, en condiciones emocionales confusas, lejos de mi familia y engordando cada día más, no recordaba haberme sentido tan contenta en mi vida.

El 6 de junio, si no recuerdo mal, nació el niño de Karola, quien regresó del hospital, donde en todo momento la acompañó su hermana Katya, tres días después de dar a luz. Llegaron contentas con el bebé, pero a los pocos días Karola enfermó de gripe y Sergio, preocupado por su salud y la del niño, pidió que ella descansara y las hermanas la ayudaran con el bebé. Para que Karola no tuviera que levantarse en las noches a amamantar al niño, Sergio mandó comprar leche especial para recién nacido y en varias ocasiones me tocó verlo dar el biberón. Milton, un bebé risueño, rápidamente conquistó a Sergio, quien adoraba cargarlo y jugar con él.

Nuestras visas de nuevo estaban por vencer y Mary y Sergio necesitaban renovar también sus pasaportes mexicanos, pues habían caducado. Mary viajó a Río de Janeiro para hacer en la embajada de México los trámites para nuevos pasaportes, que dejó pagados. Como no se los entregarían inmediatamente, regresó a Araruama pensando recogerlos después.

También por esos meses, Liliana fue a informarse de los precios de boletos para España, pues el plazo para poder entrar de nuevo a España se había cumplido. En la agencia de viajes Liliana preguntó qué pasaba en Brasil si se vencía la visa de turista y no la renovabas en seguida. Le dijeron que no pasaba nada, sólo tendría que pagar una multa para poder entrar nuevamente, cosa de unos 800 o 900 reales. Pasó la información a Sergio y él prefirió esta opción que desplazarse varias personas a Río de Janeiro, gastar en cuartos de hotel, comidas, gasolina, casetas de carretera y el pago de las visas. Salía mucho más caro que pagar la multa y aparte estaba lo incómodo del viaje para las embarazadas. Él siempre fue desidioso en la tramitación de documentos y siempre delegaba esa tarea en otra persona. Incluso tenía propiedades sin registrar porque no le gustaba acudir con los notarios (por esa razón otras personas hicieron su agosto adjudicándose bienes y propiedades que sería bueno justificaran cómo adquirieron; abuso de confianza es el concepto). Total, se dejaron vencer las visas, en la primera oportunidad se pagaría la multa y los pasaportes los recogerían cuando fueran a Río de Janeiro. Mary habló a la embajada y prometieron guardárselos. Es importante que quede claro que nunca nadie estuvo huyendo ni ocultándose de la justicia, pues documentos con nombres, direcciones y toda clase de datos se entregaron en la embajada mexicana. Todos entramos a Brasil con pasaportes vigentes y visas a nuestros nombres y en todas partes andábamos a plena luz.

En agosto Sergio decidió que volviéramos a Río de Janeiro. Se mostraba nervioso conmigo por mi creciente pancita. Quizá nadie me conocía en Brasil, pero seguía siendo Gloria Trevi. Noté que Karla se sentía desplazada y poco atendida, pues Katya y Karola estaban concentradas en Milton y Sergio en mí.

En Río de Janeiro, Liliana otra vez entró en acción y rentó un departamento en Tijuca. Era pequeño para tanta gente (algunas bien podían haberse ido, y no), pero fue lo que encontraron a un precio razonable, y amueblado. El dinero era cada vez menos y pasamos unos días divididos, unas de las amigas en Araruama y los demás en Río. Karla fue a hacerse algunos exámenes y una ecografía que reveló que esperaba una niña.

Yo también quise hacerme la ecografía y en la clínica me preguntaron por mi prenatal. Cuando dije que no lo había hecho me regañaron y me dijeron que urgía que lo hiciera. El día que me hice el ultrasonido estaba yo entre nerviosa y emocionada, como supongo lo está toda mamá a la que un examen le dirá si el bebé viene bien o existe algún problema o malformación. Me recosté en la camilla y una doctora me puso el helado gel sobre la barriga. Y al colocar esa especie de *mousse* en mi estómago, apareció en la pantalla la imagen de mi bebé. El corazón fue lo primero que distinguí, una orejita, las manos.

—¿Está bien?

—¡Perfecto! Y tiene las manos en el rostro, no da para verlo.

—¿Qué es?

—¿Quieres saber el sexo?

—Sí, dígame.

—Niña.

—Niña. ¿Está segura?

No lo podía creer… ¡una niña!

—Sí, clarísimo, es niña.

—¿Segura, segura, segura? Le estoy haciendo su ropita.

—No hay duda, puedes hacerle todo color de rosa.

Inmediatamente empecé a pensar cómo arreglaría la ropita que le tenía hecha. Flores, moños, tenía que comprar listones rosa, sí, todo tenía que ser muy femenino, muy dulce.

Me alegró mucho la noticia, pues desde niña, cada vez que mi mamá esperaba un bebé quería una hermanita, y siempre fueron niños. Probablemente ahora proyectaba ese deseo. ¡Una niña!

Llegué al departamento brincando de alegría por la noticia. Ese día celebramos el acontecimiento con una súper cena para todos, pues aunque ahorrábamos mucho, tampoco estábamos en la miseria, y era un momento especial. Todos me felicitaron. Sergio se veía muy contento, y aunque decía que lo importante era que estuviera bien, los papás suelen encariñarse más con las niñas.

Yo ya la imaginaba con sus moños, sus vestidos, sus calcetitas con encajes, sus peinados, sus juguetes y otras dulzuras. Pedí que me compraran estambre y agujas para tejerle cosas en rosa y blanco, pero Karla protestó:

—No hay dinero, Gloria.

Ahí también protesté:

—Pues lo siento. Yo trabajé toda mi vida y el estambre no cuesta nada.

Karla siguió discutiendo y no pude evitar el pensamiento de que seguramente le repateó que en su caso nadie hizo fiesta porque estuviese esperando una niña. No era mi culpa. Y no discutí mucho con ella, le expresé a Sergio mi deseo y mandó comprar el estambre. Por un instante estuve a punto de gritarle a Karla que el dinero que ella administraba y me regateaba era mío. Si había dinero para rentar videos y comprar refrescos, también lo habría para cualquier cosa que yo quisiera. Gracias a Dios no tuve que hacerlo. Nunca fui soberbia, pero sentir que me negaban algo para mi bebé, me enloquecía. Quería comprarle su cuna, sus juguetes. Le había hecho un álbum antes de saber que sería niña. Pero eso era hecho por mí y yo quería comprarle de todo. Había trabajado mucho, había ganado mucho, ¿y ahora todas ellas viviendo de lo mío y negándome lo necesario para mi bebé? ¿Que no había dinero? Pues que no lo gastaran y se largaran.

También quería que mi bebé tuviera su cuarto y su familia, una familia normal o lo más normal posible. Nada de que su papá, su mamá y una bola de tías madrinas con medios hermanitos. ¡No! O a) papá, mamá y hermanitos; o b) abuelitos, mamá y tíos, con visita de papá.

Como la opción "a" no existía, decidí que a mi bebita le daría la "b". Regresaría a casa de mi mamá, por lo menos allá mi nena crecería en un ambiente normal. Así, en septiembre le dije a Sergio que quería estar con mi familia para tener a mi hija. Él, tras varias preguntas y respuestas, empezó a llorar y, señalando mi vientre, dijo:

—Ella es el primero y único hijo planeado y deseado que voy a tener. No que no quiera a los otros, pero ni siquiera tengo la seguridad de que sean míos. No fueron planeados y no fueron concebidos con la única persona a la que realmente…

Guardó silencio, incapaz, como siempre, de hablar de amor a una mujer, incapaz de aceptarse débil ante alguien. Yo le expliqué por qué mi decisión.

—¿Quiere decir que si yo terminara con todas y viviéramos solos tú y yo con nuestra hija, aceptarías continuar?

—No lo sé, Sergio, son muchas cosas.

—Gloria, tú fuiste la que hace tiempo terminó conmigo, la que me quitó esa oportunidad. ¿Si yo dejara a todo mundo, dudarías en seguir conmigo? ¿Qué fui? ¿Sólo un reproductor?

—No, Sergio, no es eso. Lo que pasa es que no creo que realmente puedas separarte de ellas, cambiar tanto tu vida y la de ellas. Siento lástima por ellas, pues son capaces de aceptar por ti cosas que yo no podría.

—Gloria, en caso de que las dejara a todas y fuéramos sólo tú, yo y nuestros hijos, nuestra bebita, ¿querrías que yo fuera ese hombre, ese padre?

Lo miré seriamente y, como siempre, los ojos me traicionaron.

—Sí —le dije llorando—, lo querría mucho. Te amo, pero no te comparto. No te quiero compartiéndote con otras mujeres, sino dándote a nuestros hijos, a nuestros nietos. Te quiero mío y en nuestra familia, y no mi hija y yo como parte de esa familia que ustedes forman ahora y a la que no consigo integrarme. No quiero y nunca voy a querer, y tú, tú no vas a poder separarte de ellas.

—Mira, Gloria, dame unos días, déjame decidirlo. Como tú dices, no es fácil, pero será definitivo. Me siento responsable por ellas también. Y de cualquier forma tú no puedes viajar a Monterrey en avión en tu estado tan avanzado, ocho meses (yo no sabía que así no podría viajar en avión), y ni manera de hacerlo en carro desde Brasil. Espera unos días, sólo déjame ver qué puedo hacer.

Dos días después empezó a hablar con las muchachas. Primero todas lloraron, protestaron y recriminaban mi egoísmo. Llegaron a hacerme sentir mal al mostrarme su sufrimiento. Algunas no querían comer, parecía que alguien se hubiera muerto. Sergio conversaba con ellas horas. Con una, luego con otra. Días después Liliana, Karina y Katya se mostraron comprensivas. Ellas, "si él era feliz, lo apoyarían aunque eso fuera su infelicidad". Karola y otra de las muchachas no se resignaban y eran de llanto abundante con él y de miradas asesinas conmigo. Le lloraban a Sergio y le decían: "¡Jamás nos abandonarás!" "¡Toda la vida te esperaré!" "¡Adonde vayas iré, aunque te espere en la calle!" "¡Sin ti no puedo vivir!" "¡Me voy a matar!"

Fueron días tensos. Las otras no tomaron ningún partido, ni el de las comprensivas ni el de las de atracción fatal. Se mantenían tristes y calladas; aceptaban, pero sin apoyar ni presionar.

Nació la bebé de Karla y le pedí a Sergio que saliéramos de ahí.

Cuando Karola se dio cuenta que Sergio y yo estábamos yéndonos, se le abrazó a las piernas, le lloró, le suplicó, y al ver que no conseguía nada, me gritó, y si Wendy y Katya no la detienen prácticamente en el aire, Karola se me habría echado encima sin que le importara mi embarazo. Mientras la sujetaban, Sergio le pidió a Wendy y a Liliana que no la dejaran salir hasta que él, Mary y yo nos hubiéramos ido.

Salimos del departamento y nos fuimos en el carro de Liliana, con Mary manejando. Más tarde rentamos un cuarto en un hotel y Sergio le pidió a Mary que hablara con las muchachas a ver si ya se había tranquilizado Karola y todo estaba bien.

Cuando Mary colgó, contó alarmada que el departamento era un caos. Al salir nosotros, Liliana y Wendy cerraron con llave la puerta para que Karola no saliera a seguirnos y entonces Karola fue a la cocina. Nadie la siguió y supusieron que se calmaría sola, pero lo que Karola hizo fue salir por una ventana y brincar al balcón de los vecinos para tratar de escapar por esa casa. Pero los vecinos se espantaron al verla y Karola les dijo que había tenido un pleito con sus hermanas y que quería a su hijo. Las hermanas, para que Karola le bajara volumen a su escándalo y los vecinos vieran que no había nada raro, le llevaron al niño y le pidieron que regresara al departamento. Karola les dijo que no saldría de allí hasta que Sergio la llamara. Luego, en voz alta, para asustar a las hermanas y que los vecinos oyeran, dijo que quería hablar con su papá.

Era un infierno, esa mujer era una obsesa, una loca.

Sergio le habló para evitar problemas y después de que conversaron y colgó, me miró y me dijo:

—Te prometo que lo voy a hacer, pero Karola necesita un poco más de tiempo. Sólo eso. Cuando vea que entre ella y yo no hay nada más, va a desistir.

Quise llorar. Me sentía impotente y veía que él realmente quería cumplir, pero...

Minutos después tocaron la puerta del cuarto. Era Karola con el niño en brazos. Vio a Sergio dulcemente y con amor, luego me vio a mí y, levantando la barbilla, sonrió triunfal, como diciéndome "puedo más que tú y siempre voy a poder". Karola, con su inseparable hermana Katya, pasó la noche en el hotel en un cuarto de la misma habitación, pero separado del nuestro. Sergio habló con ella y después me explicó que con ella la separación tendría que darse poco a poco.

Cuando la vi en la puerta de nuestro cuarto mirándome con sonrisa desafiante, sentí ganas de gritar, de llorar, de terminar con Sergio. Pensé entonces que ella estaba usando la misma táctica del mes de febrero. Una vez sí, dos no. No se lo dejaría tan fácilmente. Él había escogido y me había escogido a mí y a nuestra hija, por encima de todas ellas. Yo le daría un voto de confianza.

Al día siguiente, luego de desayunar, la pesadilla continuó. Alguien llamó al departamento para ver si todo estaba en calma. No sé quién llamó, sólo recuerdo que Sergio, pálido, me contó que otra de las muchachas había saltado al balcón de los vecinos, pues como vio que a Karola le había funcionado, siguió el ejemplo. Me imagino que los vecinos debían estar alucinados recibiendo a las saltadoras de balcones en un quinto piso.

Sergio no quiso llamarle y ella se quedó con los vecinos. El marido de la vecina era policía y preguntó qué pasaba. La muchacha le contó que se había peleado con una amiga. El hombre levantó queja y la hizo ir a declarar a la policía federal. Quién sabe qué tanto inventó, pero consiguió que los vecinos la dejaran quedarse unos días con ellos. Sergio le pidió a Liliana, Karla y Katya que trataran de convencerla de dejar el departamento de los vecinos y volver al de ellas, pero estaba aferrada y "sólo si Sergio me llama, salgo de aquí", dijo. Sergio le habló y no escuché lo que hablaron. Sólo supe que salió ella de la casa de los vecinos y se vio con Sergio en una pizzería. Según Sergio, logró convencerla de no hacer más escándalos.

Llegué a temer que todas hicieran lo mismo. Pero no, y al fin dejaron en paz a los vecinos. Sergio consiguió convencer a Karola que se fuera al departamento de Tijuca, pero cada dos o tres días Karola buscaba a Sergio y no cejaba hasta que conseguía verlo y lo chantajeaba emocionalmente con el niño.

Después de unos días en el hotel, Mary consiguió para nosotros un departamento en un lugar llamado Lagoas. Como siempre, Liliana apareció para hacer el contrato, con el consabido argumento de que el hecho de ser argentina y el Mercosur la hacían indispensable, cosa que nunca entendí. Liliana rentaba los espacios, pero se pagaban con dinero de Sergio o mío.

En este departamento vivimos Sergio y yo, y Mary se fue a vivir con nosotros. Pero no lograba yo deshacerme de las otras, que empezaron a visitarnos con frecuencia. Acudían con el pretexto de ensayar, pues Sergio se había propuesto continuar las rutinas de preparación artística.

No era la primera vez que Sergio hacía cantar a las piedras. En un estudio lograría maravillas, quizás hacer de ellas un producto artístico comercial. Y así unas y otras iban al departamento. Sergio les tomaba las canciones que les había encargado aprender. En ocasiones Sergio tocaba la guitarra y cantaba canciones brasileñas, y Karina intentaba acompañarlo con una flauta —no con mucho éxito—. Pese a sus errores, definitivamente Karina tenía más talento que Karola, y mientras ésta no abriera la boca intentando cantar y emitiendo ruidos desafinados, estaba bien. En otras ocasiones era Mary la que cantaba, y Karla o Liliana daban el ritmo con el bambo, mientras Sergio o Mary tocaban la guitarra y entonces era muy agradable. Karola había aprendido a tocar algo de guitarra, aunque más que tocar la aporreaba, y dada su carencia de talento musical había que reconocer el esfuerzo.

Yo no hacía más música que la de mi vientre. Me dedicaba a acariciarlo y a imaginar a mi bebita. Estaba en el noveno mes y Katya, que tenía experiencia escoltando embarazadas, me acompañó a mi prenatal tardío. No se portaba mal conmigo y yo la creía mi amiga. A diferencia de sus hermanas Karla y Karola, me caía bien.

En una de las visitas al doctor me dijeron que la niña nacería en aproximadamente 15 días. No habíamos decidido en qué hospital tendría mi bebé e incluso pedimos precios en un hospital particular.

Sergio alguna vez comentó que había nacido en su casa y Karina, recordándolo, dijo que para qué iba yo al hospital, bien podría tener a mi hija en el departamento. Katya, que había presenciado tres partos, se apuntó diciendo que ella podía ayudarme. No les pregunté si estaban pendejas o qué. Gracias a Dios Sergio no asumió esas ideas idiotas. Mira que proponer las cretinas hacerla de parteras conmigo.

Sergio y yo decidimos que mi familia, sobre todo mi mamá, debía saber del inminente parto y, si era posible, acompañarme.

El viernes le hablé a mi mamá, pero el teléfono de la casa seguía sin contestar y se me hacía rarísimo. Desde mayo había intentado comunicarme en dos o tres ocasiones, pero nadie contestaba el teléfono. Como era una urgencia, decidí hablarle a mi papá para preguntarle qué pasaba. Tal vez hubieran cambiado el número. Le hablé a papá a la oficina, pero tampoco respondió nadie, y el teléfono de su casa no lo sabía, pues era nuevo. Pensé en llamar el lunes.

El sábado algunas de las muchachas estaban en nuestro departamento y tocaban, incesantes, música brasileña: "La chica de Ipanema", "El Corcovado". Mary cantaba, Sergio tocaba la guitarra, Karina se esforzaba con la flauta y no recuerdo quiénes más participaban. Pero alguien hacía percusiones (tal vez era Sonia) y recuerdo que la música era agradable. Yo los escuchaba y veía, ya con nueve meses, recostada en un sofá de la sala (serían las cinco de la tarde). Cantaba quedito las canciones, con la idea de que mi niña las escuchara y disfrutara. Adormecida, sentí ganas de ir al baño. Fui y descubrí que estaba empezando a sangrar. Pero no sentía molestias y el sangrado era tan escaso que no estuve segura de nada y no se lo dije a nadie. A medida que pasaba el tiempo tenía una sensación cada vez más fuerte de querer ir al baño, y aquello fue un ir y venir. Como a las siete le dije a Sergio que creía que había llegado el momento. Sergio se alarmó y me pidió que me recostara. Luego me preguntó que si estaba segura y le dije que no porque nunca había parido, pero creía que sí.

Le pidió a Karina, pues ella había pasado por esa experiencia, que hablara conmigo. Además había leído libros, lo relativo al parto en una enciclopedia médica, y había visto videos y hecho ejercicios para parto y prenatal. Karina, que adora ser sabelotodo, vio la oportunidad de brillar y, aprovechándola y asumiendo aire de conocedora me preguntó qué sentía. Le respondí y entonces con gran seguridad informó que estaba yo en trabajo de parto, pero como las contracciones eran todavía muy espaciadas, me faltaba tiempo. Y se puso a explicarme cómo debía de hacerle para tener el bebé. A esas alturas ya no entendía lo que me decían, estaba nerviosa y sentía dolores.

Sergio tuvo la puntada de preguntarme si no podía posponerlo para otro día, cuando mi mamá estuviera conmigo, y me pidió que me relajara para ver si el dolor pasaba. ¡Qué iba a pasar!, los dolores eran cada vez más fuertes. Y a eso de las nueve o 10 de la noche me entró el pánico. ¿Y si no me llevaban a un hospital? ¡Ya me veía pariendo como Karina y Katya habían sugerido, y ellas haciéndola de parteras! Gracias a Dios habían indagado que hospital era el más cercano y Mary y Katya estaban listas para llevarme.

Sergio detesta ir a entierros, velorios y hospitales. Le da miedo la muerte y recordar que somos mortales. Estaba pálido cuando nos despedimos para ir al hospital. Hubiese querido que fuera conmigo, pero no se lo pedí. Sus manos estaban sudorosas y frías; tenía miedo. Yo trataba de parecer tranquila y él, frente a todas, acarició mi vientre y lo besó. Sentí como si algo se me hubiera clavado en la espalda, me di vuelta y vi a Karola mirándome con rabia y contenida envidia. Karina mostraba una sonrisa supuestamente conmovida, más falsa que un billete de 2.75.

Mary y Katya parecían sinceras. Yo deseaba que Mary me acompañara, pero Katya era la "experta". Mary nos llevó al hospital público Miguel Couto. Yo, que había ganado tanto dinero, dinero que ellas administraban y gastaban emperradas en no regresar a sus casas, tenía que parir a mi bebé en un hospital público.

Cada vez sentía más fuertes los dolores. Me registré en la recepción, mostré mi pasaporte (¿cuál escondiéndome?) y me hicieron esperar en una banca. Como Katya no era mi familiar, le pidieron que esperara afuera. Empecé a sentirme muy sola entre extraños que hablaban otro idioma, que yo ya comprendía, pero no era el mío. No había nada familiar ni cálido.

Después de revisarme y prepararme me llevaron a un cuarto en donde había varias camillas. Vestida ya con una bata de hospital y acostada en una de esas camas, empecé a sentir un frío terrible. Estaba en Río de Janeiro y hacía calor, pero sentía que me congelaba sobre ese colchón forrado de plástico, helado y sin una sábana siquiera. Llevaron a otra mujer y la colocaron en una cama frente a la mía. Mientras yo me retorcía a cada contracción, ella sólo apretaba los ojos y luego me veía como si diese yo un espectáculo. ¿Cuántos espectáculos había dado en mi vida? ¿Mil? ¿Más?

¡Dios! Jamás imaginé que tendría un hijo en tales condiciones, después de ver tantas películas, de saber en mi familia cómo eran esas situaciones, de ver los cuidados que se prodigaron a Karina, a Karola y a Karla. Hasta mi perra y mis gatas habían parido en compañía y sintiendo cariño. Cada eternidad pasaba una enfermera y me decía que me relajara y durmiera. ¡Sí, cómo no! ¡Qué iba a poder dormir!

—*Estou com frío, por favor*... (Tengo frío, por favor...)

Un siglo después me llevó una sábana de hospital notoriamente desgastada, pero que en ese momento agradecí más que si fuera un abrigo de mink. Pero no calmó mi frío, mi frío salía de dentro, de los huesos. Tiritaba y le prometí a Dios que si todo salía bien bautizaría a mi hija antes de que cumpliera un mes.

Ya no podía más. "¡Por el amor de Dios!", grité, y grité porque no había nadie. A mi grito acudió una enfermera que llamó a una doctora y a las prisas me llevaron a la sala de parto; el dolor me nublaba los sentidos. ¿A qué hora me pondrían la anestesia? ¡Pobre ilusa! ¿Cuál anestesia? No me pusieron nada. Sentí cómo me cortaban en las partes íntimas, pero un dolor más angustiante me hacía olvidar el otro. Empujé una vez, empujé una segunda vez con todas mis fuerzas y alguien decía:

—Más... Así, eso... Ya viene... Está saliendo... ¡Es una niña!

La sentí salir de mí y era como si con ella hubiese salido lo más importante de mi interior, la parte mía que era la vida y la alegría. Antes amaba a mi bebé, pero sólo en ese momento supe lo que era amor. Sentí que necesitaba yo más de ella que ella de mí. Me la mostraron todavía llena de sangre y líquidos blancuzcos. Ella, con su cordón colgando, llorando, temblorosa, asustada, me pareció mágica, increíblemente hermosa. Mis ojos la siguieron hasta que la perdí de vista.

—¿Adónde la llevaron?

—A limpiar. Luego te la traerán para que la amamantes —decían mientras suturaban la incisión que habían hecho para ayudar a salir al bebé.

Yo sólo quería tenerla conmigo. Me llevaron a un cuarto en donde estaban otras siete mujeres con sus bebés. Poco después entró Katya, que había logrado convencer a alguien en el hospital para que la dejaran acompañarme en el cuarto.

Mi hija nació a las 5:10 de la mañana del 10 de octubre de 1999 en Río de Janeiro, Brasil.

Pasaron unas horas. Yo a lo mucho dormí un par porque así me lo indicaron, pero estaba inquieta. Quería a mi hija conmigo y veía a las otras mujeres con sus bebés. ¿Por qué no traen a la mía? ¿Qué tiene? Empecé a angustiarme. La llevaron a las 11 de la mañana.

—¿Por qué tardaron tanto? ¿Pasa algo?

—No, está muy bien. Para que descansaras, le dieron un complemento en donde tienen a los bebés.

Sentí celos del complemento. Yo hubiera querido que mi pecho, mi leche, fuera su primer alimento.

Mi niña era hermosa, blanca, de cabellitos castaño ceniza y proporciones perfectas: cabecita redondita, chapeada como duraznito y su boca como un corazoncito. Lloré de felicidad con ella en mis brazos, tanta felicidad que no me cabía en el pecho.

Aparte era un ángel: en todo ese día sólo lloró una vez para pedir de mamar.

Katya permaneció todo ese día conmigo, y como me di cuenta de que no había ido a comer, compartí con ella la comida que me llevaron, que por cierto era mucha y sabrosa.

En la noche la niña despertó y lloró sólo una vez, y yo veía a las otras mamás sufriendo con sus bebés llorones. Me habían dicho que debía amamantar a mi bebita cada vez que pidiera. Al día siguiente una enfermera me preguntó si la niña había mamado bien y le comenté orgullosa la conducta de mi hija. Por poco me da un coscorrón por tonta. ¡No era así! Los bebés no deben estar sin comer más de dos o tres horas, si no "se van", es decir, no quieren comer. Se llevaron a la niña para hacerle análisis, incluso le picaron un piecito, pero gracias a Dios la niña estaba perfectamente bien. Sucedía que era flojilla, prefería dormir a comer, y yo tendría que despertarla y hacerla comer cada dos horas, luego cada tres y así hasta que ella sola despertara y pidiera su comida. Empecé a hacer lo que me indicaron y estuve desde entonces muy pendiente del horario para alimentarla. Durante los tres días que estuve en el hospital, sólo me comuniqué con Sergio por teléfono.

Regresé al departamento con la niña y Sergio nos recibió feliz. Yo no estaba bien, me dolía mucho la herida. Había visto cómo otras mujeres se sentaban y caminaban sin quejarse y sin dificultad, y yo, cada día, en vez de sentirme mejor me sentía peor. Me daba pena, pensé que tal vez era yo quejumbrosa y chillona y me aguanté, queriéndome hacer la fuerte y la valiente. Pero la verdad, cada día me dolía más, y vi que tenía la mitad de una nalga negra, es decir, tenía un hematoma, sangre coagulada, y el dolor era punzante, absurdo e ilógico. Llegué a tener fiebre, pero no decía nada. Sólo a la hora de caminar o de sentarme no lograba disimular el dolor. Sin embargo Sergio pensó que tal vez era normal, y sólo cuando le preguntó a las que ya habían tenido hijos y le dijeron que no, se preocupó y me dijo que fuera a que me revisaran. Yo quería esperar unos días a ver si mejoraba, pues temía que me internaran y me separaran de mi hijita.

Fuera de eso, era la mujer más feliz y afortunada del mundo.

Amamantando a mi hijita sentía que tenía en mis brazos los secretos del universo y empecé a llorar, lloré las lágrimas más dulces de mi vida, lágrimas de gratitud y de alegría. Dios me había dado todo, pensé: salud; una familia linda como eran mis padres, hermanos, abuelos y bisabuelos; una cierta belleza física, talento, fama, dinero. Todo lo que había deseado o soñado, de una u otra forma lo había conseguido. Incluso en el amor había triunfado al fin, pero nada me hacía tan feliz como contemplar a mi hija perfecta y tranquila durmiendo en mis brazos, satisfecha después de haberla amamantado.

Estadios con 70 mil personas gritando mi nombre, maletas llenas de dinero, casa en el Pedregal, compras sin reparar en los precios, discos de oro y de platino, Viña del Mar a mis pies, *ratings* altísimos, películas fenómenos de taquilla, primeros lugares de popularidad y noches de amor. Nada, nada, ni todo junto tenía el poder de darme esa felicidad plena, inocente e incondicional que mi hija me daba con su existencia.

Sentí una punzada en el corazón, un presentimiento. Nadie puede ser tan feliz, nadie tiene derecho de vivir en la vida, en esta tierra, en este tiempo, la felicidad que sólo se experimenta en el paraíso, en el cielo. Y tanta suerte sólo podía querer decir que pronto moriría. Pensé que iba a morir, que me quedaba poco tiempo de vida y no vería crecer a mi niña.

Jamás se me ocurrió pensar que esa premonición de sombras era la premonición de algo mucho peor que mi propia muerte.

## Capítulo diecisiete

# La tragedia de Ana Dalai

Sergio, la bebé y yo nos cambiamos a un departamento en Constante Ramos. Mary seguía con nosotros y me ayudaba con la bebé —quería mucho a mi hijita—; las muchachas estaban en el departamento de Tijuca, pero nos visitaban con cualquier pretexto.

Sergio estaba endiosado con nuestra hija, a la que cargaba, besaba, jugaba, arrullaba y consentía. Era notorio que esa niña era su hijo preferido, la luz de sus ojos. Cuando salíamos, solía llevarla en brazos y parecía presumirla; llamaba la atención la belleza de la pequeña, su armonía, los tonos pastel de su piel, boca y cabellos, en contraste con sus ojos negros.

Yo seguía con dificultades para caminar. Había ido a consulta al hospital Miguel Couto, pero le tocó revisarme un muchacho súper joven y guapo y sentí vergüenza cuando me pidió *tirar la calcinha* (quitarme el calzón) para hacer una auscultación ginecológica. Me dije no, regreso otro día; quizás esté de guardia una mujer.

Mi dolor era intenso al empezar a caminar, pero entrando en calor no dolía tanto. Si me sentaba, luego no quería moverme. Y al levantarme me dolía horrible, pero pasaba. Y mal que bien podía andar.

Cuando la niña tenía unos 20 días, fui a hablarle a mis papás. Eran los últimos días de octubre o los primeros de noviembre. Quería hablar primero con mi mamá y darle la noticia de la niña, porque si hablaba primero con papá, ella iba a sentirse y no me lo perdonaría; pero en su casa seguían sin contestar. Se me ocurrió llamar a una amistad de ella, quien en cuanto supo que era yo, mostró preocupación en la voz.

—¿Dónde estás? ¿Cómo estás? Háblale a tu mamá. ¡Urge!

Me dijo que mi mamá estaba en Estados Unidos y me dio el número telefónico. ¡Por eso nadie contestaba en casa! ¡Mamá se había cambiado!

Le hablé a mamá y contestó angustiadísima.

—¿Dónde estás? ¿Estás bien?

—Mamá... Tuve una bebita...

—¿Qué?

—Tengo una bebita, tu nieta. Está aquí conmigo, escúchala.

La niña hacía breves y dulces sonidos, pues la quité de mi pecho para acercarla a la bocina.

—Hija... hija —repetía mi madre. No había recriminación en su voz, sólo comprensión y ternura. Lloraba y yo estaba muy contenta. Se lo dije.

—¿Por qué no me avisaste? Hubiera estaba contigo para acompañarte, mi reina. Pero, ¿estás bien?

Rápidamente le expliqué que la niña había nacido antes de lo que esperaba. Desde mayo le había estado hablando, pero nadie contestaba.

—Ay, hija, allí sólo hay gente a ratos. Tuve que salirme, la situación se volvió insoportable. ¡No te imaginas lo que pasa!

—¿Qué pasa?

—¿Cómo qué pasa? ¡El escándalo! ¿No sabes?

—No, mamá, estoy en Brasil y no sé nada.

—¿Dónde está Karina? ¿Quién es? ¿La conoces?

La pregunta me desconcertó.

—Sí, mamá. Cálmate y dime.

—Pues la mamá de una tal Karina sale en la tele llorando y exigiendo a gritos: "¡Gloria, devuélveme a mi hija!" Es un escándalo. Dicen que la secuestraron, que es posible que esté muerta y quieren dragar no sé qué río. Que esa Karina tuvo un hijo que abandonó en España y allá hay una investigación de una red de prostitución del clan Trevi-Andrade. Y TV Azteca le da vuelo a todo esto.

—¿Qué?

—Y eso no es todo. ¿Quién es Delia González?

—¿Delia González? ¡No sé! Será la mamá de las gemelas, es la única Delia que conozco.

—¡No! Una que dice que estuvo en el clan y la torturaban. Dio unas fotos en las que está encadenada y desnuda en un baño.

—No sé de qué me hablas. No conozco a ninguna Delia González. Oye, en cualquier momento se me corta la comunicación, se está acabando la tarjeta.

—Háblame por cobrar

—Sí, mamá, déjame indagar sobre lo que me dices. Luego te llamo. ¡Te quiero mucho! *Ciao.*

Llegué al departamento a contarle a Sergio. No podía creerlo, pero cuando supo lo angustiada que estaba mi madre, y sabiendo que ella jamás exagera, se preocupó mucho y mandó llamar a Karina para que le aclarara las cosas. ¿No había dicho Karina que en su casa todo estaba bien? ¿Y las otras? ¿Por qué ninguna mencionaba problemas cuando hablaban a sus casas? Hacían falta muchas explicaciones.

Sergio no daba crédito a lo de la madre de Karina y cuando Karina llegó a nuestro departamento la interrogó. Ella negó todo, dijo que en su casa todo iba bien, que no sabía nada. Se lo juró a Sergio.

—Pues ahorita mismo los llamas —dijo Sergio tajante— y les preguntas qué pasa.

Karina, antes de salir a hablar, me miró como culpándome de la bronca con Sergio. De regresó, venía supuestamente consternada. ¡Era cierto! Al parecer sus padres habían puesto una denuncia contra Sergio, Mary y yo, y tenían con ellos a Francisco Ariel.

—¡Esto es una fregadera, Karina! —recriminé.

La mujer iba y venía sola y a voluntad. Viajaba con permiso de sus papás, que incluso la llevaban al aeropuerto. Ellos le tramitaron el pasaporte. Había viajado a México, a Argentina, de Argentina a Brasil por carretera. Y en Brasil iba sola de compras. Era libre como un pájaro. Y ahora yo, recién parida, era la secuestradora de semejante gandula, de 1.75 de estatura, con 17 años bien corridos. Yo, secuestradora de la tipa que en más de una ocasión me había atropellado y pasado por encima jugando básquetbol. Yo, secuestradora de una de las mujeres que traía yo pegadas como sanguijuelas que me chupaban la sangre. Si algo me hubiese dado gusto era que se largaran a sus casas y dejaran de aguardar como buitres la oportunidad de echársele encima a mi pareja. Estaba fuera de mí, nada más eso me faltaba.

—Ahoritita te largas a tu casa, Karina, y aclaras esto. A mí no me metan en sus pendejadas y tarugadas —dije enojadísima.

—Tú no te metas, Gloria, no es tu problema —replicó Karina.

—¿Que no es mi problema? Me están acusando a mí.

Karina optó por cambiar de táctica. Llorando, le dijo a Sergio:

—Te lo juro, Sergio, yo no sabía, nunca me dijeron nada.

Sergio, conciliador, le dijo:

—Mira, qué bueno que Francisco Ariel está con tus papás. Una preocupación menos. Pero vas a tener que ir a Chihuahua.

—¡No!, te lo ruego. Voy a hablarles y a exigirles que quiten las denuncias. Si no, no vuelven a verme.

—¡Qué hablarles! Te vas y allá lo arreglas —dije.

—Lo que tú quieres es que me vaya —dijo mirándome con odio.

—No, Karina. Si quieres pide que quiten las denuncias, pero de que te vas a Chihuahua, te vas. Cada quien a lo suyo.

—¡No! Por favor, Sergio, voy a arreglarlo por teléfono, te lo prometo. No quiero regresar, por favor —dijo Karina desesperada.

Sergio se quedó hablando con ella y me fui a atender a mi bebé. Durante días Karina estuvo hablando a su casa para, presuntamente, arreglar las cosas.

Yo estaba preocupada porque el 10 de noviembre Ana cumpliría un mes y yo debía cumplir la promesa de bautizarla antes de que lo cumpliera. Se lo dije a Sergio, que andaba muy mortificado con lo de Karina y procuraba no salir mucho hasta se aclarara todo y supiéramos contra qué luchábamos. Para mí, la promesa hecha a Dios era irrevocable y tenía que cumplirla. Katya me acompañó con mi hija a una iglesia grande de Copacabana, donde le expliqué la situación a una ancianita de la dirección. Faltaba poco para el día en que bautizaban antes del 10, esto es, el día 7, pero como no tenía a la niña registrada y para bautizarla había que sacar antes sus papeles, no me daría tiempo de ir a las pláticas.

—¡Por favor! Es que se lo prometí a Dios —dije llorando.

—Bueno, veremos que el padre Marcelo te reciba y te dispense de la promesa.

—Yo no quiero que me dispense, quiero cumplir.

—Pues tienes que hablar con él.

El padre Marcelo accedió a que fuera a las pláticas aun sin presentar el acta, pero con el compromiso de que el día del bautizo llevaría el registro de nacimiento.

Yo quería que Mary fuera la madrina, pero Sergio, cada día más perturbado por el asunto de Karina, prefirió que Katya me acompañara a las pláticas. Como el padrino tenía que ir a las pláticas, Katya sería la madrina.

Uno de esos días hablé con mi mamá y me dijo que se rumoreaba que la Interpol andaba tras de nosotros.

—¿Dónde dicen eso?

—¡En todos lados! Principalmente en TV Azteca.

—Ay, sí. Como la vez pasada, que dizque tenían a la justicia persiguiéndome con orden de aprehensión por el asunto de Aline. Claro que no, mamá, ¿cómo puedes creerles?

—Pues no sé, Gloria, pero hay algo turbio, ten cuidado. Dime dónde estás para ir a buscarte con unos abogados que te asesoren y vean cómo protegerte.

—Te llamo y te digo.

Primero quería que Karina se fuera a su casa.

Me indignaba lo que habían hecho los papás de Karina. Sin embargo, había muchos puntos oscuros. Tal vez los papás se habían visto presionados por TV Azteca para hacer las acusaciones. O por el hecho de que existía en España una denuncia de abandono de menor contra su hija Karina y creyeran que la denuncia podía afectarlos por irresponsabilidad con su hija, y antes que aceptar su irresponsabilidad prefirieron inventar el secuestro.

Qué clase de abuelos son esos que, enterados desde octubre de 1998 de la existencia del nieto abandonado en una casa hogar en España, esperan hasta marzo de 1999 para reclamar al niño. Luego ponen su denuncia, todo preparado. Aunque bien sabían dónde estaba su hija, simulaban ignorarlo. Está secuestrada, decían, y aparecían en la tele lloriqueando y reclamando a su hija. Y días antes habían hablado con Karina. Había gato encerrado.

¿Y por qué la señora pedía que yo le devolviera a su hija? No me cansaré de repetir que nunca la invité, nunca tuve interés alguno en que estuviera en el grupo, nunca me la confiaron, nunca me hice responsable de ella. Yo no vivía ni convivía con ella. A veces coincidíamos en algunos lugares, pero porque ella estaba allí, no porque yo la invitara o la llevara. Que recuerden ella y su mamá cómo la señora la andaba ofreciendo como naranja de mercado: llévensela, llévensela. De eso hay testigos, y si me acuerdo de tal detalle es porque me molestó la actitud de la señora.

Hablé con Sergio. Le repetí lo que mi madre me había dicho e insistí en que Karina, quisiera o no, regresara a su casa. Y mientras yo le decía esto, con lloros y súplicas Karina trataba de convencerlo de que no la enviara de regreso sino hasta que cumpliera 18 años, porque quizá sus padres no la dejarían regresar para Brasil a estar cerca de él. ¿Cómo? Ahí me di cuenta que era falsa su comprensión y resignación ante el hecho de que Sergio hubiese terminado con ellas para hacer vida conmigo. La verdad, sólo aguardaban la oportunidad de quedarse con él. Fui firme e insistí con Sergio y con ella, pues su permanencia me afectaba por muchos lados.

—Karina, tienes que regresar a tu casa, como dice Sergio.

—¿Como dice Sergio o como dices tú, Gloria?

—No, Karina, como dicen tus papás.

—Pues si no me quiero ir, no me voy, aunque lo quieran mis papás.

—Eres menor de edad y si ellos te reclaman, tienes que irte.

—Sé manejarlos y voy a convencerlos de que necesito estar aquí.

—No, Karina, no necesitas estar aquí. Cada quien a lo suyo.

Karina me vio con odio. Lloraba y los mocos le escurrían.

—Lo único que quieres y siempre has querido, Gloria, es deshacerte de mí, de todas nosotras.

Yo le hubiera dicho que no se equivocaba, pero Sergio intervino.

—¡Karina! Francisco Ariel, nuestro hijo, está con tus papás. Yo quiero verlo, ¿tú no?

—Claro —dijo Karina—, pero luego no me van a dejar volver contigo.

Yo no podía entender cómo Karina tenía tan poco interés en su hijo.

—Karina, en menos de un año cumplirás tu mayoría de edad. Si realmente lo quieres, nos volveremos a ver. Y si en ese momento no quieres...

—¡Nunca! Siempre voy a querer estar contigo, lo que siento por ti es eterno.

Bla, bla, bla. Así le decía en mi cara cuánto lo amaba. No podía vivir sin él y lo abrazaba y lloraba y terminó echada en el piso con la cabeza apoyada en las piernas de Sergio.

—Ve a Chihuahua con nuestro hijo.

—No quiero, no quiero...

No soporté más y salí de ahí.

Continué los trámites del bautizo y fui al *cartorio* (notaría con registro civil) con mi niña y mi pasaporte para registrarla. Como mi visa estaba vencida, me dijeron que tenía que renovarla con la policía federal. Se lo dije a Sergio y aconsejó:

—Ahí sí no quiero que vayas, Gloria. No hasta que sepamos realmente qué pasa.

—¿Qué pasa de qué?

—Con la denuncia de los Yapor y la Interpol.

—Sergio, yo no creo que la Interpol ande en esto. A lo mejor mi mamá entendió mal y es algo como lo de Aline, exageraciones.

—Tu mamá no exagera, Gloria.

—Bueno, a lo mejor no entendió bien.

—De cualquier forma vamos a esperar. Karina está por irse, te lo ruego por mí, no vayas.

Me pareció exagerado, pero decidí no renovar la visa.

Todo esto sucedió en un lapso de tres o cuatro días. La confirmación de las noticia que me dio mi mamá. Los lloriqueos y ruegos de Karina para no regresar a Chihuahua, los preparativos para el bautizo y lo mal que me sentía físicamente luego del parto.

Llegó el día del bautizo en la iglesia, pero no podía bautizar a mi niña allí, de modo que decidí bautizarla en casa. Cuando era niña, en el colegio de monjas donde estudiaba nos enseñaron a bautizar en caso de emergencia, y para mí, cumplir la promesa era una emergencia, así que ese día fui con Katya y la niña a la iglesia y recogí agua bendita. Oramos en la iglesia y elegí al Sagrado Corazón de Jesús como padrino y protector de mi hija. Volvimos al departamento y a las dos de la tarde, hora de los bautizos en la iglesia, iniciamos el de mi hija. A última hora decidí que la madrina fuese Mary y me disculpé con Katya. No recuerdo bien quiénes estaban, creo que Sergio, Mary, Katya y Liliana. Le había pedido a Sergio que la bautizara y le expliqué cómo hacerlo, pero dijo que mejor lo hiciera yo, pues era mía la fe. La bauticé en el nombre del Padre, del Hijo y del Espíritu Santo con el nombre de Ana Dalai Andrade Treviño. Cuando el agua bendita bañó su cabecita, Ana no lloró; se veía encantada sonriéndole a lo que supuse serían ángeles.

Hicimos una modesta celebración. Mi hija vestía una ropita que le hice para el bautizo. Cuando se durmió, la llevé a su cuarto. Maravillada, pensaba en la pureza magnífica de mi hija, de acuerdo con mis creencias católicas.

Ana Dalai. Ana amada. Ana de mi corazón.

El 13 de noviembre, por primera vez desde que estábamos en ese departamento, acudieron todas las muchachas. Habían decidido hacer una junta para decidir lo de Karina y que todas contaran lo que les habían dicho en sus casas, para ver si concordaba con lo que me habían dicho en la mía. Aunque me sonreían, percibía hostilidad por parte de algunas. Había venido a romper "su armonía y lo compartido de sus vidas".

Antes de comenzar la junta, Sergio, Wendy y Karla se pusieron a hacer cuentas. Yo amamantaba a mi niña en el cuarto cuando sentí la presencia de alguien: era Karina que me miraba fijamente.

—¿Qué quieres, Karina?

—Quiero hablar contigo...

—Dime.

—Tengo miedo de regresar a Chihuahua. Los medios y las autoridades me van a acosar con preguntas, es mejor que no vaya.

—Karina, tienes que regresar.

—Pero, ¿qué les voy a decir, Gloria? No comprendes.

—Karina, lo único que comprendo es que por no quererte regresar, me están metiendo en una bronca que no es mía.

—Es que ¿qué les digo?

—Lo que quieras, Karina. No me preguntaste para venir ni para quedarte. Siempre te la has dado de saber lo que haces, ¿a qué me preguntas ahora?

Trataba de no alterarme porque estaba dándole de comer a mi niña y no quería que fuera a sentir mi disgusto. Aparte, me molestaba la intromisión de Karina en ese momento mágico.

—Las muchachas no quieren que las involucre. ¿Con quién voy a decir que estaba?

¡Ahora resultaba que las que habían vivido, viajado y chacoteado juntas no querían involucrarse! Yo lo que quería era que Karina saliera del cuarto, arreglara sus asuntos con las compañeras y se largara cuanto antes a Chihuahua.

—Karina, me imagino que para eso es la junta. Es una situación que le importa a todos. Ustedes, como siempre, van a resolver lo que les convenga. Yo soy la menos indicada para aconsejarte. Recuerda, tú vivías con ellas, no conmigo.

—Es que si la prensa se entera de lo tuyo se va a armar un escándalo. Y yo no quiero decir nada.

—No tienen por qué enterarse, pero si es así, ni modo. Tú no tienes por qué decir nada, no tienes por qué contar intimidades ni mías ni de nadie. Habla de lo tuyo y ya.

—Gloria, ¿no será mejor esperar que cumpla dieciocho años?

—No, Karina. Y no sería justo para tus papás ni para tu hijo, bastante ha estado el pobre sin su mamá... ¿Por qué no vas a ver si ya empieza la junta en lo que acabo de darle de comer a mi hija?

Su expresión de súplica cambió a un gesto de rabia.

—Entonces, Gloria, definitivamente quieres que me vaya.

—Es lo que debe ser.

—¿Lo que debe ser o lo que quieres que sea?

—Lo que quieren tus papás.

—Pues cuando cumpla los dieciocho voy a regresar —dijo retadora.

—¡Qué bueno! A Sergio le va a dar gusto ver al niño.

—No tanto como ver a Ana, pero le va a dar gusto —dijo. Y salió del cuarto.

Terminé de amamantar a mi hijita y la recosté. Fui a lavar los pañales y desde el baño la escuché llorar. Fui a ver qué pasaba, pues era raro que llorara. Siempre la acostaba boca abajo y así se hallaba, pero con flemitas, babitas y llanto haciéndole burbujas. Me asusté, la tomé en brazos y se calmó. Le limpié la carita, cambié la almohada y traté de acostarla, pero lloraba, no quería que la dejara. Me quedé con ella, se tranquilizó y se durmió. Salí a terminar de lavar los pañales.

Mary había ido a comprar unos pollos para comer. Yo preparé una mezcla para las crepas que daría de postre y al terminar me reuní con Sergio y las muchachas en la sala. Ya habían comenzado a discutir el asunto de Karina y llegó Mary con los pollos. Entonces pusieron en la video *Home Alone II* para no tratar asuntos desagradables durante la comida.

Cuando casi habíamos terminado, quise ir a ver a mi hija, cosa que solía hacer a cada rato. Era algo que adoraba, ir a ver a mi princesita durmiendo, cerciorarme de que estaba bien, y cuando era hora de despertarla, recostarme a su lado y despertarla a poquitos, con caricias, hasta que abría los ojitos y me miraba. ¡Dios! ¡Cómo la amaba! ¡Cómo!

Sergio, al ver que me levantaba con dificultad, me dijo:

—¿Qué quieres, Gloria?

—Nada, sólo ver a la niña.

—¿Ya le toca comer?

—No.

—¿Puedes ir a verla? —dijo Sergio a alguna que estaba cerca de la puerta del corredor.

—Claro —dijo la interpelada. Fue y a su regreso dijo: "Está durmiendo".

No dije nada, pero me contrarió que otra persona fuera a ver a mi hija. Entendí que Sergio lo había hecho para que no me levantara, pues sabía que andaba mal, pero era un sacrificio que yo hacía con gusto, y si no me levanté en ese momento fue porque no quise provocar comentarios sarcásticos. Les gustaba llamarme "mamá cuervo" y aseguraban que consentía en exceso a mi hija. ¡Qué estupidez! Nunca se consiente de más a un bebé de un mes.

La junta parecía no tener fin; Karina lloraba, suplicaba. Yo, de tanto oírla ya no la oía. En algún momento, Sergio se puso a discutir con Karla y Karina, llorosa, fue a refugiarse al cuarto de la niña, estuvo ahí un rato y salió calmada. Yo estaba atenta al posible llanto de la niña, pero nada escuché. La discusión entre Sergio y Karla empeoró. Discutían por la hija de Karla, la pequeña Valentina, que había empezó a llorar y Karla no la atendió inmediatamente.

Valentina había nacido con un soplo en el corazón (¿el Raccutan?) y Sergio había pedido a Karla que se pusiera horarios para amamantarla y evitar que la niña llorara de hambre e hiciera esfuerzos, pero a Karla se le pasaba y dejaba llorar a la niña. Cuando Sergio le preguntó cuáles eran los horarios de comida de la niña, ella dijo primero una cosa y luego otra. Sergio detestaba las mentiras y no dejaba de preguntar hasta llegar al fondo, a la verdad.

Yo no tenía reloj y la niña no había llorado, pero calculé que ya le tocaba comer pues el pecho se me cargaba de leche. Deseaba ir a recostarme con ella antes de que despertara, para que al hacerlo me viera a su lado y no se sintiera sola.

Empecé a sentirme muy incómoda con la discusión entre Sergio y Karla. Sergio le reprochaba que no le importara la vida de su hijo. ¡Un soplo al corazón no era juego! Yo suspiraba y volvía los ojos al techo. Qué inquieta me sentía. Si la niña echara a llorar, eso me daría pretexto para ir a verla. Pero no, no lloraba. Sentí dolor en el corazón. No, no voy a pensar cosas feas...

—¿No le toca comer a la niña? —me preguntó Sergio de repente.

—Sí, desde hace rato.

—Katya, trae a la niña, por favor —dijo Sergio.

Katya salió a recoger a la niña.

Mi corazón descansó. Nunca había estado tanto tiempo sin ver a mi niña. ¿Tres horas? Claro que la habían ido a ver y Karina había estado en el cuarto y aparentemente todo iba bien. Pero Katya no regresaba y empecé a ponerme nerviosa. El departamento era muy pequeño y en menos de un minuto se podía entrar al cuarto de la niña y traerla. Quizá la estuviera cambiando, pero nadie se lo había pedido. Siete u ocho minutos. ¿Qué pasaba? Katya se estaba tardando y empecé a levantarme para ir por mi niña. En ese momento entró Katya con la niña envuelta.

—Está dormida —dijo en voz muy baja.

Qué alegría sentí. Tendí los brazos para recibirla.

—¿Segura que está durmiendo? ¿No estará muerta?

Sergio hizo la pregunta que en ocasiones formulaba cuando alguien dormía profundamente.

Katya se encogió de hombros. Acto seguido descubrió el rostro de la niña. Mi hija estaba blanca, gris, con los labios azulados y algo seco que parecía haberle escurrido de la boca. Mis ojos se desorbitaron y dejé escapar un grito eterno. En una fracción de segundo Karina, Katya, Karla y Karola cayeron sobre mí y me clavaron en el piso. Yo, inmovilizada, con los ojos buscaba desesperadamente a mi hija.

—¿Qué paso? —preguntaba Sergio histérico, llorando.

Como en cámara lenta recuerdo que se acercaban Mary y Liliana.

—¡Hagan algo, por Dios! ¡Mary, haz algo! —gritaba yo.

Liliana y Mary abandonaron la sala con mi niña. Sergio se aproximó a mí.

—No grites, Gloria, por favor, no grites.

—¡Quiero ir con mi hija, quiero verla!

Yo lloraba, lloraba, lloraba. Y luchaba con las que me sujetaban. Arrastrándome logré llegar a media sala con todas ellas intentando detenerme y al cabo me obligaron a sentarme en el sofá.

—Tranquila, Gloria, tranquila, no grites —me decía Sergio.

—No voy a gritar, lo prometo, pero quiero ver a mi hija.

Lloraba, lloraba, lloraba. Él se dirigió al cuarto mientras Katya, Karola y Karina me sujetaban. Sergio volvió. Yo trataba de quitármelas de encima. En ese momento Liliana entró a la sala. Dijo:

—Está reaccionando, Gloria, todo va a salir bien.

No sé de dónde saqué fuerzas para desasirme de todas. ¡Mi hija me necesitaba! Estaba reaccionando, gracias a Dios. En la habitación la vi tendidita sobre la cama, totalmente desnuda, inmóvil, pálida. Quise percibir su respiración con la mirada. La toqué y sentí sus brazos helados.

—Miren —dijo Liliana.

Comenzó a darle respiración de boca a boca y al sacarle el aire se escuchó que salía de su boca un levísimo quejido, un suave "aaah". La arrebaté del lecho y salí del cuarto con ella en brazos.

—¡Tengo que ir al hospital!

—¡Gloria, Gloria! —gritaba Sergio y gritaban ellas. Lloraban unas, otras se hallaban estupefactas. Alguien quiso detenerme. Sentí cómo tiraban de mi ropas, de mi cabellos.

—¡Voy a llevarla al hospital!

Karina se hallaba junto a la puerta para impedirme la salida.

—No, Gloria, no puedes. ¿No entiendes?

—¡Quítate! —le dije, a punto de lanzarme sobre ella.

—Piensa cómo quisiste proteger a tu hija del escándalo. Los de TV Azteca te harán pedazos, conmigo aquí. De cualquier forma ella está muerta, bien muerta.

—¿Muerta?

Vi el cuerpecito inerte.

—Muerta, Gloria, ¿no lo ves?

¿Muerta?... Toqué sus bracitos y los sentí fríos, sus mejillas heladas. Las uñitas de sus manos se veían oscuras, sus labios amoratados, azules. Sentí vértigo y caí en un abismo. ¡Mi hija estaba muerta!

De ahí en adelante los recuerdos son breves relámpagos. Ella en la cama con su ropita de bautismo, ahora su sudario. Velas. Rezos. Llanto. Quería morirme. ¿Qué más podía existir sin Ana? Sin Ana, lo mejor y más bueno de mí. ¡Cómo duele! ¡Cómo duele! Era como parir la muerte. ¡Ana mía! ¡Ana de mi corazón!

¡Cómo me dolían los pechos! ¿Era la leche o el corazón hinchado del amor que ya no podía dar a mi hijita? ¿Ella muerta? No. ¡Estaba viva! Sí, la estaba amamantando. Pero Ana no tenía el pelo negro. ¡No, no era mi Ana, era Valentina mamando mi pecho! Sí, era Ana. Pero ella no era tan grande. No, no era Ana. Era Milton. No, no, no, no. ¡Quiero a mi Ana!¿Dónde está Ana? ¡No estaba en el cuarto! Despertaba yo en medio de esa noche eterna. Mi hija llora, mi hija tiene hambre y no está en su cama. No está.

Alguien me abrazó. Mary, Sergio, Sonia.

—Sergio, tengo que avisarle a mi familia.

—No estás bien, Gloria.

—Sergio, ¿dónde está la niña?

—Liliana se la llevó. Ella se hizo cargo de todo.

—¡Quiero ir a verla! ¿Dónde está mi niña?

—Sí, Gloria, Liliana va a llevarnos. Ahora duerme, no llores.

—Tengo que avisarle a mis papás que hoy murió la niña.

—Gloria, ya pasaron cinco días.

Lloré. ¡Más de cinco días! Ninguna pesadilla dura cinco días. ¿Dónde estaban esos cinco días? ¿Dónde estuve?

No sé cuánto tiempo después Sergio concertó que alguien me acompañara a llamar por teléfono. No recuerdo quién fue, quién marcó los teléfonos de la casa de mi padre y de la casa de mi madre. Recuerdo el llanto de ellos junto al mío a miles de kilómetros. Mi madre soltó un grito desgarrador al enterarse. ¿Grité también? No lo sé. Mi papá dijo que viajaría a Brasil.

—Sí, papá, ven, te necesito.

Y voló a Brasil a verme, a consolarme, a ayudarme. No recuerdo gran cosa de todo eso, no recuerdo todo lo que hablamos. No tenía yo cabeza para lo que no fuera Ana. Su pérdida, su ausencia, mi amor por ella. Mi papá estuvo dándome fuerzas. Sentí vergüenza de que mi papá fuera al departamento donde vivía yo con un hombre que no era mi marido y acordamos vernos en otro sitio, en un lugar que no guardara recuerdos dolorosos.

Mi papá me dio algo de dinero, pues se dio cuenta de que tenía yo problemas económicos. Traté de darle explicaciones, pero no lo aceptó. Aunque estaba preocupado, no me dijo mucho del asunto de México. Él mismo no estaba muy informado y me recomendó que hablara con los abogados.

Más le preocupaba mi estado emocional y quizá por eso evitó hablar de la situación en México. Además, ¿qué podía importar más que la pérdida de un hijo? ¡No hay dolor más grande!

Mi papá me llevó a una tienda a que comprara lo que quisiera. Compré un arbolito de Navidad, adornos, un nacimiento pequeñito. Todo muy barato. Me daba vergüenza, a mis 31 años y habiendo ganado lo que gané, hacer que mi padre gastara (desde los 18 años me mantenía prácticamente sola). Pero quería el arbolito, las luces, el nacimiento.

En ningún momento renegué de Dios. La muerte de mi hija me llevó a creer que la única forma de recuperarla era estar bien con Dios. Ella era un motivo más para que quisiera yo ganar el cielo. Había cosas hermosas allá y yo tenía que ser mejor persona, perdonar más, comprender más. Por ella. Ella había venido para hacerme una mejor persona y yo lo sería y con mayores razones que nunca celebraría el nacimiento de Jesús.

Mi hija no conocería un arbolito de Navidad, pero Antonia, Valentina y Milton sí. Mi fe no menguaba sino lo contrario, porque me ayudaba, me daba explicaciones. Ana era como una estela de estrellas para seguirla al cielo por un camino corto o largo; era el único camino y yo habría de seguirlo.

Mi papá se fue, tenía que irse. Puse el arbolito en el departamento, pero ese departamento no me hacía bien, estaba cargado de recuerdos, de fantasmas. Todavía discutían cómo se iría Karina a México, pero yo no participaba de las dichosas juntas. Al final me enteré que aún no habían decidido si se iría sola o acompañada.

Marlene iría a su casa a pasar la Navidad, lo mismo que Liliana. Karina pidió ir acompañada y, como a Sergio le preocupaba que viajaran solas, dispusieron que Karina y Marlene se acompañaran. Para evitar que los papás de Karina le dieran la primera nota a TV Azteca, Karina se la daría a Televisa. Marlene iría a su casa y Karina a la propia. Esto ocurría a mediados de diciembre de 1999. Fueron todas a mi departamento, nos despedimos, tomamos fotos de recuerdo junto al arbolito. Yo no me sentía bien, tenía la cara y los ojos hinchados de tanto llorar. Sin embargo una pequeña esperanza empezaba a anidar en mi alma. Era posible que estuviera embarazada. No quise hacerme la prueba del embarazo, pero no me había "bajado" y sentía dura la parte baja del abdomen y muy vivos los pechos. Dios, cómo necesitaba llenar mis brazos. Ana era insustituible, pero Dios todopoderoso podía colocarla nuevamente en mí.

De otra parte, empecé a juntar todo lo que se publicaba sobre la clonación y guardé todas las cosas de Ana en una maleta: cepillito del cabello, ropita limpia y sin lavar, ombliguito, álbum con cabellitos, todo. La cerré y prohibí que la tocaran. Se me había metido en la cabeza la idea, la obsesión de clonar a mi hija. Y necesitaba ir al cementerio, llevarle flores, decirle cuánto la amaba.

Ansiaba hablar con Liliana. Ella estaba en otro departamento y cuando fue al mío, hablamos. Le pregunté por mi niña y empezó a darme explicaciones. No pude contener el llanto cuando Liliana dijo:

—Todo se hizo como se debía, fue cristianamente sepultada.

—No la cremaron, ¿verdad? —pregunté con pánico.

—No, Gloria, fue enterrada.

—Es que quiero clonarla.

Le expuse mi idea llorando cada vez más.

—Por favor, llévame adonde está —pedí.

—Sí, voy a llevarte, pero cuando estés más tranquila.

Hubiera querido exigirle que me llevara en ese momento, prometerle que no haría locuras, que no llamaría la atención. Pero tenía yo miedo de mí misma, me sabía capaz de lanzarme a escarbar con las manos desnudas.

Tenía las uñas en carne viva porque una noche, en medio de pesadillas y alucinaciones, queriendo encontrar a mi hija había arañado la pared hasta gastar mis uñas y dejar los dedos en carne viva. Comprendí que no podía prometer nada, me reconocí incapaz de guardar la compostura.

Liliana se fue a Argentina a pasar la Navidad con su familia. Tendría que esperar su regreso para que me llevara con mi hija, y ni siquiera me había dejado el nombre del panteón. A mis preguntas, su respuesta era siempre la misma: "Cuando estés más tranquila".

Sergio tampoco sabía dónde estaba sepultada mi niña.

Karina y Marlene al fin se fueron a México. Antes, pasaron al departamento a despedirse. Yo agradecía el apoyo que todas me habían dado con motivo de la pérdida de mi niña. En ese momento, las asperezas habían sido echadas al olvido. Ese día, entre abrazos y lágrimas, Karina dijo que no nos preocupáramos, no nos fallaría. Me extrañó. ¿Por qué habría de fallarnos? ¡Mi niña! ¿Sería capaz de hablar de mi Ana? Busqué la ocasión de hablar con ella.

—Karina, yo sé que las personas cambian...

—¡Yo no, Gloria!

—Está bien, Karina, no me digas nada. Sólo quiero pedirte una cosa. Nunca, por ningún motivo, toques la memoria de mi hija.

—Te juro que jamás le hablaré a nadie de ella. Sé lo que significa para ti. También tengo un hijo.

—Karina, ¡júramelo por Dios!

—Sí, por Dios.

—No, júramelo por el Espíritu Santo. Pero fíjate bien, la Biblia dice que el único pecado que no tiene perdón ni en este mundo ni en el otro es la blasfemia contra el Espíritu Santo.

—Te lo juro por el Espíritu Santo.

—Jamás la usarás para nada, no tocarás su memoria, respetarás mi dolor por ella y harás todo lo que puedas para evitar que la exploten los medios.

—Lo sé, Gloria, te lo juro —repitió solemne.

—Que Dios te bendiga y llene a tu hijo de amor. No sabes lo que tienes.

—Quisiera ponerle una camisetita con tu foto y mostrarlo así al público.

—Quiérelo y disfrútalo.

Karina continuó hablando.

—Gloria, sé que estás sufriendo mucho y... No sé, Gloria, adoro a mi hijo y no quiero ni pensar que le pase algo. Pero si tuviera que escoger entre que muriera él o muriera alguno de ustedes, soportaría más que muriera él.

La miré asustada y sin entenderla. ¿Cómo era posible que dijera eso? ¿Cómo pudo siquiera pensarlo? Sin dar crédito a lo que había escuchado, eché a llorar y dije:

—¡Pues yo no! Hubiera preferido que se murieran todos ustedes, incluso que muriera yo, todo el mundo, y no mi hija.

Karina reaccionó con turbación.

—Claro que amo a mi hijo, no me malinterpretes, pero a ustedes los quiero tanto que...

Bla, bla, bla. No recuerdo qué más explicaciones dio intentando borrar lo inhumano y estúpido de su comentario.

Karina y Marlene viajarían juntas. Pobre Marlene. No podía imaginar lo que le esperaba, la que sufriría. Sentí oprimido el corazón cuando se despidieron en la puerta. Marlene dijo que regresaría a recibir el nuevo año con nosotros.

Algo me dijo que no sería así. Pensé que, como con Sergio todo había terminado, no regresaría. Pero realmente no lo sabía. Me sentí extraña. ¿Pero acaso no era ese mi deseo? ¿Que todas se fueran a sus casas, vivieran sus vidas y me dejaran vivir?

Siempre le tuve mucho cariño a Marlene. Con ella sí conviví mucho durante mis viajes y giras. Ella sí había sido mi corista. La conozco desde muy joven, y aunque en ese momento era ya una mujer de veinte y pocos años, seguía conservando gestos de adolescente mimada, dulce y caprichosa; solía hacer pucheros de niño chiquito, y así, haciendo pucheros, se estaba despidió. ¡Pobre Marlene!

Con el pretexto de la Navidad y para darme ánimo, el resto de las muchachas se mudó a nuestro departamento. Otra vez las tenía ahí, pero yo no estaba para broncas o discusiones, ni con ganas de exigir nada. Sólo quería llevarme bien con todas. Sergio, sin que yo se lo pidiera, seguía firme en su decisión de separarse de ellas. La ausencia de Ana no iba a cambiar eso, como tal vez pensaban.

Pasamos la Navidad juntos, pero no recuerdo qué comimos ni cómo se celebró. Yo seguía sufriendo como de lagunas mentales, estaba sin estar y sólo con una obsesión: ¡mi hija!

El primero de enero, Sergio, Mary y yo nos mudamos a un departamento en Domingo Ferrera, muy cerca, y las muchachas se quedaron en el departamento de Constante Ramos. El último día del año lo pasamos todavía en este departamento, allí recibimos el año 2000. En Río de Janeiro la fiesta para recibir el nuevo milenio fue espectacular. Antes de la desgracia Sergio y yo habíamos hecho muchos planes, ahora recibíamos el año viendo por la ventana, entre los edificios, el cielo cubierto de luces de colores, fuegos artificiales que mis ojos veían nublados por las lágrimas.

Para ganar un poco de dinero Mary cantó en la fiesta de un hotel de Copacabana y luego nos llevó comida del hotel. Nosotros contábamos solamente con mil y pico de dólares. El pago de los boletos de Karina, la renta del departamento al que nos mudaríamos y el boleto de Liliana a Argentina había acabado con nuestras reservas. No teníamos idea de lo que haríamos y estábamos sin noticias de México.

No hablé con mi familia en esos días. Sólo deseaba que Liliana regresara para que me dijera dónde estaba mi hija. Liliana volvió el siete o el 10 de enero, recuerdo que después de Reyes, y fue al nuevo departamento. Lo primero que hice fue pedirle que me llevara adonde estaba mi niña, pero las lágrimas me traicionaron y empecé a llorar como loca. Ella me pidió calma y prometió que me llevaría la próxima semana si lograba controlarme.

—¡Lo prometo, lo prometo!

Me sentí capaz de cumplir esta promesa, ¡quería hacerlo!

Sergio le pidió a Liliana los papeles de la niña, del panteón y de cuanto trámite hubiera tenido que hacer para el entierro de la niña. Liliana dijo que los había dejado en Argentina, pensando que allá estarían más seguros. Y dijo que la siguiente semana nos llevaría a la tumba de la niña. Esa fecha no llegó nunca, se convirtió en un 13 de enero eterno.

En la cárcel los días son todos iguales. La diferencia la señalan los días con más o menos desgracias, traiciones, abandonos.

Los buitres vuelan sobre nuestras cabezas.

## Capítulo dieciocho

# En la cárcel

Me despertó el ruido de las llaves, el abrir y cerrar de rejas. Repartían café caliente a todas las presas y vi que ellas colocaban sus botes vacíos de Coca-Cola de dos litros para llenarlos del líquido hirviente. A mí me proporcionaron un bote. Le ofrecí a Mary, que no quiso nada, y empecé a aproximarme a la sombra misteriosa, a la asesina que no dejaba de murmurar su letanía. Recordé la escena de *El resplandor* en que Jack Nicholson escribía sin parar algo así como "tengo que matarlos, tengo que matarlos". Conforme me acercaba a la mujer para ofrecerle café, empecé a distinguir frases en portugués del Ave María. Rezaba.

Las desgracias humanas son en la cárcel el pan de cada día. Esta señora había matado a su esposo golpeándolo con una sartén; él la maltrataba mucho y ella siempre lo había tolerado, pero un día que él golpeaba a la hija embarazada para hacer que perdiera al bebé, la señora no pudo controlarse y lo golpeó con la sartén en la cabeza, tan fuerte que lo mató.

—No me arrepiento. Mi nieto tiene ya año y medio... Y lo quiero tanto.

El 14 de enero conocimos a los que serían nuestros abogados en Brasil, el licenciado Octavio Becerra Neves y uno de nombre Rodrigo. Llegaron a las ocho de la mañana y nos dijeron que las muchachas estaban muy preocupadas por nosotros, y mandaban cosas que podríamos necesitar y unas cartas.

Más tarde llegó el abogado recomendado por la embajada con una "procuración" (autorización para que fuera nuestro abogado) firmada por Sergio, quien nos pedía que la firmáramos. Al día siguiente llegaron Octavio y Rodrigo con una carta de Sergio diciendo que el otro abogado lo había engañado y que retiráramos ese poder.

Cada vez que Octavio y Rodrigo iban a vernos nos llevaban cartas y palabras de aliento de parte de las muchachas y noticias de Sergio.

Mi papá llegó con Felipe, hermano de mi cuñada, y el licenciado Gerardo Cantú. Mamá no podía viajar pero había enviado de México a ese abogado. También llegaron los licenciados Suárez y Jaimes, recomendados por el hermano de Sergio. Mi papá pidió que separara mi defensa de la de Sergio, como todo mundo lo sugería, para evitar conflicto de intereses. Vi tan angustiado a mi papá que, pese a que Sergio me pidió unificar defensas y sus abogados me parecían más capaces, decidí hacer lo que mi familia pedía. Me dijeron que separando la defensa saldría yo inmediatamente, pues no había nada que me incriminara, acusara o señalara. La supuesta víctima me había declarado inocente en público, y faltaba aclarar lo relativo a Sergio y a Mary. Yo sólo había sido usada para el escándalo, vender periódicos y subir *ratings*, pero legalmente no había nada concreto en mi contra, de no ser por la acusación sin una sola prueba de los papás de Karina. Hacer una defensa conjunta sólo perjudicaría a Sergio, pues si se sustentaba aquel absurdo era sólo por la explotación que los medios hacían de mi persona. Acepté la defensa por separado en México, pero en Brasil, como no había sugerencia de mi familia, continué con Octavio y Rodrigo. En esos días, mediante cartas y comentarios de los abogados, supe que las De la Cuesta estaban siendo presionadas por la Interpol. Ellas tenían dos hijos brasileños supuestamente de Sergio, pero tener hijos brasileños o esposa brasileña no impedía la extradición. El caso de Ronald Biggs, uno de los autores del "gran robo del tren", había obligado a modificar una ley, pues el ladrón huyó de Inglaterra a Brasil, tuvo un hijo brasileño y las leyes entonces vigentes lo hacían no extraditable. Ahora no era así, por lo que en nada ayudaba ser padre de ellos, y por otra parte ni siquiera estaban registrados.

De cualquier forma, Interpol México, específicamente Juan Miguel Ponce Edmonson, perseguía y presionaba a las muchachas y llegó incluso a engañar a los papás de las De la Cuesta para que firmaran no sé qué papeles. Acabaron por llevarse a México a las hermanas y los hijos, con pasajes pagados por la embajada mexicana en Brasil.

A Katya, quien también tenía pedido de extradición, se la llevaron directamente a la cárcel en Chihuahua. Antes incluso de llevársela, le ofrecieron la libertad a cambio de que declarase contra nosotros, pero Katya nos mandó decir con los abogados que no aceptó, todo estaba muy "manipulado y sucio" y la estaban "chantajeando". No le pedían la verdad; el trato era que dijera lo que ellos deseaban. Envió varias cartas planteando esta situación y meses después los abogados descubrieron, y tenían pruebas, que Katya había sido secuestrada, violando la soberanía de Brasil, por la Interpol México para llevarla a Chihuahua.

Por esos días Liliana Regueiro sugirió a Sergio que Wendy, que estaba con el embarazo ya muy avanzado, y Sonia, con su hija Antonia, se fuera con ella a Argentina, pues en Argentina todo estaba más calmado. Sergio aceptó y agradeció la sugerencia y Liliana se llevó a las muchachas a Argentina. Liliana retornó a Brasil con su papá y ambos visitaban a Sergio en la cárcel.

Mary y yo estuvimos unos 10 días en la celda llamada "solitaria" para ser evaluadas. Sólo salíamos para hablar con los abogados, pasando siempre la humillación de ser revisadas. Era terrible.

Los abogados de Sergio y Mary nos llevaron revistas y periódicos de México. Era un escándalo desproporcionado, pero en una de esas revistas vi una nota de que Mayito estaba preso por la muerte de Paco Stanley. Yo no sabía nada de eso y sólo después me enteré de cómo había sido asesinado. Sabía que Paco Stanley trabajaba en Televisa y de repente pensé: "¿Y si se hubiera cambiado a TV Azteca?" Me asusté cuando me dijeron que así era.

Nos colocaron junto a otras 16 presas del grupo de las bien portadas. Había una señora española de buenos modales, Pepita, con juicio de extradición a Italia. Mirta, simpática y maternal, hacía ensaladas para todas. Doña Eduviges, una viejecita que me trataba con cariño, como si fuera su nieta, y su hija, una peruana de origen humilde que quería ir a Estados Unidos con documentos falsos. Ibeth, una holandesa joven que cantaba con buena voz, aunque a veces desafinaba. Marlinda, mujer que tejía muy bonito. Y otras: Tiaziña, Silvia, no recuerdo todos los nombres, y una llamada Simone, no la que me dio el jabón el primer día, no, otra, con cara como de lagarto, pómulos salidos, retadora.

—Eh, cantora —me dijo imperativa cuando me conoció—, tráeme el espejo.

Se hizo un silencio en la celda. Yo tomé el espejo —de plástico, rayado— y se lo llevé tranquilamente; ella puso cara de sorpresa.

La verdad, nunca he sido alzada, siempre hice favores. Y al otro día lo mismo, pero esta vez, al entregarle el espejo le dije:

—Se dice por favor.

—Mira, cantora, yo no digo por favor porque en este lugar nadie es más que nadie.

Me lo dijo con jiribilla y le contesté:

—Estás equivocada, Simone, ni aquí ni afuera nadie es más ni menos. ¡Todos somos iguales!

Simone se paró en lo alto de su litera y aplaudió. Todas rieron y aplaudieron también. Desde ese día Simone se llevó bien conmigo, ya no me atacó ni provocó. Me dio mucha tristeza cuando se la llevaron a la celda de castigo. Permanecería allí un mes, pues le habían encontrado droga, un celular y dólares debajo del colchón. Y es que la Simone era tremenda.

Con todas en nuestra celda en paz, Mary empezó a dar clases de aeróbicos. Yo no tenía humor para nada y lloraba mucho. Las demás creían que lloraba por estar ahí, pero lo hacía por mi Ana adorada.

A los pocos días de haber sido cambiadas a la celda común, después de tantas impresiones me empecé a sentir mal, con cólicos muy fuertes que se me clavaban en la cintura y me corrían a las piernas, y tuve un sangrado abundante con coágulos enormes. Sufrí mucho al saber que no estaba esperando un bebé o, peor aún, que tal vez lo había perdido. Durante días no quise comer, bajé mucho de peso. Mary habló conmigo.

—Si deseas tener más hijos —dijo—, tienes que cuidarte. Con la anorexia puedes quedar estéril, ¿lo sabías?

Volví a comer, pero mucho menos.

En esos días me enteré de que en México divulgaron la noticia de que se abriría una investigación para "descubrir mis vínculos con el narcotráfico". La mandíbula se me cayó al piso. ¿Narcotráfico? Había algo muy grueso, picudo, podrido, oscuro. ¿Por qué la Interpol pedía a Katya declarar contra nosotros, cuando la supuesta víctima estaba en su casa bien y completita y había llegado por sí misma, solita, no rescatada, y decía que nosotros éramos inocentes? ¿Por qué hablaban de "redes de prostitución" en España? En especial, los de TV Azteca fabricaron esa calumnia, algo tan absurdo como asociarme con el narcotráfico. Lo más cerca que había estado de las drogas, en este caso de la mariguana, era en esa cárcel donde injustamente me habían encerrado.

Las buenas noticias eran que a la tal Delia González la habían metido a la cárcel por extorsión. Los abogados me dijeron que esta arribista al parecer había vendido en 18 mil dólares sus fotos, encuerada y encadenada, a la revista que las publicó. Vi esas fotos y eran de verdad escandalosas, pero no probaban nada, además, ¡en mi vida había visto a esa mujer!

Otra noticia buena era que Karina se mantenía firme diciéndonos inocentes, pero que los papás la mantenían prácticamente prisionera en casa. Algo que a Mary y a mí nos impactó fue enterarnos de que Marlene también estaba presa.

Marlene había acompañado a Karina, a petición de ésta, a Televisa. Al parecer, con toda tranquilidad de conciencia le hizo favor de acompañarla a la delegación, y cuando se dio cuenta ya la habían detenido. La pobre tenía presa casi un mes y sentí rabia ante mi impotencia. No podía hacer nada por ella, ni siquiera podía hacerlo por mí. Estaba sola contra esos perros.

Mucho hablaban las amigas de hermandad, de amistad, de lealtad, pero Marlene, de no ser por su verdadera familia, habría quedado totalmente abandonada. Karina no había tenido las suficientes fuerzas o las suficientes ganas de hacer que sus padres retiraran la injusta acusación que pesaba sobre Marlene y que se sacaron de la manga en el último momento.

La acusación era brutal y absurda, la misma que existía contra nosotros, improcedente, por encargo, pero ahí estaba. En mi caso, la orden de presentación, que en Brasil la embajada de México cambió por orden de aprehensión, se refería a corrupción de menores, pero como ese delito alcanza fianza en México, en la solicitud de extradición con el mayor de los cinismos agregaron dos delitos: violación y rapto, aunque una mujer no puede violar porque no tiene pene, y rapto, en la instancia federal, es un crimen que no existe. El pedido de extradición fue hecho con todo el dolo del mundo para evitar que yo alcanzara fianza y me defendiera en libertad.

¿Por qué? ¿Qué estaba pasando? Había olvidado que en México era año de elecciones y ¿cuál es el vehículo publicitario más usado por los políticos? Pues la televisión. Ese es el más importante medio de difusión y apoyo para políticos corruptos. ¡Viva México!

También nos enteramos de que una tal Tamara declararía, y prometía despedazar “al clan” con sus palabras.

—¿Tamara?¿Quién es Tamara? —le pregunté a Mary.

—Tamara Zúñiga, la chilena, la hermana de Edith.

—Yo había olvidado hasta cómo se llamaba esa fulana. Por favor, ¿qué puede decir esa tipa?

—¿Y qué podía decir la tal Delia González? ¡Nada! Y ya ves.

—¿Pero por qué? ¿Para qué?

—Dinero, Gloria, fama. Esa gente se vende por cien dólares o por un boleto de avión. Tú no las conociste, pero yo sí, y me di cuenta de que eran gente corriente, muertas de hambre.

—¿Y qué hacía esa gente rondando mi vida, mi casa?

—Lo que hacían tantas personas, subirse al columpio de tu fama, decir que te conocían y hacerse importantes por eso.

Recordé a los parásitos de Julio César Chávez. Yo cargaba los míos y no me daba cuenta. Por algo los dichos: del árbol caído todos hacen leña y a río revuelto, ganancia de pescadores. Recordé el comentario de Héctor Suárez: “Si cobraba, no tendría familia para gastar el dinero con ella”. Y pensaba en Paco Stanley y en la gente inocente que mataron o hirieron. Nada que me constara, pero como que empezaban a encajar las cosas.

El asunto de la supuesta red de prostitución no fue investigado por más que quiso explotarlo TV Azteca. Aurora Valle presentaba a una supuesta testigo, por coincidencia de su misma estatura, complexión y hasta timbre de voz, con “acento” español y con la cara protegida por cuadritos, diciendo una bola de estupideces.

Era otra acusación falsa, imposible de sostener o sustentar. Lo mismo que la investigación de mis supuestos nexos con el narcotráfico. Pero nadie se tomó la molestia de decirle al público: “Disculpen, dimos sin fundamento una noticia de investigaciones que no llegaron a nada. Disculpe usted, señor espectador, por llenarle la cabeza de mierda y distraer su atención de lo que realmente es importante, pero que por nuestra conveniencia, o la de otros con poder, nos conviene callar y, aparte, no nos produce tanto dinero como calumniar y difamar a Gloria Trevi.

Estuvimos casi un mes en el presidio de Río de Janeiro antes de ser transferidos a la custodia de la policía federal en Brasilia. En el presidio de Río, Mary y yo pasamos por experiencias humillantes, aterradoras y tristes, como la vez en que las guardianas, “para que se sintiera bien”, golpearon a una muchacha de la celda de enfrente que se quejaba. La muchacha tenía 17 años y no debía hallarse en ese presidio sino en una correccional de menores.

En alguna ocasión una negra pequeña de la celda de enfrente, que parecía una adolescente, me pidió que le hiciera dibujos de sus hijos de 15 y 13 años. Le pregunté a qué edad había tenido al mayor y me dijo que a los 14 años.

—No pareces de veintinueve años, te ves más joven.

—¿No? Pues no. Tengo treinta y seis años.

—¿De veras?

—Mi hija mayor estaría cumpliendo veintidós años.

—¿Tienes otra hija?

—No. Se me murió con un bebé en la barriga.

Las lágrimas le bañaron el rostro. Hubiese yo querido abrazarla y llorar juntas; en cambio sólo le dije "con permiso", y me fui al baño a llorar. Fue la primera vez, desde la muerte de mi hija, que lloraba por algo que no fuera su ausencia; pero ahora lloraba por esa negra menudita y por la sociedad tan perra. ¡Cuánta miseria, carajo!

No le daban educación a esas pobres mujeres, no les daban trabajo, no les daban opciones, pero sí cárcel. ¿Qué sería de sus hijos afuera? ¿Se dedicarían al narcotráfico o la prostitución? ¿Lograrían salir adelante con tanta desigualdad? Lloré mucho por ellas. Hice más tarde los retratos de los hijos de la negra. En los dibujos, les llené los cabellos de azahares.

Una noche nos despertaron estampidos de armas de fuego y ulular de sirenas. Nos tiramos todas al suelo, era una fuga con intercambio de disparos. En esos casos, lo mejor era no incorporarse, las balas perdidas podían encontrarla a una.

En las prisiones normales los presos cuentan con un televisor de 14 a 20 pulgadas por celda, para unas 20 personas, y con dos ventiladores, incluso más si el lugar es muy caliente, como en Río de Janeiro. En la cárcel Nelson Ungría se permitía la visita de parientes, amigos o pareja dos veces por semana, sábados y domingos, cuatro horas cada día. Las reclusas recibían comida hecha en casa, alimentos, ropa y artículos de limpieza. Había también una tiendita donde comprar refrescos, jabón, dulces y artículos varios, como cigarros (que yo no compraba, pues no fumo).

Los presos tienen derecho a trabajar para disminuir su condena. Por cada tres días de trabajo, uno menos de prisión. Ganan además un salario. En algunos penales se tiene derecho a recibir visita conyugal; no en la cárcel de mujeres, porque pueden quedar embarazadas.

Las cosas no son tan buenas como podrían parecer. Esos pequeños privilegios, esos salvavidas, contribuyen a mantener a flote a las personas, evitan rebeliones, suicidios, caer en la demencia. Una se porta bien porque aquella que no obedece a la carcelera, que le contesta feo, que hace lo que Simone, es despojada de sus pertenencias y quizás enviada a la celda de castigo.

Los visitantes pasan por el acto humillante de la revisión, desnudos, y los alimentos que llevan son revueltos, picados, manoseados. El recluso, en fin, sufre en su persona humillaciones que se suman a las que, sin quererlo, provoca en sus seres queridos.

En ese lugar era yo una especie de atracción de zoológico. Más de una vez llegaban personas escoltadas por guardianas que me llamaban. Los visitantes me veían y se marchaban sin decir nada. En una ocasión me llamaron y me pidieron que me levantara la blusa. ¡Sólo querían ver mi cintura!

El día que nos trasladaron a Brasilia, estaba yo muy asustada, llena de pánico. Nos informaron que iríamos a una custodia donde sólo había hombres; Mary y yo seríamos las únicas mujeres. Imaginábamos lo peor, pero nos tranquilizó ver a Sergio en la parte de atrás del cangurón (camión de transporte de la policía federal).

Sergio todavía estaba muy gordo, aunque había bajado sus buenos kilos ese mes, y tenía el cabello súper corto. Lo vi muy triste, me dieron ganas de llorar en sus brazos y que me prometiera que todo saldría bien, que pronto acabaría ese infierno, que me ayudaría a encontrar y recuperar a mi niña y seríamos felices. Era imposible. Iba esposado, igual que nosotras, y sólo podíamos hablar a gritos.

—¿Cómo están?

—¿Y tú?... ¡Qué bueno verte!

—Te quiero mucho. Ánimo.

Los tres echamos a llorar.

Fuimos exhibidos ante los medios con las esposas puestas. Éramos despiadadamente fotografiados en el sitio en que aguardábamos para ser sometidos a revisión médica. Traté de mantenerme digna, con la frente en alto. Que se avergüencen quienes han cometido esta injusticia, pensé. Así lo sentía y por eso los retaba. Sentía además una enorme compasión por Sergio, viéndolo allí hundido en la tristeza. Era el padre de mi hija, de la hija que habíamos perdido, y había estado a mi lado en esos días de dolor y oscuridad, y ahora compartíamos el espantoso calvario. Extendí una mano y acaricié su cara. ¡Qué escándalo! ¡Qué pecado! Los fogonazos de las cámaras fotográficas no se hicieron esperar. ¡Qué oportunidad de denigrarnos, de denigrar nuestro dolor!

Ay, si alguien me hubiera ofrecido una caricia...

En la custodia de la policía federal en Brasilia fuimos conducidos a nuestras celdas. Tenían allí dos celdas especiales, pero a nosotros nos llevaron a las *favelas* (lo que en México llamamos ciudades perdidas). A Mary y a mí nos colocaron en la celda tres. Algunos presos empezaron a llamar:

—Gloria, Gloria, María. ¡Mexicanos!

—¿Qué se les ofrece? — respondió Sergio.

—Saber si están bien, si les hace falta algo.

—No, nada. Gracias.

Mary y yo no abrimos la boca, estábamos muy asustadas. Había 48 presos hombres y sólo dos mujeres, nosotras. Empezamos a vestirnos con las ropas más viejas y holgadas que teníamos.

Al día siguiente conocimos a uno de los sujetos más nefastos del lugar: Amorin, un hombre moreno, chaparro, macizo, que gozaba su prepotencia. Pasó haciendo un *conferi* (un cotejo para ver que los presos estén). Llamaba a cada uno por su nombre —rutina también acostumbrada en la otra cárcel— y cuando llegó a nuestra celda se nos quedó mirando y sentí que nos "miraba de más". Quizá fuese curiosidad, pero en otra ocasión nos dijo a Mary y a mí:

—¿Saben cómo comportarse? —las dos pusimos cara de extrañeza, no sabíamos a qué se refería— No pueden poner los pechos en la reja, ni andar desnudas o en ropa íntima sexy, ni sentarse con las piernas abiertas.

Con la boca abierta escuchaba al tipo, que parecía disfrutarlo. Me dio asco.

—¡Por supuesto que no! —le respondí— Ni en la cárcel de mujeres hacíamos eso, ni en la intimidad de mi casa. ¡Qué absurdo!

Echó a reír y se marchó.

Amorin era el jefe suplente de la custodia. El jefe titular se hallaba de vacaciones, como luego nos enteramos por Luciano. Luciano era un preso de confianza, *gay*, y pronto nos hicimos amigos, lo que era conveniente porque él contestaba los teléfonos y nos pasaba los recados de la familia y a los de las muchachas que le hablaban a Sergio para expresarle amor, solidaridad, afecto, lealtad, apoyo incondicional contra la injusticia, bla, bla, bla.

En la custodia ciertas condiciones eran peores que las de Río. Sólo un ventilador por celda, una tele de cinco pulgadas, no había tiendita, la visita era de una hora por semana. Pero podíamos recibir una llamada telefónica de cinco minutos por semana, que por desgracia no servía para arreglar el mundo, ese mundo que creía todo lo que los medios inventaban y a los cuales no podía yo desmentir hallándome presa y prácticamente amordazada. Viendo las revistas y los periódicos que me traían los abogados, no podía creer tanta estupidez, tantas porquerías. Brujas de Catemaco diciendo que tal vez hubiese fetos enterrados en el patio de la casa del clan, afirmaciones de que yo no tenía hijos porque era estéril, rumores de que habían hallado armas en la casa del clan (y una foto que mostraba una pistola de diábolos), hablillas del hallazgo allí de películas pornográficas (y mostraban la foto de dos o tres videos). Todo era estúpidamente exagerado.

En esos días nos enteramos de que misteriosamente se había incendiado la casa de Sergio en Estados Unidos, y TV Azteca propagó la noticia de que Sergio la había mandado quemar para destruir pruebas. Las supuestas pruebas, que por cierto no se quemaron, consistían en unos cuantos calendarios, algunas revistas donde salía yo en la portada y videos de mis *shows*.

Sufríamos todo tipo de atentados y abusos y nadie hacía nada para evitarlos. En la casa de Mary se incendió un cuarto donde tenía muchas cintas; en el estudio de grabación robaron el piano de cola, y en un estudio para grabación de video desaparecieron cámaras, proyectores, consolas de grabación y bocinas.

En Playa Blanca invadieron la propiedad en la nariz de las autoridades. Todo mundo, con el pretexto de los actos informativos, entraba, tomaba fotos, robaba ropa, vestuario, aparatos, instrumentos, muebles. Todo, incluidos cuadros hechos por mí. El vandalismo no tenía límites y era del conocimiento público. ¿Por qué? ¿Sería un intento de destruir pruebas favorables a nosotros?

Robaron en la casa de mi papá. Según me platicó, parecían buscar algo en concreto y robaron documentos, entre ellos su pasaporte. Mi papá, por entonces, guardaba algunas pruebas por mí reunidas que perjudicaban a Aline, a Guadalupe, a ésas. Karla lo sabía porque me había acompañado cuando se las dejé a mi papá.

El grueso de las pruebas en favor nuestro las conservaba la familia de Karla. La idea de que era conveniente que las pruebas estuvieran en casa de la familia De la Cuesta fue de Karla, quien convenció a Mary de que así fuera. Nunca estuve de acuerdo, pero en fin, Karla era de confianza.

La casa de mi mamá también fue robada. Saquearon los archivos y robaron, entre otras cosas, fotografías mías y de la familia que luego fueron exhibidas en programas de TV Azteca. Sería interesante que explicaran cómo llegaron a sus manos esas fotografías que fueron robadas cuando TV Azteca prácticamente tenía sitiada la casa de mi mamá. Gracias a Dios, las pruebas que tenían mis padres no cayeron en manos de los ladrones y están debidamente protegidas.

Los abogados pusieron a una señora que nos asistiera en Brasilia pues Rodrigo y Octavio residían en Río de Janeiro. Así conocimos a Silvia Beeg, quien desde el primer momento trató de infundirnos ánimo.

Karla y Karola desde su casa, y Katya desde la cárcel, le escribían a Sergio cartas cariñosas y apasionadas. Le hablaban por teléfono y le enviaban *e-mails* y faxes informándole del asunto legal, las presiones de las autoridades y las amenazas de la Interpol. También hablaban de cosas personales, se decían enamoradísimas de él e indignadas por la injusticia. Karola sugirió a Sergio que reconocieran todas sus relaciones con él y que hicieran una manifestación usando camisetas que dijeran "Yo amo a Sergio", y así enfrentarlo todo. Karola, como siempre, hablaba de dientes para afuera, sólo para ganarse la simpatía y la admiración de Sergio; las otras dos hermanas consideraban aquello una locura que mancharía sus honras y rompería el corazón de sus papás. Aunque luego de llegar de Brasil, dos de ellas como madres solteras y presa una tercera, no tenían una reputación muy buena que digamos. Para colmo, la dichosa Tamara dijo porquerías de ellas, en tanto TV Azteca señalaba a las tres hermanas como amantes de Sergio. Y ellas seguían escribiéndole y mandándole fotos de ellas y de sus hijos.

Por su lado, Wendy y Sonia, y Liliana desde Argentina, mantenían contacto con Sergio como podían. Todas lo apoyaban, sabían que la historia estaba mal contada, que si se habían acostado con Sergio había sido porque así lo quisieron, con toda libertad. Liliana visitó a Sergio en la cárcel de la policía federal en Brasilia. Logró entrar diciéndose su prima y le llevó cartas, fotos y regalitos de Wendy y Sonia, así como de ella y de su familia.

Liliana pidió saludarnos a Mary y a mí, pude verla unos minutos y nos regaló un rosario a cada una. Le pregunté lo de siempre: "¿dónde está mi hija?". Me dijo que no recordaba el nombre del panteón, pero que estaba por Botafogo, y que de cualquier forma lo mejor era no tocar el asunto. Entendí, o supuse, que se refería a que, viendo lo que pasaba en México, era mejor que no se supiera de la existencia y muerte de mi hija para no dar más alimento a los buitres, pero jamás pensé que porque hubiese problemas en Brasil. Se me hizo raro que no me diera el nombre del cementerio, pero como en esos momentos no podía hacer nada, no insistí ni presioné. Le reiteré, eso sí, la idea clonar a mi hija o hacer cualquier cosa que me la devolviera. Y le encargué mucho que no abriera la maletita con las pertenencias de mi hijita, por las células que pudieran conservar sus ropas. Me aferraba yo a cualquier milagro, imaginaba la posibilidad de exhumar el cuerpo de mi niña para tener suficiente material genético. Mas por el momento no podía hacer nada. Sólo rezar.

Liliana me trataba súper bien, con cariño, y me decía que si yo lo deseaba me acompañaría a Inglaterra o adonde fuera para realizar mi sueño. ¡Me alentaba y yo le creía! Y en mi esperanza, cada día que pasaba era un martirio, pues pensaba que cada minuto que transcurría iba agotando las posibilidades de recuperar algo del cuerpo de mi niña que pudiera usarse para su clonación. Sólo me quedaba rezar para salir libres pronto e ir por mi niña.

Teníamos unos dos meses presos cuando Luciano, como amigos, me hizo una advertencia.

—¿Tú consideras realmente a la tal Liliana tu amiga?

—Sí, Luciano. ¿Por qué?

—Pues porque... No vayas a decir que yo te lo dije, ¿o.k.?

—¿Por qué? ¿Qué pasó?

—Pues cuando estábamos con Sergio y Silvia, la tal Liliana nos pidió que los dejáramos solos unos minutos. Y sí, los dejamos. Pero como es mi responsabilidad, tenía que asomarme, echarles un ojo sin que se dieran cuenta. Y no quiero que te sientas mal, pero la tipa esa estaba encima de Sergio. Se besaban y hasta se tocaban. Ella era la que lo provocaba, pero Sergio bien que le correspondía. Me dio mucha rabia porque tú me la presentaste con mucho cariño.

Sonreí con tristeza.

—¿No me crees? Pues fíjate en la camisa de Sergio, la trae manchada del pintalabios de la piraña (en Brasil le dicen pirañas a las putas y a las cogidas le dicen comer).

No emití respuesta, no sabía qué contestar. Ya en Río de Janeiro me di cuenta de que ellas habían retomado la ofensiva y a cual más trataban de demostrarle a Sergio su amor y su lealtad. Karola, por ejemplo, le escribió diciéndole que si había visitas conyugales ella quería ser la primera de la lista. Cada una hacía su lucha y él debía mostrarles reconocimiento y gratitud. Era un nuevo juego en el que, por supuesto, yo estaba fuera. Y para mi tristeza, sentía que Sergio lo tomaba en serio, pues ellas nuevamente hablaban de "la familia". Ya no sabía qué pensar ni qué sentir. No alcanzaba a discernir qué era bueno y qué era malo en esas extrañas relaciones entre ellos.

Para colmo, Sergio no me ocultaba el acoso de ellas. La única con la que no tenía ni el mínimo contacto era con Karina, pero por los abogados, que nos traían recortes de periódicos y revistas, sabíamos que sufría fuertes presiones, aunque no había dicho toda la verdad a los medios, pues sostuvo que el padre de su hijo era un español, historia que ella, en una de sus juntas, había sugerido ofrecer a sus papás para justificar la existencia del niño y que la ayudaran a recuperarlo. Si bien Karina había inventado las historia del padre español, decía la verdad en lo más importante:

Que no había sido violada. Que no había sido raptada. Que su hijo era producto del amor. Que los acusados eran inocentes.

La declaración de Karina tendría que haber sido tomada en febrero, pero no ocurrió así porque el juez Talamantes sostuvo que Karina necesitaba tratamiento siquiátrico. De modo que después de casi tres meses de tratamiento los médicos la señalaron sicológicamente apta para declarar y Karina declaró ante las autoridades.

Los abogados de México nos comentaron que se rumoreaba que entre Karina y su abogado había algo más que una relación profesional. En Chihuahua se les veía paseando mucho tiempo y habían sido sorprendidos en circunstancias "comprometedoras". Poco después hubo un careo entre Karina y su papá.

¡Era absurdo! ¿Qué estaba pasando? Sergio no quería creerlo. Al poco tiempo Karina le llamó a Sergio. Por primera vez en meses tenían contacto. Ella, según Sergio, fue afectuosa y cariñosa, y le explicó a Sergio por qué había mentido en la declaración. El abogado la había engañado. Sergio le dijo:

—Por favor, Karina, tienes que decir la verdad. ¡Sólo eso!

Sergio tuvo que colgar, se le había terminado el tiempo para hablar por teléfono. A los pocos días Karina dio unas declaraciones falsas a un periódico local.

Gerardo Cantú, mi abogado en México, anunció que pondría una demanda contra el abogado de las Yapor. Mientras tanto, Sergio empezó a quejarse nuevamente de un fuerte dolor en la espalda, a la misma altura del anterior. Sufría temblores y poco a poco perdía fuerza. Batallaba incluso para llevarse los alimentos a la boca.

## Capítulo diecinueve

# La injusticia y las infamias

Mi papá llegó a la custodia de la policía federal con Felipe y Reyna. Me dio gusto verlos, aunque fuera por pocos momentos. Llevaban la consigna de que en Brasil también separara mi defensa. No quería, pues me había encariñado con Octavio y Rodrigo, que me parecía que de verdad trabajaban. Sergio y Mary no estaban en favor de que separara la defensa, pero me hablaron de Gerardo Grossi y su prestigio como abogado en Brasilia; además, al parecer conocía al ministro relator de nuestra extradición, Neri de Silveira, de quien Octavio y Rodrigo me dijeron que era extremadamente moralista, pero muy técnico en sus juicios. En ese tecnicismo depositaba mis esperanzas, pues, por lo que explicaban los abogados, la solicitud de extradición tenía varias fallas y estaba mal hecha de origen. En Brasil no se juzgaría nuestra inocencia o responsabilidad, sino sólo si técnicamente la solicitud de extradición era o no válida. Fue una alegría ver que, por la forma en que la hicieron, la extradición no procedería.

Si el ministro era riguroso en los tecnicismos, la extradición sería cancelada. Entonces, en libertad, enfrentaría a mis detractores para demostrar mi inocencia. No pensaba en venganzas, sólo en defenderme. Era grande la insistencia de mi gente para que aceptara la defensa de Grossi. Al final pensé que podría beneficiarnos a todos; en cambio, si algo no resultaba y Octavio y Rodrigo perdían el juicio, mi familia no dejaría de recriminarme y culpar a Sergio. Y si Grossi ganaba el juicio y ellos lo perdían, viceversa, en la revisión eso ayudaría. Así que con dolor y pena anuncié a Octavio y Rodrigo mi decisión. La audiencia con el ministro Neri ocurrió en unas semanas. Primero leyó la abominable solicitud de extradición.

Entré con Grossi, que me recomendó hablar de todo. Yo le había explicado que existía acoso y persecución por parte de TV Azteca, le di las razones por las cuales no firmé con la empresa y referí cómo lo que para ellos probablemente empezó como una vengancita —al estilo de las que instrumentaron contra Ana Colchero, Héctor Suárez y Guy Ecker—, pero luego descubrieron que yo constituía una minita de oro. Era una forma de tenerme, de robarme a Televisa, de usar mi imagen para hacer un novelón, ganando millones y elevando sus *ratings* sin pagarle a la estrella, o sea, a mí. Así, lo que empezó como un acto de destrucción se convirtió en un gran negocio que alimentaban con brío para hacerlo crecer. Cada día un capítulo nuevo, vulgar, grotesco. Y ellos dándose golpes de pecho. Denuncié frente al ministro la propuesta de Salinas de pagarme 300 mil dólares por contrato y depositar 500 mil en las islas Caimán.

Después de mí tuvieron audiencia Sergio y Mary, con Octavio y Rodrigo. Porque quería conducirse con verdad y hacer frente a cualquier responsabilidad, Sergio reconoció que había tenido una relación de pareja con Karina, pero en la absoluta tranquilidad de que no cometía ningún crimen. A lo mucho incomodaba la moral de algunos, pero no había violado a nadie. Y al parecer, o eso le habían hecho creer Karina y sus iguales, ellas se quedaban con apetito y lo seguían por aire, mar y tierra. Era un hecho que, para seguir gozando del sexo con Sergio, Karina había sido capaz de mentir a sus papás (si no es que estaban de acuerdo con ella, al menos la madre), de estudiar horas y horas para conquistar el derecho a ese placer, y de viajar, sola o acompañada, cientos o miles de kilómetros para encontrarse con el amante. Sobre todo, había preferido abandonar a su hijo (y al no tener que cuidar del niño disponía de más tiempo que dedicar al hombre) antes que renunciar a reunirse con el amante. Si el asunto era visto con objetividad, a lo mucho merecería una condena moral. ¿Dirigida a quién? ¿A él, a ella? Al terminar la audiencia, los abogados Suárez y Jaimes, que también asistían el caso, criticaron a Sergio por hablar con sinceridad en vez de negar ciertos hechos.

En la custodia regresó de sus vacaciones el verdadero jefe, el señor Marcos Bandeira. Pronto notamos la diferencia entre Bandeira y Amorin. Hacían un poco el juego del policía bueno y el policía malo, pero esto tenía que ver con sus personalidades. Bandeira, de religión adventista, hacía esfuerzos por tratar a los presos con humanidad. Una vez por semana organizaba pláticas sobre la Biblia. Era buena persona, pero muy estricto en el cumplimiento del reglamento. Trataba de comportarse igual con todos y se emocionaba cuando veía a alguien sinceramente interesado en el aprendizaje bíblico. En ocasiones conversaba con los presos en la puerta de las celdas. Cuando conversó con nosotros, percibí que estaba más comprometido con Dios y con su alma que con la tierra y su profesión. En ocasiones llegaba a conmoverse tanto que se le humedecían los ojos. Tenía una esposa que conocimos, pues solía visitar la custodia. Era una mujer joven, guapa y simpática, con una hija adoptiva y el deseo de tener un hijo propio. Esto lo mencionó en una ocasión en que le hablé de mi hijita perdida y de mi deseo de ser libre y tener hijos.

Amorin, en cambio, seguía adorando —como decimos en México— chingar a la marrana y criticaba a Bandeira por organizar pláticas espirituales. Por otro lado, llegó a nuestra celda una joven no muy bonita pero, típica brasileña, con un cuerpo armonioso. Amorin le echó el sermón de los pechos colgantes y la prohibición de andar desnuda. Naira, la joven, contó entre lágrimas su desgracia. Su novio le había pedido que llevara una maleta llena de marihuana. El novio también estaba preso allí y con la pierna enyesada, pues se la fracturó al tratar de huir. Ella lo delató, pero porque la presionaron y asustaron; la habían tenido desnuda durante una hora en un baño donde entraban y salían hombres que la miraban descaradamente.

Percibí que la mayoría de las mujeres se hallaban en la cárcel por involucrarse en asuntos ilegales casi siempre influidas por el marido, el novio o el hijo. De hecho, no había mujeres con crímenes cometidos por iniciativa propia.

En la parte judicial de nuestras vidas, los abogados Suárez y Jaimes nos pasaron un mensaje de Ricardo Salinas Pliego, quien mediante uno de sus ejecutivos mandó decir al senador Eduardo Andrade si acaso "pretendía yo, haciendo declaraciones como la del día de mi audiencia, recibir 50 años de cárcel". Que era mejor no mencionar más ese asunto. Se me oprimió el corazón. Parecía una amenaza estúpida, pero ¿no era estúpido que estuviésemos presos en ese momento?

Silvia empezó a visitarnos cada semana y nos llevaba alimentos e información del exterior, cartas y faxes de las muchachas. Mi gratitud hacia ella comenzó a solidificarse.

Un día, en las bocinas del corredor escuchamos la voz de Bandeira, quien pedía atención. "Todos los que escuchen su nombre tienen treinta minutos para recoger sus cosas, pues serán trasladados a otro presidio". Al presidio de Papuda, fulano, zutano y perengano. Dio una lista como de 10 nombres. Al núcleo de custodia de Papuda, Sergio Andrade, zutano, fulano...

No quería escuchar más. Mi corazón latía con fuerza. El miedo a lo desconocido es enorme. ¿Iríamos a ser transferidas Mary y yo? ¿Nos recluirían en un presidio normal, donde conoceríamos gente nueva pero posiblemente peligrosa? Otra vez entre gente extraña. ¿Sufriríamos agresiones? ¿Qué nos esperaba?

"Al presidio femenino de Colmeia, Naira Aparecida, Gloria de los Ángeles y María Raquenel..."

¡Sí, nos transferían! Sentí horror sólo de pensar en los días en las celdas de soledad. Mary y yo echamos a llorar. Nuevamente nos despedíamos de Sergio y padecíamos miedo de ser separadas nosotras también. Había algo muy raro. Todos los que estaban siendo transferidos eran condenados, y en la custodia permanecían únicamente los extraditables. Alguien estaba cometiendo un error. ¿Por qué nos transferían a presidios comunes?

No nos permitieron llamar a los abogados. Fuimos subidos en un microbús con nuestras cosas y esposados. Primera parada en el presidio de Papuda donde bajaron los reos peligrosos. El microbús era escoltado por varias patrullas y un helicóptero. Pero abandonábamos ese primer presidio cuando los policías recibieron una llamada en un teléfono celular y detuvieron el microbús.

"Los mexicanos, sí... Las mujeres también... Las mujeres de regreso a la custodia. O.k."

¡Gracias, Dios mío! A señas le comuniqué a Sergio y a Mary la buena noticia. ¡Qué alivio! En nuestra situación era muy justo aquello de vale más malo conocido que bueno por conocer.

—Sergio Andrade —llamó un policía.

—Sí, señor —respondió Sergio.

—Venga.

¿Por qué y para qué lo llamaban? Nadie pide ni da explicaciones. Uno debe quedarse callado y obedecer. Sergio salió del microbús y vi que lo subían a una camioneta oscura y partían. De golpe acudieron mis temores de que nos asesinaran. Recordé algunas historias de la ley fuga y aterrorizada, comencé a rezar.

Fuimos a la custodia de Papuda y bajaron al resto de los hombres. Sólo quedamos en el transporte Naira, Mary y yo. Un policía llamó a Naira. Bajó para subir a un carro que la llevaría a la Colmeia. Sólo Mary y yo permanecimos en el microbús, esposadas a los asientos y con policías de sexo masculino. Empezaba a anochecer. Uno de los policías portaba lentes oscuros y me incomodaba no saber dónde posaba la vista. La oscuridad que empezaba a envolvernos me hizo temer la posibilidad de un abuso sexual. Nosotras esposadas y solas, Sergio apartado de los demás, los agentes exhibiendo sus armas. Era un miedo irracional, un miedo a algo que la lógica señalaba imposible. Aquellos hombres no debían tocarnos y mucho menos hacernos daño. Eran policías.

Poco más tarde fuimos devueltas a la custodia. Llegamos de noche y no dejaron que las cosas pasaran, pues la oficina estaba cerrada. Bandeira y Amorin ya no estaban. Los presos que se habían quedado y nos habían visto salir asustadas y llorosas, aplaudieron al vernos llegar. Pese a que en nuestra celda sólo teníamos dos colchonetas y dos sábanas, Mary y yo dimos gracias a Dios y poco después de las otras celdas nos mandaron galletas y jugos.

—Gracias, muchachos.

—De nuevo bienvenidas. ¿Qué pasó?

—Nada, en la Colmeia no nos aceptaron porque no pueden garantizar nuestra seguridad.

—¿Y Sergio?

—No sabemos dónde está y estamos muy angustiadas.

Era viernes y la custodia abriría hasta el lunes. Sólo entonces podríamos avisar a los abogados.

Sergio regresó luego de una semana, muy delgado. Lo habían llevado al presidio común de Papuda, donde había sufrido varias situaciones. Lo vi pasar tembloroso camino a su celda. ¿Sería de la emoción?

La salud de Sergio empeoraba. Las llamadas de las muchachas lo reanimaban, pero eran breves, no le daban tiempo para hablar con todas. Wendy estaba por tener su bebé y le escribía desde Argentina. Wendy se decía indignada por la hipocresía de su familia. Pidió dar entrevistas para que no dijeran que también había desaparecido, pues querían hacer con ella el mismo teatrito que con Karina.

Le dio una entrevista a López Dóriga, pero como siempre fue medrosa y torpe al hablar, al parecer la entrevista no resultó buena. Quería quedar bien con todos: sociedad, familia, Sergio, y no se condujo con verdad ni con seguridad. Criticaban que hubiese utilizado palabras similares a las de Karina. ¿Qué tenía de raro? Convivieron durante años y para más las dos eran norteñas. Pero todo servía a los medios, particularmente a TV Azteca, para "analizar" a conveniencia y manipular a la opinión pública.

Como Sergio cada día estaba peor, lo pusieron en la celda 2, una de las especiales, donde también estaba Luciano. Unos médicos lo examinaron y le hicieron radiografías que mostraban una fuerte desviación provocada por el tumor en la columna. Pero eso no explicaba el deterioro de la salud de Sergio, que cada día perdía más la fuerza y el movimiento del cuerpo.

Un día de mayo Karina habló con Sergio por teléfono. Lo vi pasar tratando de ocultar que lloraba.

—¿Qué pasó? —le pregunté cuando atravesaba el corredor.

—Hablé con Karina. Dice que está muy presionada, que desde que dio la entrevista la tratan peor que nunca, le quieren quitar al niño porque lo maltrata.

—¿Y por qué lo maltrata?

—No lo sé. No quise presionarla. A lo mejor los papás exageran, y ya sabes que nunca fue muy cariñosa con él. Yo qué sé.

—¿Y qué dijo, que piensa hacer?

—Nada, no sé. Está bien conmigo, en buen plan, dice que si nos casamos se acaba todo el problema. Pero le recordé que estoy casado con Sonia y no podríamos casarnos sino dentro de un año. Como que se sacó de onda, pero le dije que sí, que me caso con ella pero, por el amor de Dios, que las liberen a ustedes. Al final puso a Francisco en el teléfono. Me dijo "papito, te quiero mucho", y ella se despidió bien en buen plan. Le pedí que sea fuerte. Y lloré porque me emocionó escuchar al niño.

¡Qué ensalada de sentimientos! ¿Cómo, queriendo yo a Sergio, podíamos hablar de que se casara con otra persona?

—Me preguntó si podía llamarte y le dije que no creía que hubiera problema —añadió Sergio.

¿Karina? ¿Hablar conmigo? Hubiese preferido hablar con mi familia, pero podía ser importante. Poco después me dijeron que hablaba Lucía, pues así se hacía llamar. Contesté y no pude evitar sentir alegría a la hora de escucharla. A fin de cuentas le había tenido afecto, había compartido con ella buenos momentos.

—¿Cómo estás?

—Pues más o menos. ¿Y ustedes?

—Horrible, no te imaginas.

—Ay, Gloria...

—Felicidades por el día de las madres.

—Gracias. Felicidades a ti también.

¿Qué estaba pasando? ¿Por qué me felicitaba por el día de las madres? Percibí algo raro. Ella según me dijo Sergio, solía llamar desde un teléfono público.

—No tienes por qué felicitarme, sabes bien que no tengo hijos —Karina guardó silencio—. ¿De dónde me llamas?

—De la calle, de un teléfono público.

Mentira, supe que mentía. Es una excelente mentirosa, pero no soy idiota. No se escuchaban ruidos de la calle, ni tarjetas entrando o saliendo, y la voz era nítida.

—Gloria, quiero pedirte un favor. Que tus abogados no demanden al abogado de mis papás. Como sea, me ayudó a recuperar a mi hijo y le estoy agradecida.

Su petición me hizo pensar en los rumores de que se les veía muy juntos a ella y al abogado Perea. Tal vez por el hecho de que él contribuyó a recuperar al niño, cosa que no representaban proeza legal, nada que no hubiera hecho cualquier abogado. Para mí, hasta se había tardado en recuperar al niño. Pero, bueno, Karina estaba agradecida.

—No tengo intención de demandar a nadie. Sólo quiero que salgamos libres y acabe esta injusticia. Le pediré a Cantú que no haga nada. Me enteré de que en tu casa te presionan y tu mamá y tu hermano te golpearon. Vi en el periódico los arañazos en tus brazos —le dije sinceramente compadecida.

—Bueno, sí, pero es que yo digo que es de día y todo mundo ve la noche.

—¿Qué quieres decir? —nuevamente la sentía rara.

—Pues que he dicho muchas mentiras.

—¿A qué mentiras te refieres?

—Pues que he dicho que no estaba con X o Z en X o Z lugar y las visas dicen otra cosa. Si acaso, tú podrías probar que no estabas, pero las otras personas y yo...

—De acuerdo, Karina, mentiste en algunas cosas, pero nada relevantes.

Para cubrir a las muchachas, Karina había tratado de ocultar que andaban juntas. Pero lo importante era que sobre su relación amorosa con Sergio, la paternidad del niño, mi inocencia y la de otras personas, había dicho la verdad ante las autoridades. Y la había dicho en forma libre y espontánea. ¿A qué venía esto?

—Además tus papás han mentido, y mucho. Tú mentiste queriendo ayudar y evitar una injusticia, ellos han mentido para hacer daño injustamente, lo sabes.

—No, pues eso sí, pero ¿sabías que mi examen psiquiátrico dice que tengo rastros de violación?

—Karina, no sé qué traes, pero sabes que yo no sé a qué edad ni por qué ni cuándo te acostaste con Sergio, pero si fue de los doce años para arriba y con tu consentimiento, no es violación según las leyes federales, que son las que deberían aplicarnos.

—Mmm... No sabía.

—Pero sí sabes que no fuiste violada —guardó silencio y continué—. Karina, ¿fuiste violada?

—No —repuso al cabo de unos segundos.

Sentí que se me congelaba la columna vertebral. Su "no" sonaba inseguro, mas no porque no supiera si había sido violada o no, sino porque no quería responderme. Y el espacio entre mi pregunta y su respuesta servía para editar una cinta de grabación.

—¿Fuiste raptada?

—No —dijo, pero dejó un espacio.

—¿Fuiste corrompida?

—No —con la correspondiente pausa—. Pero es que no sabes cómo estoy siendo presionada.

—Pues sé fuerte y sostén la verdad.

—Mi familia recibe muchas amenazas —dijo en tono de reproche— y me he enterado de cosas de Sergio que no sabía.

—No sé de qué me hablas.

—Bueno, sólo te pido que le digas a tus abogados que le bajen.

—Descuida, Karina.

Nos despedimos y eché a llorar al lado del teléfono. Tenía plena seguridad de que me habían grabado. La había sentido extraña y cruel, comentando estupideces. Sentí que se justificaba, que buscaba pretextos para actuar con maldad, para la traición que ya había iniciado. Sentí que titubeaba antes de hundir el puñal entero, pero sólo necesitaba un empujoncito.

Al otro día Luciano me contó que Sergio se había caído en la regadera. Conseguía sentarse con ayuda de otros y no podía levantarse.

—Sergio, por el amor de Dios, atiéndete, pide ir al médico —le supliqué desde la reja en la primera oportunidad, durante el baño de sol. En esos días dejaban libre el corredor para que quienes estaban en baño de sol pudieran regresar a sus celdas. Aproveché para pasar frente a la celda de Sergio y pedirle que hiciera algo por su salud.

—Ya pedí ayuda, Gloria, pero no me hacen caso.

Mary me acompañó a hablar con Bandeira desde la reja que impedía el acceso al área de la custodia. Llorando, le supliqué que tuviera compasión por

"Recuerdo cuando llegó Karina a España. Había viajado sola, pasaporte en mano con la autorización de sus papás… ¿Dónde están el rapto y el secuestro?"

"En España fueron compradas dos propiedades… nunca entendí por qué, si eran pagadas con mi dinero, el de Sergio y algo de Marlene, fueron puestas a nombre de Liliana Regueiro."

"Marlene (en la foto) no sería lanzada como solista por el escándalo en que la envolvió Aline con su libro. Ella siempre tuvo envidia de Marlene que era más bonita, con más clase, tenía mejor voz y era mejor bailarina."

"Las hermanas De la Cuesta, Karola, Karla y Katya, a pesar de que competían por Sergio, se veían contentas, yo hubiera dudado de lo que veía de no ser por sus comentarios de que 'preferían compartir un hombre a descubrir que las engañaba'(?)."

“Todas compartían a Sergio (en la foto Katya, Marlene y Karina), pero cada una por separado hacía la lucha para quedarse con él. La rebatiña estaba ‘de a peso’ y cuando pensaba en ello me alegraba de no hallarme en esa competencia(?). En ese tiempo tenía el corazón como dormido.”

“Durante 35 días estas aves de rapiña replegaron sus alas y fui totalmente feliz, hasta que el manto de la desgracia cayó sobre mí. Perdí a mi hija, mi amor, mi libertad y en la oscuridad del dolor lo único que oigo es el graznido de esas siniestras aves de rapiña.”

"Karla y Karola le escribían a Sergio cariñosas y apasionadas cartas a la cárcel. Karola le enviaba fotos con su hijo Milton –supuesto niño de Sergio. A pesar de las promesas, con plena conciencia, las hermanitas brincaron de bando: declararon contra nosotros."

"Wendy mantenía contacto con Sergio. Le enviaba fotografías explicando que la 'sugestiva pose con minifalda y todo era para animarlo'. Luego vino la traición y lejos de contradecir lo que Karina decía, la apoyaba y le agregaba de su cosecha."

"Como en los años de éxito, Mary y yo seguíamos siendo las amigas de siempre, pero en la cárcel no hablábamos mucho, tal vez porque conversar representaba hablar de cosas tristes, traiciones, miedos, injusticias, tal vez porque preferíamos rezar."

"¡Qué locura! En mi situación y pese a las circunstancias sentí como mi ser se regeneraba en esos segundos de comprensión. ¡Un milagro, estaba embarazada!"

"¡Dios es bueno, no cabe duda! Poniendo nuestra angustia en personas como el padre Ubaldo y la hermana Rosita uno conserva algo de esperanza en la raza humana."

"Por fin lo colocaron en mis brazos. Lloré tanto con él, y reí. Empecé a reír y llorar al mismo tiempo, pues tenía en mis brazos los secretos del universo. Ahora sabía que yo vencería, que había vencido."

Sergio, que estaba muy mal de salud. Y le expliqué cuál era el padecimiento, hasta donde lo sabía. Bandeira fue amable y me permitió hablar a los abogados para que tomaran providencias, pero demoraron más de un día en negociar el traslado de Sergio al hospital. Cuando lo sacaron no podía sostenerse sentado ni aun con ayuda. Desde mi celda alcancé a ver cómo dos presos lo llevaban a la salida, y Sergio parecía de trapo.

Sergio fue a un hospital particular donde tenía teléfono y le permitían recibir llamadas. Al día siguiente Karina habló con Mary a la custodia. Hablaron poco y Mary me dijo que la sintió rarísima. Que al informarle que Sergio estaba en el hospital, la sintió fría, como si no le importara. Había dicho, además, que deseaba hablar con Sergio para comunicarle "de frente" lo que acababa de decidir. Mary le dio el teléfono del hospital.

La enfermedad de Sergio y la perspectiva de ya no recibir de él ni siquiera las buenas cogidas, sumadas a las presiones en su casa y en contraste con la perspectiva de lucro, fama y amantes activos, debían pesar bastante en Karina. Su paralítico amante (y en esos momentos cómo recordaba yo a su padre) era el empujoncito que necesitaba para encajar hasta la cruz el puñal del cual había sentido yo la afilada y fría punta.

Después me enteré de la llamada que le hizo a Sergio al hospital. Sin compasión le dijo que había decidido apoyar lo que sostenían sus padres y, si Sergio pretendía negarlo o intentaba algo contra ella, revelaría el asunto de mi hija Ana, que hasta ese momento no era público y que podría afectar el caso porque probaba una relación entre Sergio y yo, lo que no era crimen ni pecado, pero era cosa manipulable ante la opinión pública.

Sergio me refirió esto tiempo después y no puedo describir lo que sentí en relación con Karina. Lástima, desconcierto, dolor, indignación, tristeza, desprecio, cierta incredulidad. Me parecía increíble que ella, que había sido testigo del dolor causado por la muerte de mi hija, ahora la utilizara pasando por encima de la promesa que comprometía a su alma.

Beso de Judas el de Karina. Después de hablar con Sergio para apuñalarlo de frente, puso al pequeño Francisco al teléfono para que le dijera "te quiero mucho, papito".

Fue la última vez que Sergio y Karina hablaron. Al poco tiempo Karina cambió radicalmente. Muy en el estilo TV Azteca, con ropas nuevas, joyería, uñas postizas, cabellos pintados y alaciados, maquillaje típico de la televisión y actitud de vengadora justiciera, compareció en rueda de prensa en una cafetería leyendo unas hojas repletas de absurdas confesiones y falsas verdades. ¡Dios mío! ¡Leyendo su nueva versión! Diciéndose víctima de violación, abusos, tortura y no sé qué otras estupideces.

Karina había llamado a Octavio para que le diera el teléfono del ministro que llevaba el caso en Brasil. Esa llamada fue similar a las otras, sin los problemas de un teléfono público, con todo el tiempo del mundo, como si llamara de su casa o del despacho de su abogado. ¿Para que quería el teléfono del ministro que llevaba nuestro caso?

Luego vino la rueda de prensa, los comentarios absurdos de los papás y el abogado, quienes decían que no sospechaban lo que Karinita quería decir, pero habían organizado la rueda con mucho amor. Y la grotesca, cobarde, absurda y perversa declaración: "digo todo esto porque la verdad nos hará libres y Jesús entró en mi corazón".

¡Por el amor de Dios! Lo primero que un cristiano debe hacer es imitar los pasos de Jesús. ¿Alguien puede imaginar a Jesús en "Ventaneando" en entrevista con Paty Chapoy? Si Karina fuese la mitad de lo cristiana que dice ser, no haría comentarios tan perversos, típicos de quienes temen que sus mentiras se derrumben y ellos sean desenmascarados. Y era un secreto a voces que sostenía una relación con su abogado, editorial Grijalbo anunciaba su libro y ella se disponía a continuar su carrera artística.

Mientras esto sucedía, las hermanas De la Cuesta se comunicaron con Sergio al hospital —también la madre de ellas— para reiterarle su apoyo. Nuestra economía andaba por los suelos, sobre todo por los anticipos a los abogados y otros pagos que Karla realizaba. Las cosas no tenían visos de mejorar y Sergio y Karla buscaban soluciones.

Katya y Sergio hablaron de las perradas de Karina, y de religión, justicia, esperanza; se dieron ánimos y palabras de afecto. Con la calenturienta Karola, aun en el estado en que se hallaba Sergio todo era insinuaciones, frases de amor apasionado. En una de las llamadas ella le dijo que quería ser su enfermera, viajar por el cable hasta donde él estaba, meterse en su cama y bajarle la temperatura a lengüetazos. Le mandaba besos húmedos hacía ruiditos como eslurp, esmac, yam yam, expresiones típicas de la finísima Karola de la Cuesta.

Lo que ellas no sabían era que, después de la de Karina, Sergio había decidido grabar todas las llamadas por si esta mujer volvía a llamar, y con ese registro evitar que TV Azteca editara cualquier conversación. Sumando las llamadas que las De la Cuesta hicieron durante el mes que Sergio estuvo en el hospital, fueron grabadas unas 14 horas. Declaraciones de amor apasionado y de indignación por la injusticia que sufríamos. Después me enteré, por Luciano, que también en la custodia de la policía federal grababan las llamadas. Gracias a Dios, pues entre ellas se hallaba la llamada de Karina a mí, en la que reconocía nuestra inocencia, y la de Karina a Sergio en la que él le pedía decir la verdad.

Mientras Sergio estaba en el hospital, Silvia Beeg fue internada allí para tratarse un cáncer de mama. Así, comenzó a relacionarse con Sergio en un nivel personal, cálido, no sólo como la encargada de asistirnos a petición de los abogados.

Mary y yo seguíamos siendo las amigas de siempre, pero en ese lugar se hizo patente que ya no hablábamos mucho, tal vez porque conversar representaba hablar de cosas tristes, traiciones, miedo, injusticias, preocupación por nuestras familias; quizá porque preferíamos rezar. En ese tiempo hice algo que nunca había hecho: leer la Biblia de principio a fin, lo cual, confieso, me confundió hasta el copete, pues tuve que confrontar mis creencias católicas con las creencias adventistas, y hallé pasajes de la Biblia que decían una cosa y luego señalaban cosa diferente. Mary veía un programa en el que oraban a las dos de la mañana —creo que eran evangélicos— y recibió la visita de Nelson Ned, que es pentecostés.

Un preso me regaló un libro de oraciones muy bonitas: *Espírita*. Pero abundar en el tema y dar mi punto de vista teológico me representaría otro libro. Jamás dejaré de ser católica, aunque periódicos amarillistas de México hagan perversos comentarios sobre mi posible excomunión. ¿Excomulgarme, por qué? Nada he hecho para merecer tal castigo, tal rechazo. ¿Cómo explicar lo que pasaba por mi alma y mi corazón en esos tiempos?

Oraba mucho por el restablecimiento de Sergio y tuve noticia de que empezaba a recuperarse, movía una mano y un pie y había un 80 por ciento de probabilidades de que tuviera buena recuperación, pues había sido tratado a tiempo. Antes de que lo llevaran al hospital conocí a un hombre de buena presencia física y actitud amable. Era el delegado M, segundo en autoridad después de Rómulo en esa delegación. En un principio no me extrañó su comparecencia. Yo era noticia en los canales de televisión brasileños y mi transferencia a Brasilia fue ampliamente cubierta, de modo que muchos curiosos —no sé mediante qué subterfugio— acudían a vernos en la celda y a veces preguntaban alguna estupidez sobre México o hacían elogio de nuestra "belleza". No me extrañó, pues, la presencia de M, aunque sí, posteriormente, el hecho de que sus visitas se hicieran frecuentes y siempre se dirigiera a mí. La conversación de M generalmente aludía a la injusticia que se cometía contra nosotros y decía que nunca había visto atropello tan grande. Llegó a expresarme su antipatía por Sergio y un día me dijo que en internet había entrado a varios sitios míos.

—¿Sí? Yo no los conozco.

—Tienen fotos muy bonitas —dijo. Y sentí un poco de pena porque en internet había fotos de mis calendarios.

Con Sergio en el hospital, M continuó visitándome. Recorría el pasillo de ida, y de regreso se detenía frente a mi celda. Su presencia provocó rumores de que se había apasionado por mí.

—Qué absurdo. Es curiosidad, morbo, a lo sumo simpatía —solía yo responder.

Pero algo en su forma de mirarme revelaba que se sentía atraído. Una lo sabe, pero a veces se niega a reconocerlo. Además, yo no estaba ahí para tener que ver con nadie. ¡Háganme favor! Ir a una cárcel a relacionarme con un policía o con un preso. Si en libertad nunca lo hice con empresarios, artistas, fans o ejecutivos, menos en esa circunstancia.

Sus miradas y comentarios me resultaban irrelevantes. Además me preocupaban otras cosas. La novedad era que los abogados de Sergio y Mary habían llegado de México y fueron a ver a Sergio al hospital.

—Urge dinero, urgen recursos. Necesitamos que firmes poderes para vender las propiedades, cobrar nuestros honorarios y tener para viajar a Chihuahua y recoger el expediente.

Sergio, emocionalmente debilitado, firmó todo. Liliana había devuelto las propiedades en España y las puso a nombre de los abogados de Brasil, pero Sergio, con eso de que podía mover la mano derecha, sin consultarlo conmigo, pues no podíamos comunicarnos, firmó a los abogados de México para que dispusieran de prácticamente todo, propiedades con valor de más de un millón de dólares.

Marlene y su abogado luchaban por un amparo. Katya, como lo aconsejaron Suárez y Jaimes a su abogado, solicitaba un recurso. Y Karina, creyéndose una nueva versión de María Félix, se daba vuelo dando entrevistas y refiriendo historias en que se contradecía, pero nadie parecía reparar en esas contradicciones. Se las daba de víctima vengadora y chamuscaba de manera atroz a sus compinches. Hablaba de relaciones sexuales por delante y por detrás, en grupo, entre ellas. Todo con vulgaridad, sin misericordia ni respeto a la honra y a la intimidad de sus colegas. En programas de chismes, principalmente con la Chapoy, refería barbaridades. "Sí, las tres hermanas tenían relaciones con Sergio al mismo tiempo... Sí, entre nosotras nos tocábamos y besábamos... Karola y Wendy abortaron... Yo también iba abortar pero..."

Eso sí, con la Biblia en la mano. Lo que no la arredraba para eslabonar mentiras, como que a ella le daba asco y estaba sicológicamente dominada y había sufrido maltratos. Una versión dos de Aline, pero, así como dicen que las películas de terror en su segunda parte deben tener más muertos y ser más sangrientas, Karina la superaba en falsedad y exageración.

Luego de aproximadamente un mes de internación y fisioterapia, Sergio regresó a la custodia ayudándose a caminar con un andador. Las hermanas De la Cuesta estaban siendo presionadas para declarar en contra nuestra, a la vez que recibían propuestas de libertad para Katya, ya no por el jefe de la Interpol sino por el subprocurador.

Sergio iba a dar una entrevista a "Primer impacto". Era la primera entrevista que daríamos. Le pedí a Sergio que hablara de nuestra hija, pues no me avergonzaba de haber tenido una hija con él y eso evitaría que Karina nos chantajeara con tal asunto. Karina había dado una larga entrevista al programa de la Chapoy, y la dividieron para presentarla en dos partes. En la primera parte, un sábado, dijo perversidades y mentiras sin cuento, y anunciaron con bombos y platillos que el siguiente sábado revelarían los nombres de los hijos de Sergio. Cuántos eran y con quiénes los había tenido.

Antes de que la segunda parte fuera trasmitida, salió el programa de "Primer impacto" con la entrevista de Sergio, quien entre otras cosas habló de nuestra hija. Luego salió el programa de la Chapoy y Karina y ésta dijo cosas horripilantes y habló sin empacho de los hijos de todas, abordando sin derecho intimidades que no eran sólo las suyas. Sorprendentemente, ocultó la existencia de mi hija Ana. ¿Por qué? Quizá para chantajearnos. Mas como Sergio ya había hecho pública esa cuestión, el ocultamiento perdió valor.

Después de la entrevista con Sergio, Karina reaccionó como a la defensiva, inclusive en lo que se refería a mi hija. ¿Qué le pasaba? En sus comparecencias y declaraciones dijo que mi hija no había muerto de forma natural, pero no daba ninguna versión, dejaba las cosas a la imaginación. Llegó a correr el rumor, en periódicos sobre todo de Chihuahua, de que mi hija había muerto de desnutrición. Si bien Karina lograba impresionar y conmover con sus historias (siempre fue una experta en el arte de mentir, con buena memoria para repetir las mentiras, creatividad para inventarlas y vulgaridad para pregonarlas), había cosas que no encajaban.

El público no es del todo manipulable, aunque es sabido que si una mentira se repite mil veces acaba por convertirse en verdad. ¡Y cómo repetían sus mentiras! ¡Cómo las hacían pasar por hechos verídicos sin prueba alguna! No obstante, al público pensante y a algunos medios les desagradaba que Karina hubiese abandonado a su hijo. A esto no lograba dar respuesta satisfactoria, se escudaba en que era menor, tenía miedo, estaba sicológicamente dominada, las arañas voladoras. Pero nada justificaba que hubiera abandonado a su hijo.

Su débil excusa de que "era muy niña" no bastaba, pues una madre es una madre, y ser buena madre nada tiene que ver con la edad. Se puede ser excelente madre a los 15 y se puede ser una basura a los 40, o viceversa. La verdad, no tenía excusas. Y luego de contradicciones y resbalones se las inventó.

Nos llegaban historias de que habían terminado su casa, tenía carro nuevo y ropas que antes no podían comprarle sus padres, expectativas de trabajo en telenovelas y en diversos grupos. Entonces se anunció el lanzamiento de su libro *Miserable*. Qué rápido olvidó aquellas palabras suyas. "Nadie me paga un cinco por decir la verdad ni ando escribiendo libros". ¿Pero qué tal por mentir?

Por esa época Sonia, Liliana y Wendy le manifestaron a Sergio que tenían problemas con la hermana mayor de Liliana, Sandra, que andaba muy rara. Wendy tuvo su bebita y Sergio le sugirió el nombre de María Miel. Wendy le escribía cariñosa y apasionada. Sonia le contaba a Sergio que Sandra estaba presionada. Algo raro pasaba. Era posible que Karina se hubiese puesto en contacto con Sandra para amenazarla o invitarla a cambiar de lado. Además, Liliana estaba siendo atacada y podían comprometerla. Recordemos que Karina había viajado con Liliana de Argentina a Brasil y se hospedó en un departamento y en casas rentadas por Liliana. Y estaba lo de Ana. Liliana se había llevado el cuerpo de Ana e hizo todos los trámites. Algo raro había, algo muy raro. La buena noticia fue que Marlene había ganado un amparo, la mala, que el juez Talamantes lo revocó. ¿Qué pasaba con ese juez? ¿Por qué tal actitud?

Yo era una cortina de humo para encubrir la corrupción e incompetencia de autoridades, políticos y empresarios interesados en sostener este circo. En esta situación, sólo tenía un pensamiento, un deseo, un sueño: llenar mis brazos vacíos. Cada vez que llegaba mi periodo sentía mil puñaladas en el alma, en el corazón, consideraba que ese óvulo era un ser que no había tenido oportunidad de vivir. ¡Asesinos! ¡Asesinos los que aquí me tienen injustamente! ¡Asesinos!

Marlene estaba embarazada y la noticia causó revuelo. Decía que de un novio de Brasil, pero Karina juraba y perjuraba que de Sergio. ¡Qué chingados le importaba a Karina! ¿Y qué le daba derecho a decir algo así? A mí me importaba un cacahuate quién fuera el padre. Me angustiaba ella en ese estado y presa. Ilusa, pensé que Karina se compadecería de Marlene. Todo lo contrario, se ensañó con ella. Ante la posibilidad de que saliera libre gracias al amparo, que estaba por ser dictaminado nuevamente y conforme a derecho debería ser resuelto en favor de Marlene, Karina y sus consejeros enfilaron todas sus baterías en un intento por evitar su libertad. Así, Karina dijo que Marlene había venido con ella de Brasil para vigilarla. ¡Qué perra la Karina! Si fue ella la que lloriqueó y rogó a Marlene que la acompañara. ¡Qué rabia me dio ver esa declaración de Karina! Marlene presa y embarazada, con la familia sufriendo y su madre luchando y sometiéndose a humillaciones, y Karina engordando el cuadril. En la tercera declaración que hizo a las autoridades cayó en más y más contradicciones.

Según ella, el mundo giraba a su alrededor. Mi carrera sólo fue diseñada para esperar el día de su aparición. Una historia patética, falsa y perversa, pero que empezaban a acomodar todo para jurídicamente formar el clan. Ridículo, absurdo.

Marlene y su abogado lograron obtener sentencia favorable. Ahora sí, a huevo, el juez tendría que estipular una fianza para que Marlene saliera libre. Pero el juez Talamantes fijó a Marlene la fianza más alta en la historia de uno de los dos estados más corruptos de México. Una fianza jamás estipulada para narcos, asesinos, ladrones o violadores, le era impuesta a una joven de poco más de veinte años, embarazada, contra la cual sólo existían chismes, para colmo contradictorios. Por si fuera poco, la fianza no podría ser cubierta con propiedades. No, tenía que ser en efectivo para garantizar el posible tratamiento sicológico de Karina. Ladrones.

Marlene no pudo salir inmediatamente. Tenía que juntar el dinero y nosotros deseábamos ayudarla. El terreno de Monterrey, que garantizaba pagos que Conexiones me debía, presentaba algunos problemas, según Karla. Ofrecí que hicieran lo que fuera necesario para ayudar a Marlene, pero Karla manifestó su inquietud porque, si se le daba todo a Marlene, qué quedaba para cuando Katya pudiera salir. La mamá de las hermanas De la Cuesta y la de Marlene hacían corto circuito, y las hermanas De la Cuesta sugerían que Marlene estaba por venderse. Claro que ellas jamás traicionarían, eran fieles a la justicia. Pero...

Le pidieron a Sergio que no contara la verdad, pues los padres de ella serían muy atacados en Puebla. Karla le enviaba instrucciones a Sergio y él confiaba en ellas, las quería y no deseaba perjudicar a sus familias. Hacía lo que ellas decían. ¿Desde cuándo? ¿Desde cuándo y él no lo sabía?

Las propiedades eran rematadas para pagar abogados, gastos, necesidades de las hermanas De la Cuesta, un dinerito para las de Argentina. Pronto no quedaría nada y nosotros en la miseria. De no ser por mi familia, ni para un refresco tendríamos. Pese a los miles de dólares pagados a abogados, no lograban nada.

Para un amparo en mi favor llamaron a varios testigos, pero muchos fueron amenazados y no se presentaron, entre ellos Karla. Y los que se presentaron fueron calumniados por TV Azteca. Cantú perdió mi amparo en México. Según él, no había nada que hacer legalmente hasta que yo me presentara allá. Lo que entonces me daba miedo no era ser culpable, sino ser inocente. Porque mi inocencia absoluta me convertía en un ser peligroso para quienes inventaron las calumnias y las divulgaron, y en ese año de elecciones apoyaron ilegalmente a gentes y autoridades corruptas. No podían permitir que yo demostrara mi inocencia; mi vida peligraba.

Una nota aparecida en un periódico de México mencionaba la supuesta declaración de un joyero ya muerto que había dicho que Amado Carrillo (traficante de quien yo no sabía que existiera) mandó hacer joyas a mi nombre o con mi nombre. ¿Cuáles? ¡Qué sembradero de semillas envenenadas en el cerebro de un público que me amó y que amé! Nadie necesitaba mostrar pruebas para despedazarme con noticias escalofriantes en horarios estelares.

Jamás había tomado drogas, ni siquiera había tenido drogas en las manos. Jamás me relacioné con persona alguna a quien supiera involucrada en el narcotráfico. Lo más cerca que había llegado a estar de la droga era ahí, en la custodia de Brasilia, donde por las noches el corredor se llenaba de un olor peculiar que después vine a enterarme que era "macoña", es decir, marihuana.

Había una esperanza. Decían que el PAN venía fuerte y ¿si ocurriera un milagro? ¿Si ganara Vicente Fox? Tal vez él se propusiera erradicar la corrupción del sexenio anterior. Pobre tortolita de mí. Mi guerra, mi guerra verdadera, no era contra el gobierno ni contra el PRI ni nada de eso. Mi guerra era contra TV Azteca y sus socios y cómplices y contra los cobardes que no hacen cumplir las leyes por miedo a "qué va decir mi TV Azteca". Hay tanta gente con cola que le pisen.

En aquellos momentos no era yo tan maliciosa. Creía en la justicia, en el cambio. Y en mis oraciones, después de mandarle mi amor a mi hija, de pedir tener más hijos, de rogar por la libertad de Marlene y Katya y por la nuestra, así como por el bienestar de mi familia, añadía: "Y por favor, Diosito, que gane Vicente Fox".

Marlene tuvo a su hijito todavía detenida. Fue al hospital para el parto, estuvo ahí unos días y regresó a la prisión, adonde su mamá, la señora Leticia, le llevaba diariamente el bebé. Marlene no podía quedarse con él porque en el lugar había cucarachas. ¿Y Karina se tocó el corazón? ¡Qué esperanzas! Por el contrario, llena de rabia decía a los cuatro vientos que Marlene había sido mejor cuidada que ella y al menos podía amamantar a su hija.

Hipócrita, miserable, perversa.

Me enteré de que Wendy y Sonia regresarían con sus familias. No sé de quién fue la idea pero me pareció lo mejor para ellas, pues sus familias podrían protegerlas. Corría el rumor de que Wendy también sería procesada y que la Interpol sabía donde estaba. El hecho es que las muchachas regresaron a sus casas. Wendy se desconectó y más tarde apareció una nota de su familia en la que sostenían que yo era una víctima, que Wendy estaba en casa y también era una víctima, pero que no quería declarar contra Sergio. Era evidente que se curaba en salud, pero qué más daba cómo se protegiera, con tal de que ella y su niña estuvieran bien y no hicieran daño. Junto con estas noticias llegó la de que al fin Marlene había conseguido pagar la fianza y salir de la cárcel. Los abogados de Sergio nos dijeron que ellos habían ayudado a conseguir el dinero.

En la custodia, Mary y yo éramos respetadas por los presos. Teníamos especial cuidado en vestir ropas holgadas y mantener distancia en el trato, siempre educadas pero firmes, y sin bromear. Varias veces cantamos para los presos e hice varios retratos de sus hijos. Por otra parte, el nivel intelectual y social de los presos que se hallaban en la custodia, en general era superior al de los presidios comunes.

Así como un día había llegado Naira, otro día llegó Ifigenia, luego Roberta. Cada vez que llegaba una nueva, Mary y yo nos preguntábamos quién sería, qué habría hecho, qué costumbres tendría. Ifigenia estaba acusada de tráfico de drogas, la habían atrapado con una maleta con marihuana o algo así, lo mismo que a Naira. Y al igual que a ésta, le darían de tres a cuatro años de prisión. Ifigenia era madre de dos muchachas, una de 15 y otra de 17 años. Mary y yo compartíamos con ella lo que teníamos, sobre todo comida y artículos de limpieza, y también le regalamos algo de ropa.

En esos días, los abogados nos dieron una mala noticia. El procurador general de Brasil, Geraldo Brindeiro, sorpresivamente tomó nuestro proceso de extradición (que tenía a su cargo el subprocurador, quien tenía ya buen tiempo con él y estaba por dar un parecer). Brindeiro tomó el proceso un jueves y ese viernes emitió un fallo favorable a la extradición, cosa absurda porque no había tenido tiempo para revisar todos los documentos. Fue evidente que actuó por consigna.

Por los abogados nos enteramos de las visitas que el embajador y el cónsul de México hacían a ministros y procuradores para ejercer presión al margen de sus funciones. Éramos los primeros mexicanos solicitados en extradición y Brasil no iba a enemistarse con México por nosotros. No era cuestión de leyes o de justicia, sino un asunto diplomático. ¿Qué se traían esos locos? Yo soy un ser humano, no moneda de cambio ni objeto de trueque.

Con todo lo que pasaba sentía que la amargura me devoraba. En cierta ocasión hablé con Claiside, uno de los carceleros. Era buena gente y yo estaba desesperada.

—Por favor, Claiside, ayúdame —pedí, y le dije lo que quería y le di razones. Se lo dije llorando. Él me escuchó y al final dijo:

—No puedo, Gloria. Discúlpame, pero no puedo. De verdad quisiera ayudarte pero nada puedo hacer.

—Entiendo. Discúlpame tú a mí. Te pedí ayuda en un arranque de locura, no sé ni cómo me atreví. Te ruego que no le digas a nadie lo que hablamos.

Por esos días llegó a nuestra celda otra presa. Una muchacha llamada Edna. Heriberta y Edna hicieron corto circuito. Heriberta externaba su desagrado hacia la gente morena (un clasismo ridículo, pues evidentemente Heriberta no pertenecía a la casa real; parecía más bien de la prestigiosa estirpe de las hermanas De la Cuesta, que se las dan de ser de la alta y compran ropa pirata en La Pulga. Nunca entendí esa forma de ser).

Edna era sirvienta en un lugar donde fabricaban droga y la pescaron junto con los patrones. Claro, Edna lloraba a cántaros por sufrir cárcel, siendo que era sirvienta y ganaba salario mínimo. Por su parte, Heriberta se moría por un preso llamado Juárez, pese a que tenía ella un compañero que la ayudaba con abogados y mandándole cosas a la cárcel. Un día Juárez, un joven güerillo, fue sentenciado a cuatro años de cárcel. En consecuencia lloraba, estaba muy deprimido. Al día siguiente me enteré de que Heriberta le había mandado de celda en celda un calzón de ella usado.

—Por el amor de Dios —le dije a Heriberta—, ¿cómo haces algo así? Vas a provocar que perdamos el respeto que nos tienen.

—Ay, es que estaba tan triste.

—¿Y fuiste tan tonta de hacer algo así? A estas horas todos saben que le mandaste tus calzones y ve a saber cuántos los olieron.

En esos momentos olvidé que Heriberta se decía capaz de matar, que conocía técnicas, que era la más chingona. Yo sólo pensaba en lo que hechos como esos podrían perjudicarnos a todas. Siempre fuimos tratadas con absoluto respeto y no era justo que por imprudencias de las otras sufriéramos consecuencias. Más tarde Heriberta se quejó de que durante el baño de sol, en el que se puso a platicar con Juárez, en una celda uno de los presos se masturbaba viéndola.

En poco tiempo nadie la respetaba y el propio Juárez prefirió caerle a Edna, la sirvienta chaparrita y morena, desdeñando a la "rubia" alta y mandona. Heriberta decía que iba a matar a Edna.

—Una aguja clavada en la unión de los huesos de la cabeza bastaría —dijo en cierta ocasión.

Era verdaderamente incómodo volver a mi celda después de hablar con abogados o visitas y encontrarla leyendo revistas mexicanas de chismes, de las que me llevaban los abogados para que viera yo las barbaridades que inventaban y decían de mí. Lo peor era que Heriberta, con base en esas revistas, me preguntaba cosas que le contestaba escuetamente, tratando de que entendiera que usaban mi nombre para vender y decían porquerías de mí sin prueba alguna.

—Cualquiera puede escribir un libro sobre mí y llenarlo de porquerías, mentiras y estupideces. Ganan dinero y fama. Y nadie pide pruebas de nada.

—¿Cuántos libros vendió Aline?

— Qué sé yo. Según ella, 100 mil. Luego sacó otro la seudo escritora y dicen que van a sacar otros una tal Ga-bí y Karina ¡Explotadoras!

—¿Sin pruebas de lo que dicen?

—Sin pruebas. Aline sólo prueba que me conoció y muestra fotos de ella feliz casándose con Sergio. Y con eso sustenta mil aberraciones. Y a la tal Gabí ni la conozco, pero parece que conoció a Sergio cuando las víboras andaban de pie.

Mal que bien y dos que tres, Heriberta hablaba conmigo sobre todo para que le invitara pizzas, platicar cosas de su vida y ver qué me sacaba. Pero sus preguntas sobre los libros y el negocio que representaban me hacían tenerle todavía más desconfianza, sin contar lo súper escamada que me encontraba por actitudes como las de Aline, Guadalupe, Karina, Wendy. ¿Acaso confiaría en una traficante?

Si bien no ocultaba ningún secreto truculento, sí tengo una historia, pero no sería con ella con quien me abriría. Como ser humano, Edna me inspiraba mayor simpatía, aunque no confianza. La cárcel no es un lugar para confiar. Ahora pienso que el mundo mismo no lo es. Pero, bueno, la vida continuaba aun en ese entierro que significa la prisión.

Raquenel prácticamente no sostenía conversación con Heriberta. Mary se la pasaba en lo alto de su litera rezando mucho. La dificultad que representaba que alguien trepara a su espacio, la libraba de tener que armarse de paciencia para convivir un poco más de cerca con extraños. Yo dormía en la litera de abajo y las que llegaron después lo hacían en el piso, en sus colchones. Pero le cambié mi lugar a Heriberta, pues ella dormía debajo de la mesa y se quejaba de que caía comida en su colchón y peleaba con todas por cualquier arrocito. Preferí cederle mi colchón y dejar de escuchar sus reclamaciones.

A Edna le hice varios dibujos. Le encantaba que la dibujara y me lo pedía mucho. Edna era la más humilde y un día tuvimos un problema minúsculo. Estaba yo trapeando y se puso a criticarme porque no lo hacía lo suficientemente rápido. Sin pensarlo, le dije que no era sirvienta profesional. Edna se desató en llanto. No lo había dicho con maldad y le ofrecí disculpas por no haberme sabido expresar. Y le expliqué que igual, si hubiera estado escribiendo a máquina y ella hubiera criticado mi lentitud, le habría dicho que no era secretaria profesional, sin decirlo despectivamente. Total, hicimos las paces, pero por lo mismo que sabía que la chaparrita era muy sentida, cuidaba mucho no hacerla sentir menos.

A Ifigenia también la dibujé y le hice retratos de sus hijas. A Roberta le hice una tarjeta de cumpleaños, un dibujo que no le di y un retrato de un sobrinito que hice para practicar y pasar el tiempo.

Pero el tiempo comenzaría a pesar cada vez más, a transcurrir todavía más lento y doloroso.

# Capítulo veinte
## La violación

Un fin de semana un guardia de camisa blanca me llamó a la reja.

—Quieren hablar con usted.

—¿Conmigo? ¿Puede venir Mary?

—No, es sólo con usted.

—¿Quién?

El guardia no contestó. En algunas ocasiones nuestras preguntas no eran respondidas. Pensé que podía tratarse de algún abogado, pero me sacaba de onda que Mary no pudiera acompañarme. Para mi sorpresa, el guardia me llevó a la oficina de M y me dejó a solas con él.

M me dijo que sabía de lo que yo había hablado con C. El corazón me dio un vuelco. Tuve miedo, pero M me dijo que él me podría ayudar si yo quería. ¡Claro que quería!

Reiteró su creencia en mi inocencia. Me preguntó por mis sueños.

—¿Qué quieres hacer en el futuro? ¿Te gustaría seguir cantando? Tienes varios sitios en internet muy bonitos. Creo que es una gran injusticia lo que estás viviendo. Soy torcedor (aficionado) del Flamingo, tengo dos hijos.

Me mostró fotos de sus niños. Hablé poco, desconfiada. ¿Por qué me llamaba? ¿Qué quería? Como veía moros con tranchetes pensé que era algo referente a la extradición, pero…

—¿Estás enamorada de Sergio? Eres muy bonita, ¿sabes? Tengo problemas con mi mujer. Ella es muy especial, me asfixia estar con ella.

Ese día iba vestido con una playera de manga corta más o menos pegada al cuerpo y noté que exhibía los músculos de sus brazos con cierta discreción. Pero no soy boba, pese a no haber tenido muchas relaciones ni novios, sí fui cortejada muchas veces y él se estaba exhibiendo conmigo, posando, siendo simpático, adulador. Pero ponía freno a esas ideas, no era posible. "Seguro quiere alguna cosa respecto de la extradición", pensaba, y otra voz en mi conciencia me decía: "Le gustas, le gustas mucho".

Platicó conmigo más o menos 45 minutos y como me porté muy respetuosa y no rompí el hielo, se despidió de mí y mandó llamar al guardia para que me regresara a mi celda. Mary me preguntó qué había sucedido.

—¿Para qué te llamaron?

—No sé, no entendí nada. M sólo me habló de cosas personales. Fue raro ¿qué será?

—Pero tardaste mucho. ¿Qué pasó?

—Nada, te digo que sólo fue eso.

Hasta esa época, en la custodia sólo había presos de baja peligrosidad, pero un día cambió todo. Llegó Marcelo Boreli, jefe de una cuadrilla que había realizado el espectacular y famoso asalto a un avión con cargamento de oro, quien no había sido aceptado en otras prisiones porque carecían de suficiente seguridad.

Otra noche llegó una nueva presa, entró llorosa y enlodada, con pantalón de mezclilla y una camiseta entallada que revelaba que no traía *brassiere*. Pidió un cigarro, pero ninguna de nosotras fumaba. Pidió jabón y le regalé uno. Se bañó y le di ropa limpia. Era blanca, con el cabello pintado de rubio. Se sentó en el banco de la mesita de nuestra celda y contó su desgracia. Era la jefa de una la banda de narcotraficantes que escondían la droga en una lápida, pero tenían tiempo vigilándolos y los atraparon. Terminó la historia diciendo que uno de los policías le jaló la blusa para verle las tetas y cuando ella protestó, lo hizo nuevamente.

Me preguntó por qué me encontraba en prisión. Traté de explicarle, lo más por encima posible, la injusticia que sufríamos. Era muy tarde, ella era una desconocida que parecía bastante vividita y me cansaba explicar mi situación, pero recordando mi primer día de prisión traté de ser amable.

—¿Y tú, cómo te llamas?

—Roberta Manuzzo.

En la celda que era para dos, ahora estábamos cuatro mujeres, aunque no podía quejarme, en las de los hombres había hasta doce presos. Nosotras llegamos a ser ocho, cuando más. Lo que sí era una imprudencia por parte de la federal era mezclar a cualquier tipo de criminal, como Roberta, con nosotras, que éramos consideradas de buen comportamiento.

Yo seguía muy angustiada, y para colmo estaba completamente irregular en mis periodos y con dolor en el vientre, por lo que pedí una consulta con una ginecóloga particular, lo que es un derecho de cualquier presa. La doctora me mandó hacer análisis, lo que llevó buen tiempo, mientras me enteraba por Sergio que el papá de Wendy estaba pidiendo a los abogados que les fuera devuelta la propiedad de la playa y que la propia Wendy había mandado pedir cuentas. Querían dinero para no cambiar de lado.

¿Dinero? Por supuesto los abogados de Sergio no quisieron devolver la propiedad y no había dinero para nada. Alegaban que, como a Wendy la estaba involucrando Karina muy feo en todo el asunto y no tenía recursos para defenderse, lo mejor que se le ocurrió fue apoyar a Karina para evitar una demanda legal o la prisión.

Fue cuestión de días enterarnos de que Wendy daba temerarias entrevistas al estilo Karina y, lejos de contradecir lo que Karina había dicho, apoyaba sus versiones y le agregaba de su cosecha. A la pregunta de que si era verdad que ella había abortado, Wendy respondía algo así como: "Bueno, sí, pero Sergio me dijo que Gloria abortó ocho veces". ¿Qué?, decía yo en mi celda al leer la nota, llorando de indignación y sin oportunidad de defenderme. Estaba presa, de aquí a que la desmintiera pasarían semanas y esas respuestas pasaban a formar parte de la siembra de veneno que entretejían en mi contra sin pruebas. Me cargaban ocho abortos, lo cual era una perversa mentira, y por otra parte, aunque fueran 30, ¿qué tenían que ver elefantes pintos con papel de arroz?

Chismes y chismes de lavadero enredaban todo para desviar la atención de lo más importante: se me acusba de cosas sin fundamento. Chismes y chismes para que la gente exclamara al final: ¡qué horror!

Katya, horrorizada, le expresó a Sergio su consternación ante esta nueva traición, porque prácticamente derrumbó su esperanza de salir rápido de la cárcel. Efectivamente, el recurso que había interpuesto fue negado por el juez de consigna Talamantes y Katya, al igual que su familia, se enfureció debido a que el consejo del recurso provino de los abogados de Sergio. Ahora sería muy largo el camino para sacar un amparo como el de Marlene.

Mientras tanto decidí cambiar de abogado y le pedí a Reyna que me contactara nuevamente con Salvador. Él conocía mi caso desde antes de que fuera transformado en esa farsa judicial, incluso en su despacho había sido tramitado el divorcio de Aline. El abogado Cantú no había logrado nada a estas alturas y no era especialista en daño moral, como lo era Salvador; por otra parte mi abogado en Brasil, Grossi, habló conmigo y me informó que desistiría del caso.

—¿Por qué?

—No es problema de dinero, no.

—¿Entonces?

—Es que... yo no sabía que usted había tenido una hija con Sergio.

—¿Y eso qué tiene que ver con la extradición?

—Es que la relación entre abogado y cliente debe basarse en la confianza.

—Pero, por favor. Yo confié en usted. No entiendo qué tiene que ver una cosa con la otra. No tenía problema en que lo supiera. Sólo que no había tenido tiempo de contarle, casi no hemos hablado, usted viene poco y...

En fin, percibí que era un pretexto. El licenciado Grossi abandonaba mi caso, sí, pero por razones poderosas. ¿Qué razones? Grossi conocía a nuestro juez relator Neri de Silveira. Por la forma abrupta en que Grossi me abandonaba supuse que sabía algo, presentí que consideraba perdido el caso. Nuestro juez Neri de Silveira sería parcial. No quería perder la esperanza, pero la actitud de Grossi resquebrajó mi confianza.

Y mientras en México Wendy asumía actitudes karinescas, o alinescas, o mejor chapoyescas, y las hermanas De la Cuesta entraban en pánico y daban pretextos y quejas de malpasadas económicas, presiones sociales, familiares y de autoridades; y don Treisi, papá de las hermanitas, le gritaba histérico a Salvador Ochoa que él (el señor Treisi) sabía perfectamente bien que Sergio se había cogido a tres de sus cuatro hijas, que él (el señor Treisi) no era ningún pendejo; mientras, según dijo Salvador, Karla lloriqueaba y le pedía a su papá que se calmara.

—Pero eso sí no lo voy a permitir, que mi hija esté presa. Se hará lo que sea para que salga libre —gritaba furioso a Salvador, que no sabía ni que onda pues apenas estaba tomando el caso y Karla le suplicaba nos ayudara a todos.

En cuestión de semanas, si no es que de días, Karola le telefoneó a Sergio para pedirle dinero o para que les diera las propiedades que, él dijo, estaban sin registrar en Cuernavaca, pues se encontraban en muchos apuros económicos por su culpa. Sergio me dijo después del tonito déspota en que Karola le habló, más exigiendo que pidiendo o externando una necesidad; parecía lucirse frente a alguien que la escuchaba. Ella nunca había mostrado esa cara a Sergio, su verdadera cara, pero Sergio casi la mandó a volar y ella suavizó la conversación. Le dijo que ya no le hablaría tan seguido, que no sabía cuando volvería a hablarle, pero que no se preocupara, ella no haría lo de Karina.

Pobre Sergio, atribuyó el comportamiento de Karola a las presiones que sufría, pero yo pensaba que Karola debía de estar calmando su ansiedad con otro hombre y eso la envalentonaba para convertir a su "amado eterno" en objeto desechable. Por otra parte, sabía que Karola haría lo de Karina. En su ego no era posible que aquella a la que consideraba menos hábil mentalmente, menos seductora, espinillenta, corriente, vulgar, sin clase (aunque el destino las había hecho "rivales y amigas"), brillara más en algún escenario. Claro que Karola iba a querer aparecer. Podría apostarlo, pero no se lo dije a Sergio. ¿Para qué? Los abogados vendieron las propiedades de España para pagar honorarios, pero el dinero no era suficiente. Fueron a realizar la venta y de regreso de España trajeron un montón de antiguas cartas de las muchachas, así que fue una luz en el túnel ver que al menos algunas pruebas se habían salvado. Eran negativos y fotos de las muchachas paseando y cartas de todas, pero las que más necesitábamos eran las de Karina, y la propia Karina creía que ya no existían. Pruebas de su verdadera relación con Sergio pues, como dije antes, primero destruyó todas sus cartas de amor en México y después lo hizo Wendy. Por su parte, las hermanas De la Cuesta y Liliana eliminaron todo lo de Brasil y Argentina. Karina debe de haber dado por desaparecido también lo de España para atreverse a mentir tan cínicamente como lo hacía. Varias de sus cartas demostrarían que era ella la que no cuidaba bien del niño, la que no había querido tenerlo, la que le proponía jueguitos eróticos a Sergio, la que no era víctima ni inocente ni violada. La eterna mentirosa e intrigante Karina.

Además estaban las cartas que le mandaron a Sergio durante el tiempo que llevábamos presos, pero creo que Sergio jamás se imaginó que algún día tendría que utilizar tales cartitas como escudos contra el veneno que las mismas apasionadas escritoras destilaban contra nosotros.

En poco tiempo las víboras empezaron a hacer sonar el cascabel. Katya le habló por teléfono a Sergio y le dijo que ya no podía más, que él no imaginaba lo grande que era el problema, que lo que haría próximamente era lo mejor para todos, que el problema era demasiado grande, d-e-m-a-s-i-a-d-o, y le pedía disculpas y comprensión, "y no lo dudes, te quiero mucho". Sergio le pidió que pensara bien lo que iba hacer. Todavía se podía luchar, se podía ganar con unión, con fuerza, con... "No, no se va a ganar", le dijo Katya. Pero de cualquier forma prometió que iba a pensarlo.

También Karola le habló al otro día y le dijo a Sergio que no sabía cuanto tiempo más podría controlar a su familia; por la libertad de Katya venderían su alma al diablo. No esperaría más, ya no podía con la presión.

Supimos que Wendy había declarado ante autoridades, después nos enteramos de la sarta de estupideces que dijo en la audiencia.

La pregunta era: ¿Por qué diablos esa mujer que al contar tantas mentiras y barrabasadas se incriminaba y se volvía ante autoridades una delincuente confesa, estaba libre y dándole vuelo a la hilacha, mientras yo estaba presa sin pruebas en mi contra ni confesiones aberrantes? La respuesta es sencilla: no les interesaban ellas y llegaban a tratos inexplicables para hacerlas decir que eran cómplices de actos absurdos, pero al mismo tiempo decían que estaban sicológicamente dominadas por "Kalimán" Andrade. Y aunque eran bien mayorsotas de edad desde hacía varios años —hablamos de mujeres de veintitantos años—, bastaba que dijeran que habían llegado a las manos de Sergio siendo jovencitas de 15 o 16 años para no ser responsabilizadas de nada, pese a sus declaraciones.

¡Bruto! O sea que según esta nueva onda de las leyes chihuahuenses cualquiera puede unirse a una banda, luego pachanguearla con los cuates de la banda, un día planear un asalto, asaltar un banco, gastarse la lana, y cuando se le acabe, escribe un libro de cómo fue el asalto y con decir que tenía 15 años cuando conoció a los cuates de la banda, pese a que tenía veintitantos a la hora del asalto y a confesarse cómplice, no tiene bronca, se le considera víctima de la banda. Puede dar y cobrar entrevistas y recibir ganancias de libros y reivindicar su imagen ante la sociedad. ¡Qué cómodo! ¡Qué padre! ¡Órale, criminales de México, ya saben la receta, al fin que ya existe la jurisprudencia!

Algunas de las declaraciones de Wendy ayudaban y victimizaban a Katya, y como era de esperarse Katya y sus hermanas declararon contra nosotros. Pocas semanas después Katya salió libre so pretexto de no tener capacidad sicológica para enfrentar un juicio, ¿pero qué tal para dar entrevistas? Claro que cuando supe lo que decía en las entrevistas pensé que se había vuelto loca en la cárcel o con la bola de tranquilizantes que le dieron la temporadita que estuvo en el hospital. Pero no era eso, con plena conciencia las hermanitas brincaron de bando.

Absurdamente, Karina, que antes señalara a Katya como perversa, verdugo, vigilante, aparecía abrazando a "su amiga". Sólo era cosa de hacer lo que Karina o sus consejeros querían cambiar. Y lo peor era que el público se tragaba toda la historia. ¡Pero cómo no, si eran kilos y toneladas de periódicos y revistas, horas y años de programas aseverando cosas! Por algo dicen que de tanto repetir una mentira se vuelve verdad, y lo que pasa es que los mentirosos acaban creyéndosela ellos mismos. Ahora las presiones iban sobre Sonia y Marlene, y pese a no haber hablado con Liliana en meses, supimos que había dado una entrevista a TV Azteca. Por algunos comentarios de la Chapoy empecé a temer que fuera a hacer algo peor. Mi hijita, por Dios.

¿Qué pasaba realmente? Simple, mis enemigos tenían que configurar lo que habían inventado y pregonado: un clan. No podían hacer aparecer la red de prostitución que nunca existió, ni podían hacer aparecer la pedofilia. Aunque lo intentaron, incluso mostrando la foto de una niñita sin ropa y haciendo temerarias afirmaciones. Pero la mamá de la niña apareció tildando a Aline de mentirosa y queriendo demandar a una revista. Después de hablar con gente de la revista a la que quería demandar, terminó llamándome a mí "perversa mentirosa". Sepa la madre qué le dijeron, pero lo importante no es lo que esta señora dijo de mí después de ser manipulada, sino lo que dijo de manera espontánea al ver la imagen de su hija utilizada en la infamante mentira y lo que dijo se resume en que ¡Aline es una mentirosa!

Pero formar un clan sí era posible, y viendo lo que pasa actualmente, lo lograron. Formaron un clan, pero no el Trevi-Andrade, sino uno que debería llamarse "clan azteca y sus pirujetas". De esta forma podría evitarse demandas millonarias bien merecidas por la bola de calumnias que dijeron contra todo mundo y el acoso a particulares, familias, empresas. Es más, el mensaje es: "Gloria, aquí tienes una puerta, hazte la víctima, tú también puedes decir que fuiste maltratada, que llegaste con Andrade de sólo 16 años, que estabas sicológicamente dominada, que Aline, con ayuda de TV Azteca, te salvó, que Jesús entró en tu corazón, que la verdad te hará libre. La historia contada por los medios está perfectamente encaminada para que el público se trague la versión. Y quién sabe, tal vez hasta TV Azteca te reciba con los brazos abiertos. Claro, tú Gloria, tienes que reconocer como ciertas las cosas que te inventamos y de paso desdecirte de lo de Ricardo Salinas, al fin que si dices que Sergio lo planeó, lo inventó y te obligó amenazándote de muerte, todo mundo lo creerá y por supuesto saldrás libre".

¿A poco no parece propuesta del diablo? Una verdadera tentación para venderme a la mentira, para traicionar. Pero creo que nací defectuosa, me faltaron las dosis de egoísmo y deslealtad necesarias para sobrevivir en circunstancias como ésta. Me confieso incapaz de venderme, de hacerle mal a alguien para obtener un beneficio y he preferido morderme un huevo y sufrir toda clase de abusos, humillaciones y robos en un infierno que no merecía ni tiene justificación legal.

Liliana ya nos había mandado decir que por favor no la buscáramos. Que ella nos buscaría en cuanto las cosas se calmaran, por eso teníamos tiempo sin saber de ella. Esto sucedió al poco tiempo de que Sonia y Wendy regresaron a sus casas. ¿Y las cosas de mi hijita? ¿Y dónde estaba sepultada? Bueno, no era para entrar en pánico, ella dijo "en cuanto las cosas se calmen".

Qué difícil es explicar y transmitir los sentimientos de abandono que me invadían, el miedo, el asco. Tenía que rezar mucho pidiendo ayuda para que mi corazón se endureciera.

M me había engañado, no había cumplido su palabra. Pero pronto sería juzgada nuestra extradición y, según leyes y jurisprudencias, teníamos grandes probabilidades de ganar.

Por otra parte estábamos preocupados por la situación política en México. ¡Bendito Dios! Vicente Fox ganó y yo le había mandado una carta pidiéndole ayuda, justicia, y denunciando a Ricardo Salinas y mi situación. Pero Vicente Fox nunca contestó. Yo era de a tiro cándida. Vicente Fox cerraba tratos con Ricardo Salinas por millones de dólares. Y después uno de mis abogados me informaría que varios ejecutivos de TV Azteca estaban cerca del gabinete foxista. Y yo jodida, claro.

Por fin, en diciembre del 2000, llegó el día del juicio de extradición. El 7 de diciembre teníamos el Jesús en la boca. Mi madre y mi hermano Ramiro vinieron a acompañarnos en el juicio. Pobrecita, mi mamá estaba tan flaquita, con los ojos tan húmedos, ¡cuántas lágrimas! En la noche llegó Octavio para hablar con nosotros y en cuanto lo vi supe que habíamos perdido. La extradición había sido concedida.

No se basaron en la ley ni en el tratado ni en la jurisprudencia. Neri de Silveira leyó hasta el hartazgo las declaraciones de Delia González, Guadalupe y Aline, y según opinión de todos, familia, abogados y hasta periodistas, se notaba predisposición contra nosotros por parte del ministro incuestionable. Prácticamente nuestro juez relator actuó como fiscal, valieron madre las leyes.

No me sorprendí del resultado. A esas alturas era más que evidente que el asunto era político. Octavio estaba desolado y se mostró profundamente desilusionado de las leyes y autoridades brasileñas. A mi madre la golpeó con el micrófono una entrevistadora de TV Azteca y le dio una patada con el afán de provocarla. Todo fue grabado por otros medios y televisoras, pero tampoco eran novedad las agresiones de estos impunes seres que igualmente han agredido a artistas como Paulina Rubio.

¿Y ahora qué? ¿Cuándo seríamos extraditados? Tenía miedo por nuestras vidas. La pesadilla parecía caer en lo más profundo de un sueño, como si se viviera en una especie de estado de coma, sin saber siquiera si algún día íbamos a despertar. Mi madre puso una denuncia en Brasil contra las agresiones de la reportera de TV Azteca, Laura Suárez, quien misteriosamente viajó a Argentina mientras Patricia Chapoy anunciaba que tenían una historia escalofriante, macabra, respecto de la muerte de mi hija. Una historia que terminaría de hundirme.

¡Carajo! Sepa la madre hasta dónde puede uno ser hundido. Porque en TV Azteca decían terminar de hundirme casi todos los días y nada. O será que ellos me hunden sin contar con que sigo nadando y tratando de salir de toda la mugre en la que quieren ahogarme. Sólo de Dios he podido adquirir fuerza.

Las chicas estaban nuevamente unidas, con excepción de Sonia y Marlene que, como ya dije, siempre mantuvieron una cierta distancia con las otras.

Katya tenía sólo cuatro meses de haber salido de la cárcel cuando nos enteramos de que, junto con Karola, había sufrido un accidente. Iban acompañadas de sus novios y de Milton, el hijo de Karola. Sergio moría de angustia por la salud del niño. Sentí lástima por Karola. Pese a todo, sé lo que es perder un hijo. Afortunadamente, según supimos, el niño se recuperó, pero el novio de Katya murió en el accidente. La familia del muchacho no permitió la entrada de las hermanas al velorio. Que Dios me perdone, pero no pude evitar pensar que lo mal habido no dura.

Por otra parte ¿pues no que Karola y Katya estaban traumatizadas sexual, mental y moralmente por las penas y violaciones sufridas? Para cuando ocurrió el accidente ya tenían meses de noviazgo. ¡Qué recuperaciones tan milagrosas! Wendy también le mandaba correos electrónicos a Sonia invitándola a participar en el clan que, ahora sí, ellas formaban, y contándole de su nuevo amor.

La Navidad estaba próxima. Envié tarjetas de felicitación por correo a Nayra, Roberta y Pepita (la española de Río). Edna, Ifigenia, Mary y yo hicimos adornitos para arreglar un poco la custodia. Mi mamá me había llevado algunas bolsas de dulces americanos, de esos que venden por centenas, y preparamos paquetitos de dulces para todos los presos. Yo soy obstinada en conmemorar el nacimiento de Jesús y la cárcel no me lo impediría. El 24 para amanecer 25, Mary y yo cantamos para los presos.

En enero recibí un sobre que tenía como remitente Ana Treviño, y la dirección donde ella murió, enviado de Río de Janeiro con sello del 13 de enero. ¡Qué perversidad! Lloré y puedo apostar que por ahí del 13 de enero Liliana y Laura Suárez (la periodista de TV Azteca) estaban en Río. Ese día se cumplía un año de nuestra detención.

Desesperada y convencida de que me habían robado a mi niña, y sabiéndome chantajeada, le escribí a los abogados de México y Río para hacer una denuncia, pero todos me dijeron que no era el momento, que podía hacerse un escándalo y estando yo presa no tendría oportunidad de defenderme. Era cosa de esperar un poco. La prioridad era mi libertad, ya libres podríamos hacer todo lo demás. Los abogados preparaban una solicitud de refugio.

Pero lo más importante para mí era saber dónde estaba mi hija, ¡cuántas ganas de gritar hasta que el aullido me desgarrara la garganta y el dolor de la carne me aturdiera el dolor del alma!

En una entrevista le dije a Adela Micha, reportera de Televisa, que no sabía dónde estaba mi hija, y Patricia Chapoy, según dijeron mis abogados, pronta me contestó: "Pues si quieres saber dónde está tu hija, vente a México y yo te digo". Algo así fueron las palabras de la mujer esa. El mensaje era "desiste del pedido de refugio". Quería presentar una denuncia por ocultamiento de cadáver contra Liliana, Chapoy y Laura Suárez, pero de nueva cuenta todos me pedían esperar. Mi mamá contrató nuevos abogados. El licenciado César Fentanes y Roberto Flores se encargarían de mi defensa y Salvador Ochoa continuaría con el asunto de demandas contra Aline, Karina y Guadalupe. Fentanes, estudiando mi caso, descubrió 20 irregularidades o crímenes cometidos contra nosotros para mantenernos presos.

Mary y yo estábamos nuevamente solas en la celda. Edna salió porque se venció el plazo de su juicio e Ifigenia se escapó aprovechando un descuido del policía que la llevó un día al médico. Otro preso famoso llegó a la custodia. Era Fernandino Beira-Mar, considerado el narcotraficante más poderoso de Brasil. Para nuestra sorpresa, fue colocado en la celda cuatro, es decir, al lado de la nuestra, la tres.

Mientras tanto me llegaban chismes de que Roberta Manuzzo sacaría un libro hablando de mí. ¿Que qué? ¿Pero qué podría decir esa mujer de mí? Roberta, traficante confesa, también había salido por vencimiento de plazo, como Edna ¡esa justicia! Por su parte, Karina, sacaba y promovía su libro. Me despedazó saber lo que decía de mi hija. Y más me dolía saber que cuando en entrevistas le preguntaban al respecto, ella decía que "si querían saber compraran el libro".

Mercenaria sin entrañas, usaba la memoria de mi hija como gancho de ventas de su libro. Decía que Sergio me había ordenado ponerle unas cobijas a la niña para que no se escuchara su llanto y así mi hija había muerto asfixiada. Pero se contradecía al decir que mi hija era muy consentida y tratada mejor que cualquiera de los otros hijos de Sergio. Por otro lado, decía que había tratado de revivir a mi hija y le había pasado una Coca-Cola *light* por el cuerpo para ver si reaccionaba. También decía que mi hija tenía varias horas de muerta pero —estúpida contradicción— que tal vez si hubiera tenido alcohol habría podido hacer algo por revivirla.

Infame, mentirosa, diabólica. Para mí fue evidente que nunca quiso a su hijo como yo a mi hija. Y la hipócrita se la daba de salvavidas frustrada cuando en la realidad había ayudado a las otras a clavarme en el suelo y a taparme la boca para acallar mis gritos. Ella se plantó en la puerta y me impidió salir a un hospital antes de que mi cordura estallara como un foco fundido, y en su libro confesó algo que no sabía, algo que me estremeció, me asustó. Según Karina, ella celebraba sus aniversarios de la relación con Sergio los días 13 de noviembre, y como mi hija había muerto en esa misma fecha, "la conocedora de los motivos de Dios" se atrevió a blasfemar diciendo que Dios me había castigado. ¿A mí?

¿Dios castigarme a mí quitándole la vida a una inocente? ¿Porque en alguna época pasada Karina había andado de puta con Sergio en esa misma fecha? No pude evitar pensar horrorizada en la posibilidad de que hubiera sido la propia Karina la que me hubiera "castigado". ¿Pero cómo concebir tanta maldad en una muchacha de 17 años? Todavía hoy me rehúso a aceptar esa creencia, aunque las pruebas de su maldad, incluso contra su propio hijo, sean muchas. Considero un exceso algo así. ¿Y yo? ¿Cómo podría perdonarme no haberlo supuesto antes, no haber protegido a mi niña de algo así? No quiero creerlo. También decía suponer que Mary había descuartizado a la niña. Pobre Raquenel, llorando, repetía: "Mis abuelitos se van a morir con esas cosas. Mentirosa, Karina. Mentirosa". Sé que Mary sería incapaz de algo así, ¿para qué? Y los abuelitos no se murieron, sólo el señor sufrió derrame cerebral. ¡Cuánto daño, Karina! ¡Qué cristiana!

Llegó a nuestra celda Renata, una muchacha que al parecer formaba parte de la cuadrilla de Boreli. Tenía poco de haber ingresado cuando el 3 de mayo, muy temprano, llegué a la reja de mi celda. Quería preguntarle a Bandeira si acaso había llegado mi abogado, pues me había prometido que vendría. Bandeira liberaba a los presos para el baño de sol cuando alcancé a ver que Daniel (de la cuadrilla de Boreli) le apuntaba la espalda con un arma. Asustada, desperté a Mary y en voz baja le avisé lo que estaba pasando. También desperté a Roberta y nos fuimos a esconder detrás de la bardita de cemento del baño. Mientras tanto, Roberto, Daniel y Boreli intentaban huir con Bandeira de rehén. Pero Bandeira arrojó las llaves de las celdas a través de la reja de la custodia. Los presos mostraron al guardia que tenían amenazado a Bandeira y ordenaron que les abrieran la reja. Pero el guardia corrió, lo mismo que nuestro abogado, quien presenció la escena.

"Ya era", escuché decir a los presos mientras arrastraban a Bandeira por el corredor. "Ya era", en el lenguaje de la cárcel, es como decir "ni modo, ya le tocaba". ¡Dios! Pensé que matarían a Bandeira, quise salir a rogar por su vida, pero y si por andar defendiendo a un policía me mataban a mí o a Sergio. Además, el miedo paraliza. Ahí empezó la rebelión. Bandeira, junto con otros presos, fue encerrado en una celda mientras los amotinados colocaban colchones en las rejas que daban al corredor y despedazaban las cámaras; las únicas celdas cerradas eran la de Fernando y la de las mujeres. Lo primero que dijo Boreli a los guardias de afuera fue: "Si no hacen lo que pedimos, vamos a matar a Gloria y a Sergio, vamos a matar a los mexicanos".

Era un corredero y un desmadre en el corredor. Llegó Daniel a nuestra celda y llamó a Renata. "No se apuren —nos dijo— las vamos a respetar, sólo queremos que Gloria nos ayude a llamar la atención de la prensa". Si era sólo eso, era capaz de vestirme de sapo y bailar la cucaracha. Trajeron el celular de Bandeira y me lo pasaron para que habláramos. Mary moría de pánico. La entendía, ellos podían decir misa, pero nosotras no teníamos garantías.

Luego trataron por todos los medios de abrir nuestra celda con el pretexto de sacar a Renata, pero yo tenía el nada místico presentimiento de que podía ser tomada como rehén de estimación y salir como el cohetero. Pero no era hora de mostrar miedo o desconfianza, los señores podían sentirse y eso sería peor.

Afortunadamente, en las horas de anarquía les fue imposible abrir la celda pese a los múltiples esfuerzos. Una de las veces que intentaron abrirla le tomé una foto a los que serruchaban el pasador y otra foto a Roberto y Daniel. Yo tenía la cámara con rollo porque otro preso me la prestó. La rebelión duró hasta la tarde, en que las autoridades llegaron con la cuadrilla al acuerdo de transferirlos a sus ciudades de origen donde al menos podrían ser visitados por sus familiares.

Se llevaron a todos, incluida Renata, pero a Boreli lo regresaron prácticamente al día siguiente, pues la prisión de su ciudad no quiso recibirlo porque no tenía seguridad suficiente. Así que Boreli regresó a la custodia y por supuesto empezó un infierno, todos fuimos castigados por la rebelión. ¿Y yo qué?

Fuimos revisados sin ropa y nos quitaron televisor y ventilador. Hicieron un desbarajuste tremendo en nuestra celda, rompiendo cosas y quitándonos hasta alimentos de los que nos llevaba la visita. Los polis tenían que demostrarnos a los presos quiénes mandaban ahí y se ensañaron.

Al pasar el efecto de la adrenalina me sentí físicamente mal. Tuvieron que llevarme al médico pues tenía la presión baja y ansiedad de vómito. Hacía unos dos meses que no me bajaba, pues tenía un problema de ovulación que no había podido cuidar correctamente. Me diagnosticaron laberintitis y estrés.

Retiraron a Bandeira de jefe de la custodia y pusieron a cargo, por unos días, a dos personas que no sabían nada de custodiar presos, los señores Muñiz y Ulises, quienes por otra parte nos esposaban dentro de la celda para sacarnos a cualquier cosa, fuera ver al abogado o ir al baño de sol. Era terriblemente humillante y absurdo, porque los de la rebelión ni estaban, a excepción de Boreli. ¿Por qué todos teníamos que ser castigados? Un día de los primeros de mayo, acabada de pasar la rebelión, Muñiz llegó y me llamó.

—Abogado.

—¿Sólo yo?

—Sí.

—¿Puede venir Mary?

—No, uno por uno.

Me esposó dentro de la celda y me sacó. Me extrañó que me llevara al área de la recepción, y casi inmediatamente nos encaminamos a la oficina de M, donde Muñiz me dejó a solas y esposada.

En cuanto Muñiz salió, M aseguró la puerta y me abrazó. Yo sentía mi cuerpo ponerse tenso y tragaba saliva con miedo y desconcierto, pues él me abrazaba como se abraza a un pariente o amigo muy querido cuando acaba de salvarse de la muerte. Separándose un poco me dijo que había estado muy preocupado por mí durante la rebelión, que estaba enamorado de mí, que había tenido miedo de que me hicieran algo y se mostró preocupado y afectivo. Me repitió lo que ya antes me había comentado. Que Marcelo Boreli debería estar muerto porque "un bicho de esos no presta". Volvió a abrazarme. Le pregunté cuándo me iba a ayudar, cuándo cumpliría su promesa, y me dijo que pronto. Me empezó a besar, me colocó de espaldas a él y me recostó sobre la mesa. Yo con las manos esposadas volteé a verlo y percibí que él veía hacia la ventana mientras lo hacía; estábamos sólo parcialmente desnudos.

No recuerdo bien cómo regresé a mi celda. Estaba en *shock*. Venía del susto de la rebelión y hacer eso me hacía sentir sucia y estúpida, porque yo no quería y para colmo él no había cumplido con su palabra. Pero como ya había pasado, quería que él hiciera lo prometido. No deseaba que nadie supiera lo que estaba ocurriendo, tenía vergüenza y no sabía qué hacer. Estaba atrapada en una especie de círculo vicioso, otro más en mi vida.

Pasaron algunos días. Yo estaba cada vez peor anímicamente y mi madre fue a verme, pero Muñiz no me dejó verla más que unos pocos minutos, con vidrio de por medio y hablando por un interfón. Así que decidí pedirle a Muñiz que tuviera compasión y me permitiera verla un poco más. Hablé con él desde mi celda y él, en el corredor, me negaba la posibilidad.

—Es que el reglamento establece una visita a la semana.

—Pero con todos los presos, cuando los familiares viven lejos, hacen excepciones. Por favor, Muñiz, no recibo visitas durante el año, o muy pocas, y siempre lo han permitido. Incluso Rómulo prometió que cuando viniera mi familia permitiría que los viera un poco más.

—Pues Rómulo no dejó nada escrito.

—Muñiz, te prometo que no voy a decir nada de que me llevaste...

—¡Habla bajo! —me gritó cortándome. Me sentí muy humillada ahí, rogándole a ese imbécil. Me llené de rabia y de valor. Sentí que si yo bajaba la voz en ese momento sería peor que un perro.

—Así hablamos en mi tierra.

—Baja la voz —ordenó de nuevo.

—Por qué, si no estoy diciendo nada que no puedan escuchar los demás.

—Baja la voz —me gritó acercándose a las rejas de mi celda en forma amenazante.

—¿Qué? ¿Vas a golpearme? Sólo eso les falta.

Me dio la espalda, se fue caminando por el corredor y empecé a subir la voz en vez de bajarla. ¡Ah, qué bien me sentí! Pero después nos quitaron el televisor y a Sergio lo trasladaron de una celda donde tenían presos con buen comportamiento a otra donde estaban los conflictivos. Lo hicieron sólo para castigarme, sabían que podían presionarme más perjudicando a Sergio y a Mary que a mí. Y, por supuesto, no me dejaron ver a mi madre, la cual tuvo que regresar a Estados Unidos sin saber lo que pasaba conmigo.

En la custodia afortunadamente quitaron del cargo a Muñiz, que estaba provisionalmente, y pusieron una ronda de guardia a hacer la custodia; es decir, un equipo diferente cada dos o tres días; o un día sí y un día no; una semana unos, una semana otros. Ya ni sé bien, porque era un revoltijo sin pies ni cabeza. Y por el otro lado yo necesitando de la embajada para dar y revocar poderes, pero siempre tenían pretexto para retrasar las cosas. Mientras, era bárbaramente robada en México. Karla cobraba mis regalías y trataban de vender el terreno con el que deberían garantizar el pago de mi trabajo de años. Descubrí la crueldad y la hipocresía humana: Liliana, descaradamente, se unía a las otras en programas de entrevistas y aparecían todas cínicamente en programas de polémica como el de Cristina y se paseaban por Miami exhibiendo a sus hijos como si fuera un orgullo formar parte de un escándalo que ellas mismas provocaban, aumentaban y ensuciaban. ¡Qué vulgares!

A finales de mayo, después del expediente, uno de los policías que ahora atendían esporádicamente la custodia y del cual no conocía el nombre, me sacó de la celda y me llevó con M, dejándome a solas con él. Me dijo M que no podía dejar de pensar en mí. Y me pasó las manos por el cuerpo. Apenas pude decirle que no quería y empecé a llorar. Sentía como si me fuera a desmayar, me sentía débil ante tanta injusticia, humillación y horror. No era él. Era todo. Me puso en el piso. Incluso me cubrió la cara con la camiseta que yo traía puesta y no lo vi mientras lo hacía. Pero notó que estaba muy desesperada, peor que nunca, y al acabar no conseguía yo calmarme ni dejar de llorar. Me juró y perjuró que ahora sí me ayudaría. Me lo prometió mucho y sólo así logró calmarme. A esas alturas no quería saber más de un hombre tocándome ni nada. Estaba asqueada. Triste destino el mío en el amor y en las relaciones.

Por fin cumplió su palabra. A principios de junio M hizo lo que me había prometido. Tenía como dos meses sin que me llegara mi periodo. No temía estar embarazada, pues el retraso era anterior a las últimas relaciones, pero por esos días me enteré de la nueva versión de Liliana sobre la muerte de mi hija y me enteré también de que esta mujer había entregado fotos y ropas de mi niña para ser exhibidas en el programa "El ojo del huracán". Pruebas de amor eran usadas para despertar el morbo y el interés en tres historias aberrantes.

Empecé a sentirme transformada, sentía la sangre de mis venas ardiéndome por el veneno que llevaban a mi corazón. No conocía el odio hasta entonces. Nunca antes había odiado a nadie. En ese momento entendí el significado de lo que dice la Biblia: "Al que haga caer aunque sea al más pequeño de los míos, más le valdría ponerse una piedra en el cuello y arrojarse a lo más profundo del mar".

Lo que esas personas me habían hecho era peor que si me hubieran matado. No sólo era mi cuerpo sino mi alma la que sentía perderse en ese sentimiento horrendo que secaba mi boca. Sentía que me estaba momificando, consumiendo, y sentía más odio por odiar. Durante algún tiempo fui incapaz incluso de tomar la Biblia y abrirla. Llegaba a mi mente la idea de matarme de forma obstinada. Con las navajas de afeitar podría cortarme las muñecas aprovechando la noche, mientras Mary dormía o rezaba. Ya no me importaba nada, ni esperanzas ni orgullos ni afectos. No quería vivir más, no quería ni pensar si era pecado o no. Sí, finalmente le daría gusto a mis enemigos. Tanto decían que me quería suicidar, tanto me habían inducido a hacerlo con la persecución, que la verdad ya me valía madres, y si me pudría en el infierno de seguro también tendrían que dar cuentas de mi alma y la de ellos. Los odiaba tanto. Mi niña... Sólo estaba esperando a que llegara el día en que me bajara. "Ese día me mato", pensaba tragándome lágrimas saladas y amargas, recostada en la cama con el cuerpo más muerto que vivo. Pero pasaron unos días, unas semanas, ¿por qué no me bajaba?

Ese día sentía el alma y el cuerpo separados, abominándose. Consideraba a las putitas de Sergio seres diabólicos y, pese a no creer en la versión de Liliana, me sentía muy sacada de onda con Sergio. ¿Por qué había confiado en Liliana? ¿Por qué había dejado que esa mujer estúpida se llevara a nuestra hija? Liliana nunca había sido capaz ni de hacer bien la compra de un mandado. Sabía que ella mentía, pero ¿por qué había confiado en ella? ¡Mi hija! ¡Nunca recuperaría a mi hija! ¡Qué veneno me consumía!

Entre sus macabras historias y las cositas de mi niña que Liliana mostraba en TV Azteca, destacaba una cruz con la que me dijeron que la niña había sido enterrada. Ahora, según ella, mi niña había sido arrojada a un río en una bolsa de plástico, sin siquiera una señal cristiana. No creía en esa versión, pero algo me mataba. La cruz que mostraban se veía sucia, sin brillo, como si hubiera sido desenterrada. ¿Por qué diablos esas personas daban la nota casi seis meses después de haber anunciado públicamente que tenían una macabra noticia? ¿Qué habían venido a hacer en enero a Río y por qué dejaron pasar tanto tiempo? Patricia había dicho públicamente que sabía dónde estaba mi hija y que si yo volvía a México lo diría.

¿Qué hicieron con mi hija? Qué odio, Dios mío, y cómo me odiaba a mí misma por no haber tenido la fuerza de espíritu ni mental para acompañar lúcidamente a mi niña. Para protegerla de las bárbaras acciones y palabras de esas mujeres. Me odiaba y me deseaba la muerte con ese cuerpo que sentía las estúpidas y egoístas manos de M. Quería aullar, pues no me consolaba ningún afecto, ninguna persona. Sentía a mi familia sufriendo tanto por mi causa, que no por mi culpa, y pensaba que todos estarían mejor sin mí. Pero no me llegaba. Era tanta la negatividad de mi ser que necesité abrir la

Biblia. Por primera vez en muchos días lo haría, pues no sé cómo explicarlo pero para no perder la fe preferí dejar de rezar, así al menos tenía la excusa de que Dios no escuchaba de mis labios la injusticia que estaba sufriendo. Y por otra parte, creo que ver a Karina con la Biblia bajo el sobaco, y saberla en el programa "Otro rollo" dándoselas de predicadora, pero destilando odio, mentiras y crueldad, me provocó un sentimiento adverso a las actitudes hipócritas.

¿Cómo leer la Biblia o rezar si me sentía francamente incapaz de perdonar lo que habían hecho con mi hija, con su memoria, con sus cosas? Peor en ese momento casi de muerte. Sin embargo, alcancé a reconocer en el fondo de mi ser que todavía había alguna luz, me sentí extrañamente inclinada a abrir la Biblia y al abrirla al azar me mostró "El canto de Ana". Era el agradecimiento a Dios de una mujer estéril que le había pedido un hijo y él se lo concedió.

Mi corazón se emocionó. ¿Ana? Abrí la Biblia nuevamente y apareció ante mis ojos Isaías 54, que en su totalidad me llenó de ilusión, esperanza, gratitud y emoción.

Un fragmento dice: "Canta estéril tú que no dabas a luz, pues te extenderás a derecha e izquierda y tu descendencia gobernará las naciones por unos instantes. Con ira te negué mi rostro, pero hoy te recojo con infinita piedad y con amor que no tendrá fin".

Al terminar de leer todo Isaías 54 lloraba emocionada y feliz. Cuando abrí otra página de la Biblia y leí "La anunciación", ya no tenía dudas, supe que estaba embarazada.

¡Qué locura! En mi situación, y pese las circunstancias, sentí materialmente cómo mi ser se regeneraba en esos segundos de comprensión. ¡Un milagro! Dios me mandó una caricia. De repente estaba ahí el motivo para vivir, para luchar, para soportar por lo menos durante algunos meses una vida en mi vida. Tenía la bendición y la encomienda de Dios para estar en este mundo. Sentí que perdonaba todo y a todos. Era tanta la creencia en mi embarazo que tuve miedo de estar soñando.

M me buscó a la hora de nuestro baño de sol y me llamó desde la reja que daba a la recepción de la dependencia. Me acerqué y él me saludó discreto pero con aire de héroe, al fin y al cabo había cumplido su palabra y empezó a *paquerar* (coquetear).

—¿Mejor, Gloria?.

—Sí, mejor.

—Yo con mucho trabajo. Y extrañándote, ¿sabes? Aquel día tal vez no lo notaste, pero yo sí te vi y me preocupé. Quisiera que pudiéramos hablar en privado, porque aquí al lado ya sabes ¿no?

—Estoy embarazada —le dije lo más seria posible y él se cayó de los dos escalones que daban a la reja.

—¿Qué? ¿De quién? ¿Estás segura? Pero ¿cómo, qué no tenías problemas?

Estaba pálido.
—¿Qué vas a hacer? ¿Qué vas a decir?
—Nada, yo creo que si Dios quiere antes saldremos libres.
Hablaba sinceramente. Mi madre acababa de contratar nuevos abogados y empezaban a aparecer nuevas esperanzas por todos lados.
—Trataré a toda costa de evitar escándalos. Estoy cansada.
—Gloria, por favor. No puedes contar lo que pasó. ¡Por favor!
—Te lo prometo, o.k., te doy mi palabra, no contaré nada.
—Por favor, soy casado, mi familia —ahora se acordaba.
—Créeme que no contaré nada —le dije lo más convincente posible.
Luego les conté a Sergio y a Mary mi sospecha, pues todavía no tenía confirmación clínica, y a toda pregunta de ellos respondí con evasivas. No obstante, un día me salió un poco de sangre. ¿Sería posible que me hubiera equivocado? Conseguí una cita con mi ginecóloga. Coincidentemente ese día Cecilia Soto, la nueva embajadora de México, iría a llevarnos por fin unos documentos. Apenas si la saludé y me llevaron a la doctora. Lógicamente, para mí era mil veces más importante esta cita. Tenía meses de no ver a la médica, una mujer joven y simpática que trataba de atenderme digna y humanamente y solicitaba a los policías que no presenciaran los exámenes ginecológicos, por lo que solían esperar detrás de la puerta.
En cuanto tuvimos un poco de privacidad le dije lo más bajo que pude:
—Creo que estoy embarazada.
—¿Cómo? ¿Tienes visita conyugal?
—No puedo contarte, y es mejor así.
—Tu problema hormonal es muy difícil, Gloria, ¿tomaste el medicamento para regular?
—No, no me lo dieron, tuve un problema con uno de los guardias.
—Entonces tal vez es eso. Como no has tomado el medicamento, no has corregido el problema, y puede darse el caso de que por el estrés y lo delgada que estás, tengas retrasos de seis meses o...
Todo esto lo decíamos en voz baja, mientras preparaba ella el aparato de ecografía. Sin embargo cortó la frase al deslizar el aparato y descubrir algo grande. Sí, ahí estaba.
—¿Estás viendo eso?
—Estoy —le dije sonriendo y llorando de emoción al ver por vez primera al bebé de ocho o diez semanas perfectamente reconocible. El pequeño ser se movía dentro de mí. Estaba embarazada.
Por esos días llegó una nueva presa, Leda, una mujer gorda acusada de estafa. ¿Cómo esconder mi embarazo? Tenía dos opciones. Mantenerme muy delgada o engordar mucho. Adelgazar embarazada podía ser malo para el bebé. Mejor subí de peso, así la panza pasaría por gordura. Empecé a comer mucho por ahí del cuarto mes. Nada de que salíamos libres y el embarazo empezaba a notarse sin ropa. Tenía pánico de sufrir una revisión. De M ya

no sabía nada, y uno de esos días, en la madrugada, me despertó el sonido de unas llaves y el ruido de pasos. Eran guardias trayendo a Marcelo Boreli ¿A esas horas? ¿De dónde?

Me dio la impresión de que estaba lastimado, golpeado, pero no pude ver bien y mejor que no me vieran a mí. Me quedé quieta en mi cama, mejor no moverle. Al día siguiente abrieron las celdas de los hombres para el baño de sol. Claiside había asumido el cargo de la custodia, pero luego luego percibí algo raro. Liberaron el corredor, lo cual hacía meses no sucedía. Se escuchó el rechinar de tenis y zapatos en el suelo. Varios presos corrieron; uno de ellos organizaba y daba órdenes a los otros. El que organizaba llegó a nuestra celda y me dijo: "No te preocupes, no es con Sergio, te doy mi palabra".

—¿Qué van a hacer?

Leda empezó a llorar y escuchamos a alguien gritando.

— Van a matarlo.

— ¿A quién? ¡Por Dios!

—Ayer me avisaron los de mi cuadrilla que hoy matarían a alguien.

—¿Por qué no nos dijiste?

—Porque si ustedes llegaban a soplarle a los policías luego también se las llevarían.

—¡Por el amor de Dios!

El hombre gritaba horrendamente mientras se escuchaban los golpes que varios presos propinaban al que estaban ejecutando. Sí, era una ejecución. El hombre gritaba, pero nadie venía ayudarlo, no venían los guardias, no venía nadie. Mary, desesperada, se acercó a la reja y gritó:

—¡Ey, Claiside, ey!

—Mary, cállate, ven —le dije.

Me había dado cuenta de que todo estaba armado, la policía estaba de acuerdo. Eran minutos de golpiza, de tortura, de gritos, el olor de la sangre inundaba el ambiente.

—Yo soy hombre —fue lo último que escuché gritar al preso.

Claro que entendí a Mary y su grito y deseo de ayudar a la persona que estaban matando. No sabíamos quién era la víctima, pero no hacía diferencia, era un ser humano. Pero, por otra parte, hay algo que se llama instinto de supervivencia. Si gritábamos nada nos garantizaba que no fuéramos las próximas. Además tenían a Sergio a su merced y era evidente que no gritaríamos más fuerte que el desgraciado y que incluso, gracias a las cámaras del corredor y el patio, estaban más que enterados. El hombre dejó de gritar y escuché que lo sacaban al patio. El olor a sangre era abominable. Habían pasado veinte minutos de que iniciara el linchamiento cuando claramente se escuchó una voz por las bocinas del pasillo.

—¡Vuelvan a sus celdas!

Todos regresaron a sus celdas y llegaron guardias a cerrarlas. Pasó más tiempo, calculé unos 40 minutos. Era evidente que el hombre se desangraba en el patio. Llegaron unos hombres con una camilla y una bolsa de plástico negra. Venían a recoger el cadáver. Pasaron sin prisa y regresaron corriendo. Poco después pasaron otros que parecían doctores o paramédicos con el hombre que había sido golpeado. Tenía la cara, si no es que la cabeza, toda deformada, pero lo reconocí por los pantalones. En ese momento pensé: "Pobre Marcelo, sólo tiene esos pantalones, esos tenis". Nunca había pensado en ese criminal considerado peligroso y de actitud tan orgullosa. Tenía meses sin recibir visita de algún familiar y meses con la misma ropa. De seguro no tenía ni un quinto, pero era orgulloso para admitirlo. Sentí compasión por él. En la tarde llegó Rómulo, supuestamente él personalmente preguntaría a los presos lo que sabían, pero en realidad el reyecito, como le decían, se paseó por el corredor riéndose como si sus niños hubieran hecho una travesura. Luego se paró en la celda del preso que dirigió el linchamiento y les dijo en tono de broma, pero también picándolos: "Hicieron mal el trabajo".

Escuché risas de la celda y entonces recordé que unos tres días atrás, varios de esos presos, incluido el líder, habían hablado con Rómulo. En la madrugada trajeron a Marcelo de algún lugar. ¿Qué estaba pasando? Prefería no saber nada. Era obvio que era peligroso. Por las noticias supimos que el estado de salud de Marcelo era crítico, que tenía fractura craneana y estaba en estado de coma, al menos eso dijeron.

Por la noche roló cachaza (alcohol de caña brasileño) por las celdas. Nosotras, aparte de no beber, no sentíamos ánimo de unirnos al ambiente de celebración. Definitivamente qué lugar tan horrible. Durante la noche mejoró Marcelo. Fue casi increíble, surrealista. En la mañana, poco después que soltaran a los presos para su baño de sol (pues curiosamente, pese al linchamiento no hicieron revisión ni quitaron televisores ni pusieron ningún castigo) lo vimos regresar caminando con la cabeza enorme y mal vendada. Apenas si salieron los guardias que acompañaron a Marcelo a su celda y se escuchó el rechinar de tenis y zapatos de presos corriendo por el pasillo. Eran ellos de nuevo, tratando ahora sí de matarlo. No tenía ni cinco minutos de haber llegado y los escuchaba organizándose para meter colchones en la celda de Marcelo y prenderle fuego.

¿Fuego? ¡Por Dios! Nosotras estábamos presas en nuestra celda sin ventanas, sin salida, y yo embarazada. Marcelo gritaba: "¡Qué horror morir quemado!" Nosotras también gritábamos pidiendo ayuda. Los presos salieron al patio, el humo inundaba nuestra celda, los presos empezaron a gritar: "¡Las mujeres! ¡Las mujeres!" Entraron guardias y empezaron a tratar de apagar el fuego. Mary se estaba desmayando.

—¡Por favor, Claiside, ábrenos, sácanos de aquí! —le dije al verlo en el comedor. Él tenía las llaves. Ya era difícil respirar, las instalaciones eléctricas empezaron a explotar, pero no nos abrió. Todavía tardaron unos minutos en llegar con una manguera de bomberos y entonces nos sacaron. Mary necesitó ayuda para salir, pues estaba casi desmayada. Inmediatamente nos esposaron y ordenaron que nos acostáramos en el suelo, bocabajo, cosa que no quería hacer por miedo a lastimarme el vientre, es decir al bebé, así que busqué una forma de acostarme sin lastimarlo. Esposadas sobre el agua y en medio de instalaciones eléctricas chispeando, teníamos miedo de morir si no quemadas o asfixiadas tal vez electrocutadas.

Los bomberos sacaron a Marcelo, el hombre estaba con el cuerpo quemado y asfixiado con el humo, pero vivo. Al parecer había logrado arrastrarse hasta la llave de agua del baño y colocarse bajo ella, abierta, y consiguió salvar la vida.

Por otra parte, tendríamos en esos días una audiencia con las personas de CONARE, es decir, con algunos de quienes decidirían si nos concedían o no el refugio. También había dado algunas entrevistas para televisión y, justamente antes de los siniestros ocurridos en la custodia, Claiside me preguntó si era cierto que yo estaba embarazada. Lo negué, pero no me explicaba cómo lo sabía. ¿De dónde había salido la información?

Marcelo ya no regresó a la custodia. Lo transfirieron a otra prisión, en otra ciudad. El organizador pasó un día por nuestra celda y amablemente nos dijo: "Alcahuete muere en la calle". Luego me dirigió la mirada a mí directamente, como enfatizando.

—No sé de qué estás hablando.

—De todo, Gloria, sé que tú me entiendes. Cuando se promete no hablar, uno cumple.

Sentí un frío que me recorría la columna. ¡Sabía! ¿Qué tenía que ver lo que estaba pasando conmigo? No le contesté nada y me quedé seria. Luego él sonrió conciliador y dijo:

—Aquí las cosas van a mejorar, y mucho, ya verán.

Gracias a Dios nunca lo vimos, y digo gracias a Dios porque no sé cuál era su concepto de mejorar. Nosotros tuvimos nuestra cita en CONARE, donde explicamos nuestra situación, pero durante mi conversación con ellos el señor Luis Paulo y la señora Elizabeth Sussekind me preguntaron si estaba embarazada. Pensé que a ellos debía contarles la verdad, pero me sorprendió que les hubiera llegado el rumor. Lo que sí me enojó fue contar las circunstancias. Estaba asustada por todo lo que había sucedido en la custodia, por la amenaza. Conciente y firme en mi promesa, por más que insistieron me negué a contar. Ellos confirmaron mis temores, diciendo que corría peligro en la custodia; el hecho de salir embarazada en un lugar donde no podía tener visita íntima representaba un escándalo y una vergüenza para la policía federal. Según ellos definitivamente no podía seguir siendo custodiada por la policía federal.

Así, tres días después la noticia fue que el nuevo bloque de Papuda era inaugurado con la transferencia de la cantante Gloria Trevi, acusada de corrupción de menores. ¡Cómo detesto esa etiqueta falsa y estúpida! ¡Cuánto daño me ha hecho!

La transferencia fue hecha con lujo de malos tratos. Mary y yo fuimos esposadas con las manos atrás y subidas en la parte posterior del Cangurón. Sergio iba en otro que marchaba a una velocidad absurda y peligrosa, botando por los topes y baches. Nos llevaron a un lugar cercano, donde nos revisarían para ver que no estuviéramos maltratados. Un médico me pidió que le mostrara las piernas y con eso fue suficiente para especificar que estaba en buena forma física, sin maltratos. Yo, que sólo pensaba en ocultar mi embarazo, di gracias a Dios. De ahí seríamos llevadas a Papuda, un lugar que estaba a unos 50 minutos de distancia. La forma en que rebotábamos en la parte de atrás de esa camioneta, que no tenía el mínimo acolchonamiento, me preocupó por mi estado. Eran demasiados golpes y me atreví a pedir a los policías que no fueran tan rápido.

—Por favor, es que nos estamos lastimando.

—O.k. —respondió el conductor, pero, como si hubiera pedido lo contrario, fue un botar y rebotar todo el camino.

Tratando de proteger al bebé como pude, me recosté de lado, evitando los golpes que habría sufrido sentada y que son peligrosos para mujeres en mi estado, pues un sentón puede dislocar la cabecita del bebé. Y esa carrera absurda saltando sobre todo tipo de baches, banquetas y topes, y yo con las manos esposadas atrás y en ese cajón de metal, parecía adrede.

Al llegar a Papuda, los federales avisaron a la policía civil que se encargaría de la custodia que no era necesario que nos revisaran, pues ya lo habían hecho. Di gracias a Dios y pensé que había sido un acto de caridad para evitarnos la humillación, pues la realidad era que no habíamos sido revisadas.

No quería que se supiera de mi estado, lo cual era muy difícil de ocultar sin ropa. Más tarde, en la celda, descubrí que tenía varios moretones en el cuerpo, provocados por el traslado. Tal vez el pedido de que no fuéramos revisados no había sido el acto caritativo y humano que yo había imaginado.

Papuda es un lugar horrible. Las condiciones eran sinceramente peores. No podíamos tener televisor como cualquier otro preso (incluso los condenados pueden). La visita sólo podía llevar seis piezas de fruta por persona (frutas pequeñas como manzanas, naranjas, peras). Claro que pensé en la posibilidad de que me llevaran una piña, una sandía, un melón, pero no se podía. Y galletas. Sólo eso, ningún otro tipo de alimento. Sólo podíamos tener un libro por celda y cuatro cambios de ropa por persona. Las únicas cosas que parecían mejores era que las luces se apagaban en la noche y que teníamos ventanas.

La desventaja era que las ventanas no tenían vidrio, y sin luz en la celda, era un infierno sentir el enjambre de zancudos atacándonos, zumbando, picando. Yo me daba golpes en el cuerpo para ver si les atinaba... y les atinaba. Al amanecer encontraba varios embarrados en mi cuerpo. Cómo detestaba a esos mugrosos insectos. Solía esperar despierta a que amaneciera para cazar a los desgraciados antes de que se salieran todos empanturrados de tanto chuparnos la sangre. Se parecían a algunas viejas corrientes que conocí alguna vez, así que no iba a dejar que estos también me chuparan la sangre y se fueran bien contentotes. En cuanto empezaba a distinguirlos les pegaba una correteada y llegaba a matar 30 o 40 en unos minutos. La pared de nuestra celda estaba llena de manchones de sangre. ¿De los mosquitos? ¡No! Nuestra, pues nuestra era la sangre que se habían tragado.

Fue cuestión de días que estallara el escándalo de mi embarazo y que mi panza fuera más visible. No obstante, me llevaron a hacerme una ecografía para confirmar mi estado. Claro que nadie se preocupaba por el prenatal ni nada, y le encasquetaban la paternidad de mi hijo a Boreli, a Sergio y, remotamente, a algún carcelero. Por mí todos se podían ir al cuerno con sus deducciones. El bebé se movía dentro de mí y lo amaba. Pasaba las horas haciéndole ropita y tratando de comunicarme con él mediante caricias, palabras y música. Cada vez era más difícil ir al baño, pues también en Papuda era un agujero en el suelo y no era fácil hacer sentadillas en mi estado.

También estaba engordando mucho, pues casi no podía caminar en la reducida celda, y la alimentación era básicamente arroz, que comía por completo tratando de sustituir con proteínas lo que no tenía de vitaminas naturales. Gracias a Dios, Roxana me había dado vitaminas para embarazadas y mi alimentación era básicamente esa, y bebía Coca-Cola, pues el agua no era potable, por lo que cuando se podía —y no era siempre— mandaba comprar "cocas" a la tiendita de la cárcel y me las tomaba aunque estuvieran calientes.

Los que trabajaban en la cárcel sabían de mi estado y solían mandarme betabel, verdura que casi no me gusta pero que me comía por el hierro, y así logré evitar una anemia. Los abogados consiguieron mejorar un poco las cosas, autorización para un televisor pequeño y que no quitaran la electricidad de las celdas en la noche. También empezó un extraño desfile de personajes: diputados, gente de derechos humanos y comités de paz que nos visitaron y que me hacían una presión del carajo para que contara lo sucedido. Al mismo tiempo, en las noticias la policía federal daba su versión de los hechos. Según sus investigaciones yo me había embarazado mediante inseminación artificial y el padre probable era Boreli, como lo demostraba una carta escrita por el asaltante de aviones. Claro que cuando vi el noticiero quedé atónita y entendí, o al menos creí entender, lo que había pasado en la custodia.

Claro que sentí más miedo de abrir la boca, aunque no tenía la mínima intención de hacerlo. Lo único que quería era que mi bebé naciera sano y bien y lo dejaran tranquilo. Y si se podía, de paso a mí también. Pero claro que no se podía, ante la posibilidad de ganar el refugio. Liliana viajó a Brasil. ¿Con qué dinero? ¿Quién sabe? Y por supuesto TV Azteca la acompañó y en Río declaró ante las autoridades que había tirado el cuerpo de mi hija a un río, entre otras cosas, y se largó como iba, o sea como pedo, de regreso a Argentina.

¿Por qué no la arrestaron si se estaba confesando culpable del crimen de ocultación de cadáver? Quién sabe, pero de que estaba bien asesorada, no cabe duda. Y de que con eso provocaron un escándalo y afectaron la decisión del refugio también. Por todos los frentes éramos atacadas. Elizabeth Sussekind, elemento clave de CONARE, fue invitada a Cancún de paseo y regresó de México diciendo que el país respetaba los derechos humanos y no corríamos peligro de vida. Sí, seguramente Cancún es igualito a Chihuahua. Pero, ni hablar, nos negaron el refugio y los abogados entraron con otros recursos.

El día 26 de diciembre, después de otra Navidad presos, tratando de darle importancia al día por su significado, a nuestra pobre manera, llegaron personas de la dirección. Desgraciadamente casi todos los que formaban parte del comité de CONARE trabajaban en ministerios públicos, con excepción de los representantes de Caritas, asociación de ayuda a los pobres en todo el mundo.

Alguna vez en México, cuando me encontraba en el pico de la fama, Carlos Amador, director de Televicine, me invitó a participar en un comercial de cine para pedir al público que cooperara con la asociación y también para asistir a un acto. Y en mi revista mandé hacer un reportaje de la asociación. Esto lo hice sin cobrar, como hice en otros casos referentes a ayuda social, actos considerados caritativos, donaciones a asilos y orfanatos, que nunca quise hacer públicos y sólo comento aquí porque considero bonito lo que sucedió con Caritas. Por lo que habían dicho en los periódicos de que en México estaba prácticamente excomulgada, y sabiendo que la asociación es en esencia católica y que el director en Brasil era un sacerdote, temí que me dieran la espalda. Por el contrario, fue muy hermoso recibir al padre Ubaldo en Papuda, confesarme y comulgar después de tanto tiempo, recibir palabras de aliento y consuelo del representante de mi iglesia, que me prestaba su hombro para apoyarme en esos momentos difíciles.

Sé que mi imagen era patética con el cuerpo hinchado por el embarazo y la alimentación, con ropa vieja y gastada —uno de mis cuatro cambios lavado y relavado—. Hice un triste intento de verme no tan mal vestida y mostrar dignidad, sin gota de maquillaje —eso está prohibido en Papuda—, con los cabellos opacos por el agua sucia con que tenía que lavarlos, y los ojos ansiosos y tristes, como los vi reflejados en un espejo que tenían los policías en el cuartito que permitieron que hiciera las veces de confesionario. No, no parecía una *pop star*.

Sergió lloró al sentirse escuchado por Ubaldo. Sergio, también con ropa vieja, sus zapatos sin agujetas, delgado; Mary flaquísima, pálida y con los ojos cansados de tanto llorar. Me dolió vernos tan despedazados físicamente, pero tercos en continuar viviendo, salir libres, esperar que la justicia llegue algún día para explicar nuestra inocencia, la injusticia, la persecución, el miedo. ¡Dios es bueno, no cabe duda! Poniendo nuestra angustia en personas como el padre Ubaldo y la hermana Rosita, uno conserva algo de esperanza en la raza humana.

# Final
## La esperanza

El 26 de diciembre llegaron varias personas y policías para darme la sorpresiva noticia de que sería transferida de inmediato al hospital para ser internada hasta el día del parto, a petición de los abogados, quienes aprovechando que mi juez relator, por no llamarlo verdugo, Neri de Silveira, estaba de vacaciones, solicitaron al presidente del tribunal, el señor Marco Aurelio, mi traslado al hospital. Y lo autorizó.

En Papuda no existía enfermera ni condiciones para tener a una mujer con más de siete meses de embarazo sometida a mil presiones, mal atendida y con una alimentación deficiente. Pero ya le tenía miedo a todo. Me daba pánico separarme de Mary y perder el escaso contacto que tenía con Sergio. Además la custodia sería realizada por policías federales. ¿Y si me hacían algo? Al llegar al hospital un enjambre de periodistas, como siempre, tomaba fotos y preguntaba estupideces.

—¿Quién es el padre de su hijo?

¡Como si les fuera a contestar! Al llegar al cuarto de hospital donde me quedaría, vi espantada que era un cuarto más amplio que las celdas donde había vivido durante casi dos años, con dos camas de hospital, baño con inodoro y regadera con agua caliente.

Empecé a llorar y pregunté cuánto iba a costar. Si me decían que costaría algo, con toda la pena del mundo hubiese pedido que me llevaran de regreso a mi celda. No tenía dinero. No tenía ni cómo ni con qué pagar lo que debía a mis abogados y familiares. No podía cargar con más gastos.

Me explicaron que el hospital era del estado y que yo era su responsabilidad, lo mismo que el bebé, y no costaría nada. ¡Dios bendiga a Brasil! Vibró mi corazón. ¡Cuántos millones de impuestos pagué a México! Y mis impuestos debían haber pagado aunque sea una milésima de los sueldos de mis perseguidores, de los funcionarios corruptos que permitieron invasiones públicamente concedidas en mis propiedades, robos y abusos, crímenes perversos. Y no sólo lo permitieron sino que participaron en todo eso. Y en Brasil al menos un ministro se preocupaba porque mi bebé naciera bien.

Así empezó mi prenatal y dispuse de cuidados que hasta entonces no había podido tener. Por fin me atendieron una infección urinaria y me hicieron exámenes de sangre. El primer día me llevaron la cena y me pareció un banquete: arroz y frijoles separados, pollo asado (pierna y muslo), papas cocidas, un plato de ensalada y flan de postre. Pero al comenzar a comer sentí como el alimento se atoraba en mi garganta. Hubiera querido convidar a Mary y a Sergio, compartir un poco de comida decente, y lloré por ellos.

Tomé un baño eterno bajo el agua caliente. Las condiciones de mi cuarto eran las mismas de todos los cuartos. En realidad no había ningún lujo ni la comida era tan maravillosa si uno llegaba de casa, pero yo venía del infierno y todo me parecía celestial. Sin embargo, me sentía sola sin Mary y sin Sergio. Pronto hice amistad con las enfermeras, con las encargadas de la limpieza, con las que llevaban la comida y hasta con los policías federales que me vigilaban día y noche, pero mi amistad, hasta hoy, está llena de miedos y desconfianza, dudas e incredulidad. Es decir, ya no me abro porque en cualquier momento espero una puñalada, pero no puedo evitar encariñarme, conmoverme.

Rosita me siguió visitando en el hospital, lo mismo que Silvia. Por esas fechas los abogados me dijeron que había un diplomático que quería conocerme si yo aceptaba su visita. Cesario es un hombre muy culto, agradable, de poético corazón que acarició mi ego halagando mi música y me emocionó al regalarme una pieza de Roberto Carlos que se llama "Luces linda esperando un bebé".

Por otra parte, las presiones de delegados, diputados, comisiones y prensa no cesaban. Gracias a Dios mi mamá llegó a Brasilia antes de lo que había planeado, pues en febrero todos los días daban la noticia de que estaba en trabajo de parto.

Mientras tanto M metía la pata por todos lados. Pedía llevar la investigación de mi embarazo, luego pedía hablar conmigo. Hacía tratos con Roberta Manuzzo mediante su abogada y hacia cualquier cosa para que me preguntaran por él. Incluso emprendió acción legal para impedir que su nombre y su imagen fueran divulgadas por los medios, mientras que cartas y chismes de los presos que se referían a mí eran exhibidos en la prensa.

Tuve que declarar en una investigación muy payasa y tendenciosa, en la que el delegado me informó que habían pasado más de seis meses y penalmente no se podría actuar contra nadie, cosa que por otra parte no era mi interés. Luego sufrí la humillación de que más de 60 policías federales se juntaran como mosqueteros para dar sus muestras de sangre y que se hicieran con mi hijo pruebas de ADN. Me sentí humillada y me parecieron muy cobardes, pues yo no acusaba a nadie.

Mis abogados me garantizaron que no podrían hacer pruebas de ADN sin mi autorización, porque era anticonstitucional. Quería que dejaran a mi hijo tranquilo, por el amor de Dios. Un amigo mío del hospital, uno de los médicos, me informó que los encargados de la investigación habían pedido a nombre de mi hijo (¡qué descaro!) que se recogiera la placenta para hacer pruebas de ADN en presencia de un policía federal, y la justicia había concedido eso. Informé a mis abogados, quienes actuaron para anularlo; no obstante, Neri (siempre Neri) mandó que en su momento la placenta se congelara para posterior decisión y (al menos) que no participaría ningún fiscalizador de la policía federal.

Todo esto me tenía emocionalmente mal. Por si fuera poco lo que vivía, me arrancaban un derecho mínimo y elemental, no sólo de cualquier madre soltera sino de cualquier niño: el derecho de privacidad. Fue un golpe muy doloroso ver que la justicia decidía dar mi placenta para análisis, pues eran sesenta y tantos policías sospechosos y querían decidir en favor de la honra de ellos pasando por encima de mí y de mi bebé. Y, claro, de todas las mujeres a las que yo representaba en ese momento. Lo peor era que yo no había acusado a nadie. Ellos solos se apuntaron para dar sus muestras. ¡Cínicos! Incluso un juez dijo que podía procesarlos por calumnia. Cuántas lágrimas, cuanta humillación: mi placenta era mundialmente discutida como si fuera un bicho raro.

Dentro de tanta tempestad, tristezas y tragedias, el 15 de febrero, día de mi cumpleaños, hubo un respiro. Por unas horas pareció que estaba en la isla de la fantasía, pues Dios me regaló un día muy bonito. Unas fans brasileñas cantaron bajo mi ventana. Pese a que no quería dar imágenes a los medios, pues me tenían súper escamada, cuando supe que empezaba a llover y las fans estaban mojándose, mi corazón de pollo no resistió y me dirigí a la ventana para agradecer su cariño al pequeño grupo de rebeldes. Y los fotógrafos y camarógrafos aprovecharon.

Recibí flores de mi familia y regalos de fans de varias partes del mundo para mí y para mi bebé. Regalos humildes, llenos de cariño y detalles, de Mary y Sergio. También enfermeras y doctores se acordaron de mí y me permitieron comer una hamburguesa de Macdonald's, y los chicos de la cocina me mandaron helado. Mi mejor presente fue una ecografía y ver a mi bebé precioso. El médico calculaba que por la posición y todo, faltaban unos 15 días para que naciera. El bebé estaba bien, pero tenía el cordón umbilical rodeándole el cuello, aunque no era de peligro. Si durante el parto el bebé no se desenrollaba (o se enrollaba más) el doctor sólo tendría que quitarle el cordón del cuello a la hora de salir. Nada complicado, según me dijeron.

Pero el día no podía terminar en paz, perfecto. El delegado Claudio y el procurador Alexandre llegaron en la noche y entraron a hablar conmigo después de amenazar y presionar a los porteros y personal del hospital. Después de saludarme, Claudio esperó afuera del cuarto y el procurador y yo tuvimos una charla de casi dos horas en las que trató de convencerme de una propuesta: que yo reconociera públicamente que mi hijo era de Sergio Andrade y eso nos ayudaría a los dos a evitar la extradición. Según él, quería ayudarme, pero le pregunté qué pasaría si luego hacían los exámenes del ADN y resultaba que Sergio no era el padre. Quedaríamos como mentirosos.

El procurador dijo que se comprometía a retirar las muestras de sangre de Sergio para que las pruebas de ADN no se realizaran. En ese momento vi con claridad que el hombre no tenía la mínima intención de ayudar. Prometí que lo pensaría. Esa noche lloré nerviosa. Al día siguiente me enteré de que Sergio había sido amenazado si no decíamos que él era el papá. Colocarían a un policía cualquiera y reclamarían la paternidad. Era absurdo, pero ¿acaso no era mi situación absurda? Empecé a pensar en tener a mi bebé en el baño. Qué locura, qué miedo, qué angustia.

A las 6 de la mañana del día 18 de febrero desperté con ganas de ir al baño, pero al bajar de la cama un líquido empezó a caer entre mis piernas.. Eso debía ser lo que llaman romperse la bolsa. Mi corazón saltó y me invadieron los nervios y el miedo. Me quedé quieta y cuando dejó de salir líquido tiré una sábana al piso y con los pies la pasé para secar el suelo. Luego fui a la puerta y tranquilamente pedí a los policías autorización para llamar a mis abogados.

—Es que van a venir y antes de que salgan quiero pedirles unos documentos.

—Claro, no hay problema.

Le hablé a Octavio a su casa.

—Sí. ¿Qué pasó? —su voz sonaba alarmada. Por la musiquita de larga distancia supuso que era yo, y a esa hora...

—Octavio, ¿a qué hora llega Gerardo?

—Está en el aeropuerto, llega en la mañana.

—Urge que consiga algo... Rápido... Ya.

—¿Ya? ¿Ya qué?

—Ya es hora.

—¿Ya? O.k.

—Bueno, apúrense, por favor.

Fui a mi cuarto como si nada después de saludar a una de las enfermeras. Trataba de mostrar calma. Me senté en la cama y pensé nuevamente en la posibilidad de encerrarme en el baño y tener allí al bebé. Podía amarrar la agarradera de la puerta a la regadera. Tal vez eso me daría el tiempo suficiente para que, en lo que rompían la puerta, pudiera tener al niño y tirar la placenta por el inodoro. Claro que yo no sabía cómo era una placenta (no alcancé a verla en mi parto anterior), pero esperaba poder hacerlo. Era cosa de preparar una navaja de rasurar para cortar el cordón umbilical. ¡El cordón umbilical, Dios mío, rodeando el cuello de mi bebé! Decían que no era peligroso, pero eso en un parto asistido. Sería peligroso sin asistencia. Lo único que no haría por nada del mundo sería poner en riesgo a mi bebé. Decidí encender la tele para tranquilizarme. Estaban las noticias de la mañana en Globo y... .

"Noticia de última hora. La cantante mexicana Gloria Trevi acaba de entrar en trabajo de parto, según información proporcionada por sus abogados."

La mandíbula se me fue al suelo. No me esperaba eso. Cuatro minutos después, si mucho, llegaron dos enfermeras riéndose. Estaban recibiendo llamadas de varios medios porque "yo estaba en trabajo de parto otra vez, ja, ja, ja". Les sonreí y les dije: "Pues creo que sí".

Se les congeló la sonrisa y me hicieron varias preguntas, tomaron mi presión y salieron a avisar a los doctores.

—Te habla tu mamá —me avisaron.

Los policías hablaban con no sé quién por sus celulares. Fui a contestar el teléfono y le confirmé a mi mamá la noticia. Pocos minutos después estaba ahí conmigo, igual que el doctor Ángel. Me pusieron suero y contaban los minutos entre contracción y contracción. Había tanta diferencia entre mi parto de Ana y éste. Ana de mi corazón, esta vez no sentía el frío infernal y mamá estaba a mi lado y aunque sentía en mi garganta el nudo de la angustia y la incertidumbre también sentía algo similar al despertar.

Estaba despertando de la pesadilla del 13 de noviembre. Cada golpe de dolor provocado por las contracciones me despertaba más y más. Sentía cómo volvían mis fuerzas y mi carácter. "Tengo que luchar, que defenderme, que protegerle". Dios me estaba devolviendo lo mejor de mí.

—No puedo más —le dije al médico, y me llevaron en silla de ruedas a la sala de partos en la planta baja. Me sentía mareada por el dolor de las contracciones, veía mucha gente corriendo a mi alrededor. Sabía que afuera del hospital un enjambre de cámaras, cables, grabadoras, fotógrafos y reporteros se arremolinaban en espera y en busca de alguna noticia. No pude evitar mi sarcasmo. ¡Noticia importante! De seguro Brasil y México no podrían sobrevivir sin ella. De pronto estaba más desnuda que vestida sobre una cama de partos. Me contorsionaba por los dolores, pero esta vez usarían anestesia.

—Por el amor de Dios —le supliqué al doctor—, póngala ya.

Nervioso preparaba la anestesia. Los nervios lo consumían porque no era un parto más, era de mucha responsabilidad. Todos los ojos estaban sobre nosotros. ¡Y cuántos ojos!

Alguien tomó mi mano. "Estoy aquí", me dijo. Era Roxana. Sentí un poco de alivio, pero al anestesista se le cayó la jeringa. Tenía que prepararla de nuevo, pero ya no había mucho que esperar. Vi a una policía federal. "¿Qué está haciendo aquí?", dije. No habían dejado entrar a mi mamá pero, pasando por encima de la disposición del juez, sí dejaban entrar a un policía federal. Tuve miedo de que le hicieran algo a mi bebé. Sé que era absurdo pensar que pudieran hacer algo con tantos testigos, pero en esos momentos domina más el instinto que la razón. ¿Por qué no dejaron entrar a mi madre? ¿Por qué no dejaron filmar? "Que salga", supliqué. Nadie me hizo caso.

Otra contracción. Ya no podía más. Me enterraron una aguja en la espalda. Era la anestesia. Otra contracción. Seguía doliendo, pero un poco menos. "Empuja", me decían. Un médico preguntó al doctor Ángel: "¿Presiono el abdomen?" "No, va bien". Otra contracción. "Empuja". Empujé, grité con todo el dolor de los últimos dos años y nació mi hijo en posición de mirar a las estrellas y gritó. Gritó mi última tristeza callada. Me lo pusieron en los brazos lleno de sangre y líquidos de la placenta.

Empecé a llorar lágrimas muy dulces, como hacía años que no las sentía. Mi corazón se llenaba de luz, de amor, de milagros. Vi hacia una mesa y estaban envolviendo en plástico transparente mi placenta. Me sentí en una carnicería, sentí impotencia, miedo. Aun en ese momento sublime y mágico era humillada, despojada, pisoteada. Se llevaron al niño y no dejé de temblar y de llorar. Me sacaron en una camilla con ruedas y esperé en un pasillo. Gente, enfermeras y simpatizantes me felicitaban y animaban.

—¿Y mi bebé?

—Ya viene, lo están limpiando.

Unos minutos y al fin lo colocaron en mis brazos. Lloré mucho con él. Y reí. Reía y lloraba al mismo tiempo, pues tenía en mis brazos los secretos del universo. Ahora sabía que vencería, que había vencido. Gracias a Dios por darme la fuerza para lograrlo.

*En justicia serás consolidada.*
*Mantente lejos de la opresión, pues ya no temerás,*
*y del terror, pues ya no se acercará a ti.*
*Si alguien te ataca, no será de parte mía;*
*quienquiera que te ataque, contra ti se estrellará.*

ISAÍAS 54

FIN

Continuará...

# Dos testimonios sobre nuestro caso

## ¿Qué país es este? ¿Qué somos?*

Gabriel, hijo de Gloria Trevi, está preso, sin derecho a visitas, sin los derechos previstos en nuestro Estatuto para niños y adolescentes... Sin haber cometido infracción alguna... Tiene apenas tres meses de edad.

Su madre no ha sido juzgada ni condenada en su país. El encarcelamiento de Gloria en Brasil está basado en un cúmulo de errores judiciales. Les falta dignidad humana a nuestros "hacedores de justicia" brasileños para reconocer sus errores. No son humanos, son dioses. Los dioses no se arrepienten de sus decisiones.

Gabriel nace fruto de un embarazo sucedido en la cárcel de la policía federal. Local y autoridades que deberían cuidar la integridad física de la detenida, que no tenía permiso para visitas íntimas. Se abusó sexualmente de ella. Se ha llegado al cinismo de interpelarla judicialmente como si realmente tuviera una actividad sexual por propia voluntad, y así se ha divulgado.

Gloria ha sido usada durante toda su vida por la empresa que la representa, por los medios, por los escaparates políticos, por los buenos y malos samaritanos.

Antes estaba presa en una jaula dorada para garantizar su seguridad. Los mismos que cuidaban su seguridad son hoy responsables por este nuevo tipo de seguridad.

¿A quién pertenecen los derechos autorales de Gloria? ¿Ella era la dueña o una empleada de la empresa que la representa? ¿Quiénes son los dueños o las dueñas de la empresa que la representa? ¿En dónde está el patrimonio del fenómeno mexicano Gloria Trevi?

Gloria ha perdido irremediablemente más de dos años de su vida. Hoy, tiene a Gabriel, con tres meses de edad, que también se encuentra en la tercera delegación de policía de Brasilia, detenido por el crimen de haber nacido en suelo brasileño y haber sido registrado como tal.

---

* Este texto ha sido escrito por Leda Menegusso, asesora del diputado federal Luiz Eduardo Greenhalgh, y se publicó en la prensa brasileña e internacional el pasado 25 de julio.

Lo que más me intriga es que ninguna autoridad o sus representantes han conseguido explicarme cómo es posible que un ministro del Supremo Tribunal Federal, un magistrado altamente calificado, ignora o simplemente desconoce un documento fruto de las leyes que dieron origen en 1990 y 1991 al Estatuto para niños y adolescentes. Principalmente el capítulo II, que se refiere al derecho a la libertad y al respeto de la dignidad. Si fuese un practicante quien decidiera que ese bebé fuera llevado a la delegación de policía, sería un escándalo comprensible...

Gloria no es una presa común. Es una presa que está bajo la responsabilidad del Supremo Tribunal Federal. No puede estar en una prisión común, junto a otros tipos de presidiarios ni en penitenciarías masculinas de alta seguridad, con condenados de alta peligrosidad, sin siquiera estar juzgada o condenada en su país.

Para esconder una cadena de errores jurídicos sucesivos, hemos llegado a la aberración de encerrar a un bebé en la cárcel.

Alguien podría decir: pero si tenemos una prisión común donde las detenidas amamantan a sus hijos hasta los seis meses de edad. Es necesario recordar a la autoridad que manifestó ese pensamiento que Gloria no es una asesina, ni una traficante, secuestradora o corruptora de menores, según viene clasificada en los medios. ¿Hasta cuándo seguiremos callados nosotros, ciudadanos comunes, periodistas, parlamentarios, jueces, organismos de defensa de los derechos humanos, de las mujeres, de los niños y de los adolescentes, la UNICEF, etcétera...?

Me avergüenzo profundamente de no tener ninguna respuesta que ofrecer a los ojos escrutadores de Gabriel, de tres meses de edad, o de Gloria, de 30 años, pues les ha sido robado casi todo.

Amo mi país en el fondo de mi corazón. Sería capaz de morir para defenderlo. Pero hoy me avergüenzo de los poderes constituidos y de la ceguera que los ha envuelto desde la primera orden de encarcelamiento, llena de errores, solicitada por una remota provincia mexicana y concedida sin tiempo para valorarla jurídicamente, además que de antemano ya sentenciaba a Gloria.

Si se hubiera cumplido un procedimiento normal nada de esto habría pasado. Gloria se embarazó sin tener derecho a visitas íntimas. Fue violada sexualmente por un funcionario dentro de las dependencias de la Policía Federal. Le fue interceptada su placenta. Tuvo un parto con decenas de espectadores y confiscadores de placenta, sentando peligrosos precedentes jurídicos. Hemos asistido a todo esto callados. Quisiera recordar que los regímenes de excepción en nuestro país siempre comenzaron con excesos semejantes y que la Ley de extranjería que tenemos sigue siendo la misma de los regímenes autoritarios e impuestos a la fuerza en el país. A fin de cuentas, ¿para qué preocuparnos? Ella sólo es una "chiquita seductora de autoridades ingenuas"

Ojalá podamos dormir tranquilos mientras Gabriel y su madre intentan dormir en una celda de la Tercera delegación de policía en Brasilia.

Que mis lágrimas no sean en vano y pueda volver a sentir orgullo de ser brasileña, a exaltar la dignidad de nuestra Justicia, a respetar a las autoridades legalmente constituidas y elegidas para defender los derechos de la persona humana.

Que podamos también difundir las numerosas pruebas que demuestran la absoluta falta de respeto a los derechos humanos en México.

## Denuncia de hechos

El pasado 28 de agosto, Gloria de los Ángeles Treviño Ruiz, María Raquenel Portillo Jiménez y Sergio Gustavo Andrade Sánchez ("inculpados, actualmente detenidos en Brasil sujetos a Procedimiento Internacional de Extradición"), a través de su representante legal César Fentanes Méndez, presentaron ante el Procurador General de la República, Lic. y General Rafel Macedo de la Concha, una "Formal Denuncia de Hechos y Omisiones en contra de la Administración de la Justicia" para que "se abra la Averiguación Previa por todos y cada uno de los Delitos cometidos en agravio de los inculpados por todos y cada uno de los funcionarios de la Procuraduría General de Justicia de Chihuahua y por los Jueces Cuarto y Sexto Penales del mismo estado, así como por el Procurador General de la República en funciones entonces (1999), Lic. Jorge Madrazo Cuéllar; del Director General de Asuntos Jurídicos Internacionales de la misma dependencia, Agustín M. De Pavía Iturralde; y del entonces Director General de Interpol México, Juan Miguel Ponce Edmonson; y también del Director General de Asuntos Jurídicos de la Secretaría de Relaciones Exteriores, Carlos Pujalte Piñeiro; del entonces embajador de México en Brasil, Jorge Eduardo Navarrete López; el entonces Procurador de Justicia del estado de Chihuahua, Lic. Arturo González Rascón; la Coordinadora de la Unidad de Atención Especializada en Delitos Sexuales y Contra la Familia, de la misma dependencia, Lic. María del Carmen Quintana Moreno; así como los Jueces Cuarto y Sexto Penales del Fuero Común del estado de Chihuahua, Lic. Héctor Javier Talamantes Abe y Lic. Juan Rodríguez Zubiate, respectivamente."

# Índice

Nota: entre las páginas 112-113 y 224-225 selección de fotografías del archivo de Gloria Trevi y Sergio Andrade.